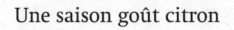

Une saison goût citron

Joanna Philbin

Une saison
goût citron

Traduit de l'anglais (américain)
par Julie Lopez

Albin Michel

Du même auteur chez Albin Michel Wiz :

Manhattan Girls

Manhattan Girls, Les Filles relèvent le défi

Manhattan Girls, En mode VIP

Titre original :
THE RULES OF SUMMER
(Première publication : Little, Brown and Company (Inc.),
New York, USA, 2012)
© Joanna Philbin, 2012
Tous droits réservés, y compris droits de reproduction
totale ou partielle, sous toutes ses formes.

Pour la traduction française :
© Éditions Albin Michel, 2014

Chapitre 1

Elle aurait vraiment dû en parler à quelqu'un. Lâcher ça l'air de rien, dans la conversation, le dernier jour de classe, quand ses camarades évoquaient leurs projets pour l'été. *Oh, vraiment? Tu pars en stage de tennis? Tu passes un mois à Wildwood? Tu as décroché ce stage à New York pour lequel tu avais postulé il y a six mois?*

C'est super. Moi, je vais passer l'été dans les Hamptons.

Rory leva les yeux de son carnet et regarda par la fenêtre du train. Elle ne s'était pas attendue à voir autant de champs de pommes de terre. Des sillons marron bordés de plants d'un vert luxuriant défilaient à toute vitesse et, çà et là, en bordure, des maisons à bardeaux de cèdre montaient la garde. Mais celles-ci, loin de ressembler à de vieilles fermes délabrées, étaient de belles demeures de construction récente. Il n'y en avait sûrement pas de telles sur les élevages de poulets ou les laiteries de Stillwater, dans le New Jersey, du moins pas à sa connaissance. Et il n'y avait pas non plus cette lumière radieuse, pensa-t-elle en contemplant le ciel bleu cobalt. Sans doute était-elle due à l'océan, au sud, et à la baie, au nord ; en tout cas, Rory n'avait jamais vu pareille lumière. Elle aurait bien aimé connaître la beauté de cet endroit quand il lui avait fallu convaincre sa mère de cette idée. Mais cela n'aurait sans doute pas marché.

– Une *fille de courses*? avait demandé celle-ci quand Rory avait fini par lui parler de son projet. C'est quoi, ça?

Sa mère était en train d'ouvrir une bouteille de vin. Quand elle rentrait du travail, Lana McShane ne mettait jamais plus de quelques minutes à sortir une bouteille de chardonnay du réfrigérateur et à la poser sur le comptoir, un tire-bouchon dans sa main manucurée. Rory l'avait regardée l'enfoncer, puis coincer la bouteille entre ses genoux et tirer. *Pam!* Lana pesait à peine quarante-cinq kilos toute mouillée, mais jamais aucune bouteille ne lui avait résisté.

– Ça doit vouloir dire que je ferai les courses, avait répondu Rory, occupée à couper un gros oignon jaune. En fonction de leurs besoins. Ils n'étaient pas très précis dans leur e-mail.

– Est-ce qu'ils vont te payer?

– Je vais loger chez eux gratuitement. Dans leur grande maison au bord de la plage. Ils n'ont pas à me payer.

Sa mère avait secoué ses cheveux roux et bu une longue gorgée.

– Je me demande pourquoi tu as toujours besoin d'un verre de vin dix minutes après être rentrée à la maison, avait commenté Rory.

Sa mère avait posé son verre sur le comptoir.

– Ça me détend. Essaie un peu de couper des cheveux pendant neuf heures d'affilée! Et Mario, alors? Il est au courant?

– C'est une pizzeria. Je pense qu'il trouvera quelqu'un d'autre, avait-elle répondu en jetant les morceaux d'oignons dans la poêle et en les regardant grésiller. Et j'ai économisé un peu d'argent cette année. Alors tu vois, tu n'as pas de souci à te faire.

Elle l'avait entendue chercher ses cigarettes dans son sac.

– Ce n'est pas pour l'argent que je m'inquiète. C'est pour toi. Tu es la fille la plus intelligente de ta classe. Si tu voulais aller étudier à l'étranger, je comprendrais. Si tu voulais trouver un job en ville aussi. Mais partir vivre avec une famille que tu ne connais même pas? Pour nettoyer derrière eux, comme ta tante?

– Toute ma vie j'ai vu Fee travailler pour eux. S'ils étaient affreux, elle serait partie depuis longtemps.

– Que vas-tu faire là-bas? avait poursuivi sa mère, qui sortait une Merit Light de son paquet. Ces gens-là ne sont pas comme toi. Tu penses qu'ils vont te laisser entrer dans leur monde? Que tu vas fréquenter leurs clubs, aller à leurs fêtes?

Rory s'était retournée. Sa mère allumait sa cigarette avec son briquet préféré, sur lequel était écrit *Las Vegas* en lettres bleues joyeuses.

– Tu ne seras qu'une vulgaire servante, avait-elle repris en tirant sur sa cigarette. C'est ce que tu veux?

Elle avait soufflé la fumée en plissant ses yeux verts, dont Rory aurait tant aimé avoir hérité.

– Le but, c'est de partir, avait répondu celle-ci, avant d'ouvrir un sachet de sauce. D'élargir mes horizons. Tu veux que je reste ici toute ma vie?

– Vas-y, dis-le, avait lancé sa mère en prenant son verre. Le but, c'est de t'éloigner de moi.

Rory s'était de nouveau tournée vers elle. Elle n'avait rien dit.

– Je le savais, avait conclu sa mère avant de sortir de la

cuisine, laissant derrière elle un sillage de fumée et de parfum Angel, et la discussion s'était arrêtée là.

Rory regarda sa montre alors que le train passait devant un stand de légumes dans un bruit de ferraille. Elle pensa à Sophie et Trish, qui travaillaient en ce moment au snack du camping, écrasant des moustiques tout en emballant des sandwichs dans de l'aluminium. Tous les étés, elle les retrouvait après son service chez Mario et elles traînaient ensemble au centre commercial ou devant le marchand de glaces, et elles se racontaient leur journée. Maintenant, elle était à des centaines de kilomètres de là. Elle n'était jamais allée plus loin que New York, et la dernière fois remontait à trois ans, quand elle était allée voir *Mamma Mia* avec sa mère. Ou du moins, la moitié de *Mamma Mia* : elles avaient dû partir avant la fin parce que sa mère était presque sûre que Martin, ou Tommy, ou Gordon, ou quel que soit le type qu'elle fréquentait à l'époque, la trompait et qu'il fallait le prendre sur le fait. Et cela avait été le cas, ce qui n'avait surpris qu'elle.

– East Hampton, annonça le conducteur dans le haut-parleur. Prochain arrêt, East Hampton.

Le train roulait toujours, mais des passagers jaillirent de leurs sièges pour attraper leurs valises sur les porte-bagages et aller attendre devant les portes. Rory fouilla rapidement dans son sac à main pour en sortir le poudrier Estée Lauder fêlé qu'elle possédait depuis la troisième. Après six heures de voyage, ses cheveux bruns ondulés avaient frisé à cause de l'air humide de cet après-midi de juin et son eye-liner noir avait coulé, formant un masque de raton laveur autour de ses yeux noisette. Elle envisagea de réparer les dégâts, puis se dit qu'il valait mieux attendre. Elle n'avait jamais été assez jolie, selon elle, pour rechercher la perfection dans son apparence, contrairement à sa mère, d'une beauté telle que cela l'avait préoccupée toute sa vie. Néanmoins, elle enfila un serre-tête en plastique et passa le peu de gloss bronze qu'il lui restait sur ses lèvres pleines. S'arranger un peu ne pouvait pas faire de mal. Les gens riches aimaient ça. En fait, sa tante n'employait jamais le mot «riches» pour qualifier ses employeurs. «Raffinés», disait-elle toujours quand elle parlait des Rule. «C'est une famille très raffinée.»

Le train finit par s'arrêter dans un grincement. Elle se leva et prit son sac marin, son cartable et sa veste de motarde vintage favorite. Lorsqu'elle sortit sur le quai, l'air sentait l'océan. Les yeux plissés à la lueur vive du soleil, elle passa devant la gare blanche pour rejoindre le petit parking où une file de 4 × 4 et de décapotables attendait les passagers. Rory jeta un coup d'œil aux personnes se dirigeant vers les véhicules. Les hommes portaient des polos, des shorts kaki et des mocassins sans chaussettes. Les femmes, des jeans skinny, de délicats cardigans en soie et des sandales plates avec une simple lanière de cuir perlé entre les orteils. Rory regarda sa propre tenue. Sa minijupe en jean clair, son T-shirt jaune sans manches et ses mules compensées lui avaient paru sophistiqués ce matin, mais elle n'en était plus très sûre.

– Rory?

Un type aux cheveux châtain blond coupés court, au visage bronzé et aux traits ciselés, fendait la foule dans sa direction. Il avait l'air de quelqu'un payé pour être athlétique. À moins que ce ne soit son short et son T-shirt blancs assortis. Il lui tendit la main.

– Salut, moi c'est Steve. Je suis le prof de tennis des Rule. Fee m'a demandé de venir te chercher.

L'espace d'un instant, elle sentit monter la panique qui la gagnait toujours quand elle se retrouvait face à face avec un type mignon d'une vingtaine d'années, puis elle se reprit.

– Oh, salut. Ravie de faire ta connaissance.

– Attends, laisse-moi prendre ça, dit-il en se saisissant de son sac marin, qu'il jeta sur son épaule. Je suis garé juste là-bas.

Alors qu'il la conduisait à la voiture, elle vit des filles lui lancer des regards admiratifs. Même de dos, elle voyait qu'il était beau, avec son corps long et étroit et ses mollets brunis par le soleil. Elle chassa tout cela de son esprit. Quand il s'agissait de beaux garçons, elle connaissait son rôle : meilleure amie. C'était bien plus facile comme ça : écouter leurs problèmes, les faire rire, leur donner des conseils. Et surtout, rester à l'écart des drames. Il y en avait bien assez chez elle !

Steve pointa la clé sur une décapotable Mercedes gris métallisé garée sur la dernière place et le coffre s'ouvrit avec un bruit sec.

– Attention, les sièges risquent d'être un peu chauds, l'avertit-il.

Rory grimpa à l'intérieur et referma la lourde portière. L'un des hommes qui sortaient du train jeta un coup d'œil envieux à la voiture.

Steve ouvrit la portière côté conducteur, se glissa derrière le volant et mit le contact.

– Bien, allons-y.

Le moteur ronronna, tranquille mais puissant.

– Mon Dieu, j'adore cette voiture ! marmonna-t-il.

– Elle est à toi ?

– Oh non, répondit-il en riant. C'est celle des Rule. Ils l'ont achetée la semaine dernière. Sympa, hein ?

– Sympa n'est pas vraiment le terme qui me vient à l'esprit, mais oui.

Il rit en faisant une marche arrière.

– Je vois ce que tu veux dire, lança-t-il en lui souriant, les yeux rivés sur le rétroviseur.

Steve avait l'air cool, pensa-t-elle. Elle sentait qu'ils allaient devenir amis.

– Alors, tu es du New Jersey ? demanda-t-il.

– Oui, du Sussex County. Une ville qui s'appelle Stillwater.

– Stillwater ?

– Près de la frontière de la Pennsylvanie. C'est très joli. Il y a beaucoup de fermes et de lacs. Une région très rurale. Et toi, tu viens d'où ?

Il actionna le clignotant.

– D'ici. J'ai grandi à Hampton Bays, près de Westhampton. Je suis allé au lycée ici. Puis à Rollins, en Floride. Quand j'ai arrêté la compétition, je suis revenu et j'ai commencé à donner des cours. C'est super. Il y a beaucoup de fanas de tennis dans le coin. Y compris Lucy et Larry.

– Lucy et Larry ?

– Les Rule. C'est un couple formidable. Ils ont vraiment les pieds sur terre.

Ils s'engagèrent dans la rue principale un peu vieillotte, bordée de boutiques et de restaurants. Des drapeaux américains flottaient au-dessus de certaines vitrines et des paniers d'impatiens mettaient de la couleur au sommet des lampadaires. Tout était charmant et pittoresque, jusqu'aux enfants aux cheveux blonds qui marchaient sur les trottoirs avec leurs cônes de glace. Mais le lustre de l'argent recouvrait toute chose. L'une après l'autre, les boutiques suintaient le luxe : Tiffany. Ralph Lauren. Elie Tahari. James Perse.

– Waouh ! lâcha-t-elle. Cet endroit est tellement... classe.

– Oui, c'est comme ça maintenant. Il y a tellement d'argent ici de nos jours.

Il lui sembla déceler une pointe de regret dans la voix de Steve. Elle le comprenait. Tout cela avait quelque chose d'un peu trop joli. *On dirait une ville dessinée par Walt Disney*, songea-t-elle.

– Alors, combien d'enfants ont les Rule ? demanda-t-elle.

– Quatre. Deux garçons, deux filles. Et la plus jeune a environ ton âge. Tu as dix-sept ans, c'est ça ?

– Oui.

– Comme Isabel. Tu vas bien t'amuser avec elle. C'est un peu la Reine des Hamptons.

Bizarre, pensa Rory. Fee n'avait jamais mentionné Isabel. Elle aurait pourtant dû se faire un devoir de lui parler d'elle, ne serait-ce que parce que les adultes ont tendance à imaginer que deux personnes du même âge ne peuvent que devenir immédiatement meilleures amies. Mais peut-être Fee était-elle réaliste. Une fille que l'on qualifiait de Reine des Hamptons n'avait sans doute pas grand-chose en commun avec elle. Elle n'était pas coincée, mais personne ne dirait jamais d'elle qu'elle était la fille la plus populaire de Stillwater.

Ils tournèrent dans une rue calme bordée de demeures majestueuses et d'arbres qui formaient une voûte au-dessus d'eux.

– C'est une belle rue, déclara Rory.

– Il s'agit de Lily Pond Lane. Là où tous les millionnaires ont fait construire leurs maisons de vacances il y a une centaine d'années. Y compris l'arrière-grand-père de Lucy Rule.

– La maison est dans la famille depuis si longtemps que ça?

– Ouaip, dit Steve, alors que les bâtisses imposantes disparaissaient derrière de grandes haies bien soignées. Elle adore cette maison. Elle en a hérité à la mort de son père. Je pense qu'il faudrait la traîner pour la faire partir d'ici.

– Et M. Rule? Est-il aussi...

– D'une famille fortunée? suggéra Steve, qui tourna à gauche pour s'engager dans une brèche entre les haies, avant de s'arrêter devant un grand portail en fer. Non. Il travaille dans l'immobilier commercial. Tu connais ces deux gratte-ciel célèbres à Kuala Lumpur? C'est sa société qui les possède. Entre autres. (Il baissa la vitre et composa un code sur un petit boîtier de sécurité.) Vieilles fortunes, nouvelles fortunes, c'est en train de devenir la même chose, par ici.

Avec un petit bruit métallique, le portail s'ouvrit. Steve appuya sur l'accélérateur et les graviers crissèrent sous les pneus. Quelques secondes plus tard, ils roulaient le long de la pelouse la plus longue, la plus large qu'elle avait jamais vue. Le gazon se déployait, parfaitement tondu, vert émeraude, aussi vaste et épais qu'un terrain de football. Et, perchée sur une petite hauteur, d'apparence aussi éphémère et irréelle qu'un rêve, se dressait une immense maison.

– Le court de tennis est par là-bas, expliqua Steve en désignant l'autre côté de la pelouse. Ainsi que les cabines pour se changer, et la salle de gym.

Elle regarda le court bleu-vert. Une trémie pleine de balles se tenait sur des pieds arachnéens.

– Et derrière la maison, il y a la piscine et la plage, ajouta-t-il.

– On se croirait dans un hôtel.

– Oui, dit-il en riant. Ça donne parfois cette impression.

À mesure qu'ils approchaient de la demeure, elle semblait devenir encore plus grande et plus imposante. Les bardeaux, sans doute marron autrefois, s'étaient décolorés, prenant une teinte élégante, gris argenté. De la peinture blanche très vive couvrait la porte d'entrée et le portique, ainsi que le contour de toutes les fenêtres. Celles du deuxième étage étaient cintrées, avec des lucarnes, et de chaque côté de la maison s'élevait une tourelle avec, à son sommet, une girouette tournant au vent.

– C'est juste leur maison de week-end? demanda Rory, incrédule.

– Eh oui. Ils vivent en ville la plus grande partie de l'année.

Rory pensa à sa propre maison : une espèce de boîte à deux niveaux avec un toit en ardoise et une peinture vert jaunâtre qui s'écaillait. Elle n'en avait pas d'autre. Et tous ses amis vivaient dans le même genre de logement. Pouvait-on vraiment parler de maison après avoir vu celle-ci ?

Steve dépassa l'allée circulaire et se dirigea vers des voitures stationnées devant une rangée de garages. Il se glissa entre une Prius argentée et une Porsche noire décapotable, puis il coupa le moteur.

– Je sais, c'est impressionnant, dit-il. Mais ne sois pas intimidée. Ils sont vraiment très gentils. Tu verras.

– Oui, bien sûr.

Juste avant de sortir, elle se souvint de sa veste en cuir noire posée par terre, à ses pieds. Elle la ramassa, mais elle lui parut déjà inutile et dépassée, comme une vieille robe de soirée.

Elle suivit Steve vers une porte, sur un côté de la maison, en passant devant un jardin de roses pâles. Au loin, elle entendait le fracas des vagues. Elle avait hâte d'aller sur la plage.

Soudain, la porte s'ouvrit à toute volée et la charpente courte et solide de tante Fee sauta sur les pavés. Elle leva ses bras blancs.

– Te voilà ! Mon Dieu, tu es plus grande que moi !

– Salut, Fee ! dit Rory, cédant à l'étreinte impitoyable de sa tante. Ça fait un bail.

– C'est parce que ta mère a une définition très étrange de la famille, commenta Fee en broyant les côtes de sa nièce. Tout le monde est impatient de faire ta connaissance, tu sais.

Rory avait toujours eu du mal à croire que Fee et sa mère étaient sœurs. Lana était grande et svelte, Fee compacte et petite, avec des yeux marron ordinaires qui se plissaient quand elle souriait. Elles n'avaient en commun que leurs cheveux roux, mais ceux de Fee commençaient à grisonner.

– Je suis très contente d'être là, déclara Rory. J'entends l'océan !

– Je t'y emmènerai dans un moment, lui assura Fee avant d'essuyer ses mains sur son pantalon kaki. Steve, je vais prendre son sac.

– Tiens, dit-il. À bientôt, Rory. Peut-être sur le court de tennis ? (Il lui tapota l'épaule.) Amuse-toi bien.

– Merci.

Elle le regarda repartir en direction des voitures. Il ne lui était pas venu à l'esprit qu'elle pourrait jouer au tennis ou s'amuser pendant son séjour, mais elle était moins nerveuse depuis que Steve avait évoqué ces possibilités. Avant qu'elle ne puisse voir quelle était sa voiture, Fee l'entraîna à l'intérieur.

– Désolée de ne pas avoir pu venir te chercher, mais les choses sont un peu mouvementées, ici, expliqua-t-elle alors que Rory pénétrait dans un couloir frais et sombre. Ils donnent leur premier dîner ce soir. Le pauvre Eduardo est dans tous ses états.

Tandis que les yeux de Rory s'adaptaient à la luminosité, elle se rendit compte qu'elle se tenait dans un long corridor avec plusieurs portes, et qu'une boule de poils blanche s'agitait et aboyait à ses pieds.

– Oh mon Dieu, c'est un chiot?

– Je n'en sais trop rien. C'est la chienne de Mme Rule, Trixie.

Rory s'accroupit pour la caresser.

– Elle est adorable, dit-elle alors que Trixie commençait à lui lécher la main. C'est un bichon maltais?

– Un maltipoo, je pense. Ou un cockapoo, répondit Fee, les sourcils froncés. Un poo quelque chose. Bon, Trixie! Retourne à ta place!

La chienne obéit et trottina jusqu'à son panier, à l'autre bout du couloir.

– Ma mère ne veut toujours pas qu'on ait un chien, dit Rory.

– Parce qu'elle sort toujours avec des chiens, railla Fee. C'est par là.

Elle repartit. Rory reconnut sa démarche, à la fois lourde et martiale.

– Il y a beaucoup de personnel, ici ? demanda-t-elle.

– Eh bien, il y a moi, Eduardo, le cuisinier, et Bianca, la gérante de la maison. Nous vivons sur place. Ensuite, il y a les aides extérieures.

– Les aides extérieures ?

– Laura, la masseuse, Siddha, le professeur de yoga, et Frederika, qui coiffe Mme Rule. Et Steve, le prof de tennis ; les Rule sont d'excellents joueurs de double. Et ils aiment aussi engager des gens pour faire le service lors des soirées. Comme aujourd'hui.

Elles s'arrêtèrent finalement devant une porte. Fee l'ouvrit.

– Voici ta chambre.

La pièce faisait facilement trois fois la taille de sa propre chambre. Le lit extralarge ressemblait à un nuage avec sa couette blanche molletonnée et ses coussins bordés de dentelle, et tous les meubles – les tables de nuit assorties décorées de vrais coquillages, le bureau aux pieds incurvés, les fauteuils club rembourrés – se déclinaient dans des tons crème ou ivoire. Les murs étaient d'un bleu très doux. Et en face du lit, nichée dans une armoire blanc cassé, se trouvait une télévision à écran plat.

– Ça ? demanda-t-elle. C'est ma chambre ?

– Bien sûr, répondit Fee sans remarquer sa surprise. Et la salle de bains est ici.

Rory laissa tomber son sac marin sur le banc en velours au pied du lit et suivit Fee dans la salle de bains attenante.

– Oh mon Dieu ! souffla-t-elle. C'est splendide.

La douche était une élégante cabine en verre dotée d'un

banc en marbre, et il y avait une baignoire séparée très large et profonde, dont le robinet en argent se courbait comme le cou d'un cygne.

– Et il y a toutes sortes de produits de beauté, au cas où tu aurais oublié quelque chose, dit Fee, qui se mit à ouvrir des tiroirs sous le lavabo, révélant une rangée ordonnée de shampoings et d'après-shampoings.

– Je crois que c'est le plus bel endroit que j'ai vu de toute ma vie, s'extasia Rory alors qu'elles retournaient dans la chambre. Pourquoi ne m'as-tu jamais dit que c'était aussi beau ?

Fee haussa les épaules.

– Au bout d'un moment, on s'y habitue, je suppose, répondit-elle en passant la pièce en revue. Certaines personnes travaillent dans un bureau. Moi, je travaille ici.

Rory sourit. Et dire que toutes ces années, sa mère avait eu pitié de tante Fee.

« Au moins, je ne suis pas gouvernante », disait-elle chaque fois que ses chèques étaient refusés ou que le comté leur coupait le chauffage.

Et pourtant, tante Fee vivait au milieu de tout ce luxe et de toute cette beauté. Si seulement sa mère pouvait voir ça, pensa Rory.

– Bon, passons aux choses sérieuses, déclara Fee en ouvrant la fermeture éclair du sac de Rory. Est-ce qu'elle travaille toujours dans ce salon ?

– Oui, la plupart du temps.

– Et son nouveau petit ami ? Il a vraiment vingt et un ans ?

– C'est ce qu'il dit.

– Et il va emménager avec vous ?

– Ils emménagent toujours.

Fee secoua la tête.

– Ton père doit être aux anges.

– On ne peut pas dire qu'on en parle vraiment quand je vais chez lui pour Thanksgiving, fit remarquer Rory, avant de sortir un tas de T-shirts pliés. Lui et Sharon vont avoir un troisième enfant, au fait.

– Je me demande si ta mère regrette parfois ce qu'elle a fait, dit Fee, songeuse. Faire fuir un homme aussi bien. Au moins, tu le vois encore.

À *peine*, pensa Rory. Elle avait beau travailler dur, répondre avec diligence à ses mails et à ses coups de téléphone, son père semblait les considérer de la même façon, elle et sa mère : comme une erreur qu'il valait mieux garder à distance.

– Tu sais, je suis fière de toi, reprit Fee, occupée à lisser une robe froissée. Tu pourrais être comme elle. Courir après les garçons, sortir toute la nuit. Ça lui plairait sûrement que tu tournes comme ça. Ça lui ferait de la compagnie. Mais tu es une bosseuse. Intelligente. Disciplinée. Tu es trop indépendante pour t'occuper des garçons.

« Indépendante » était-il vraiment l'adjectif qui convenait ? Ce n'était pas ce que disaient ses amies. *Craintive. Renfermée. Trop sensible.* La meilleure expression revenait à son amie Sophie : *peu incline aux relations.*

Elle laissa tomber les T-shirts dans le tiroir du milieu de sa commode.

– Merci. Alors, par quoi puis-je commencer ?

– Oui, on va te mettre au travail, annonça une voix.

Rory fit volte-face. Une femme petite à la peau pâle et lisse et aux yeux perçants se tenait dans l'embrasure de la porte. D'épais cheveux argentés tombaient dans son dos, plus bas que ses épaules étroites, et elle était si mince qu'elle avait dû faire au moins trois tours avec la ceinture de sa robe porte-feuille. Supposant qu'il s'agissait de Mme Rule, Rory se redressa machinalement.

– Rory, voici la gérante de la maison, Bianca Vellum, déclara Fee. Bianca, voici Rory, ma nièce.

– Oh! lâcha la jeune fille, espérant ne pas paraître trop surprise. Bonjour.

Bianca pénétra dans la pièce et s'approcha d'elle.

– Bienvenue, dit-elle avant de lui serrer la main lentement, d'un air royal. J'espère que tu as fait bon voyage.

– Oui, ça a été très facile.

– Formidable. Je préfère toujours prendre le bus Jitney depuis New York plutôt que le train, mais chacun ses goûts. (Elle sourit vaguement et tapota l'un des coussins sur le lit.) Je vois que tu as commencé à t'installer. Cette chambre te convient-elle?

– Ouais! Enfin, oui. C'est la plus belle chambre que j'aie jamais vue.

Bianca sourit à nouveau, comme si quelque chose l'amu-sait.

– Bien. Et pour revenir à la question de ce que tu pourrais faire, je me demandais si tu avais une expérience dans le service.

– Le service? À table?

– Bianca, elle vient d'arriver, intervint Fee. Je ne pense vrai-ment pas que...

– La personne que nous avions engagée pour ce soir vient

de se désister, la coupa Bianca, l'ignorant complètement. Je ne peux pas dire que cela me surprenne. La situation empire chaque été.

Rory hocha la tête comme si elle savait de quoi il retournait.

– Je me demandais donc si tu pourrais la remplacer.

– Mais elle n'a pas l'expérience nécessaire, répliqua Fee. Nous avions prévu qu'elle fasse des courses...

– Nous avions prévu qu'elle nous aide quand nous aurions besoin d'elle, dit la gérante d'un ton sec, avant de se tourner vers Rory. Alors... est-ce possible ?

– Eh bien, j'ai été serveuse dans une pizzeria, répondit celle-ci. Chez Mario. Je suis sûre que je pourrai me débrouiller.

Bianca se balança d'avant en arrière dans ses ballerines.

– Fantastique. Nous te donnerons quelques conseils. Et tu dois savoir que c'est la première fois que nous recevons un membre de la famille du personnel pendant l'été.

– Vraiment ?

– En effet. Mais Mme Rule est une employeuse très généreuse. Lorsque je lui ai dit que nous aurions bien besoin d'une autre paire de mains pour faire les courses, aller chercher les gens à la gare, s'occuper du chien... elle a trouvé que c'était une excellente idée.

– Et quand je lui ai demandé si Rory pouvait loger ici, elle a vraiment trouvé que c'était une excellente idée, ajouta Fee.

Bianca lui lança un regard mauvais. *Alors elles ne s'entendent pas*, pensa Rory. *C'est mauvais signe.*

– Et si tu défaisais tes bagages ? Fee t'aidera à prendre tes marques. Je vais demander à Eduardo de te préparer un déjeuner léger et ensuite je te ferai visiter les lieux. Y a-t-il des aliments que tu ne manges pas ?

– Non, je mange de tout.

Bianca la regarda des pieds à la tête.

– Ça, je n'en doute pas. À tout de suite.

Elle sortit à pas feutrés et ferma la porte.

– Ne fais pas attention à elle, dit Fee avant que Rory ne puisse ouvrir la bouche. Elle aime intimider les gens, c'est tout.

– Elle ne veut pas de moi ici, pas vrai ?

Fee mit les poings sur ses hanches.

– J'ai plus d'ancienneté qu'elle, alors ça n'a pas d'importance.

Rory réfléchit un instant, puis elle sortit de la chambre.

– Euh, mademoiselle Vellum ? appela-t-elle dans le couloir vide. Bianca ?

Une porte battante s'ouvrit et Bianca apparut.

– Je voulais juste que vous sachiez que vous pouvez compter sur moi à cent pour cent. Que ce soit pour servir pendant les dîners ou pour faire les courses, quels que soient vos besoins.

– Très bien, lança Bianca, les yeux rivés sur Fee, qui s'était placée à côté de sa nièce.

– Et je suis très, très contente d'être ici, poursuivit Rory. Je sais que ce n'est pas rien, de passer l'été dans cette maison, et je tiens à vous dire que je suis très reconnaissante.

Soudain, une voix de fille parvint depuis l'étage.

– Quelqu'un a vu ma robe blanche avec la ceinture en soooiiie ?

Quand elle se rendit compte que Bianca et Fee regardaient

un point derrière elle, Rory se retourna et remarqua un escalier de service. Une seconde plus tard, des pas lourds se firent entendre sur les marches.

– Il y a quelqu'un ? Feeeee ?

Une fille apparut sur le palier, et en un seul coup d'œil à ses cheveux blonds et lisses, à ses grands yeux bleus et à ses longues jambes bronzées, Rory sut qu'il s'agissait de la Reine des Hamptons en personne. Celle-ci dévisagea Rory comme si elle avait affaire à une extraterrestre, puis elle rejeta sa chevelure par-dessus son épaule.

– C'est qui, ça ? demanda-t-elle en jouant avec le bracelet à breloques en or à son poignet droit.

Fee posa la main dans le dos de Rory.

– Isabel, voici Rory. Ma nièce. Elle va rester avec nous cet été.

Isabel considéra la jeune fille d'un air neutre.

– D'accord, dit-elle avec un manque évident d'enthousiasme.

– Rory, je te présente Isabel, reprit Fee. La plus jeune fille des Rule. Vous avez le même âge.

Rory aurait voulu disparaître sous terre.

– Bonjour, lança-t-elle en lui faisant un signe de la main.

Isabel frotta l'intérieur de son mollet avec son pied nu, sans un sourire ni une parole.

– C'est moi qui ai ta robe, déclara Fee. Je te l'apporterai quand je l'aurai repassée.

– OK. C'est juste que je ne la trouvais pas.

– Tu ne veux pas dire bonjour à Rory ? demanda Bianca, d'un ton oscillant entre douceur et autorité. Ce serait gentil de lui souhaiter la bienvenue, d'autant plus que tu es le premier membre de la famille qu'elle rencontre.

Rory se rembrunit encore plus. Quelque chose chez cette fille lui donnait envie de retourner dans sa chambre en rampant.

– Bienvenue, dit Isabel avec un sourire sarcastique. (Elle passa la main dans ses cheveux.) Je te parie dix dollars que tu vas regretter de ne pas être restée chez toi.

Sur ce, elle remonta bruyamment l'escalier, les laissant plongées dans le silence. Une porte claqua à l'étage.

– Elle est juste un peu timide, expliqua Fee.

Rory ne dit rien.

– Il faut que je parle à Eduardo, lança Bianca, comme s'il ne s'était rien passé. Ton déjeuner sera bientôt prêt.

Elle poussa la porte battante de la cuisine.

– Elle n'a pas l'air timide, souffla Rory.

– Elle est pourrie gâtée, lâcha Fee en ramenant sa nièce dans sa chambre, un bras autour de ses épaules. Alors ne le prends pas pour toi.

– Et Bianca? murmura Rory. C'est quoi, son excuse?

– Elle a travaillé six mois pour Heidi Klum. Maintenant elle croit tout savoir.

Elle resta sur le seuil alors que Rory entrait dans sa chambre.

– Vraiment, ne t'en fais pas. Ça va être super.

– D'accord, dit Rory, qui regardait son sac avec regret.

– Il faut que je lui monte cette robe. Si tu as besoin de moi, sers-toi du système d'interphone sur le téléphone. Et ma chambre se trouve en bas, à côté de la salle de jeux. Mais je vais revenir. Ne t'inquiète pas. Fais comme chez toi.

– OK.

Fee ferma la porte.

Rory considéra le lit, les fauteuils rembourrés dans le coin, la penderie de plain-pied. Pendant les dix semaines à venir, cette chambre serait la sienne. Elle sortit son téléphone portable et prit une photo. *Ma chambre !* écrivit-elle dans un texto qu'elle envoya ensuite à Sophie et Trish. Elle espérait qu'elles ne penseraient pas qu'elle se vantait. Impossible de ne pas partager ça avec elles.

Elle s'assit sur le lit en attendant une réponse. En vain. Elles étaient sans doute au lac, à profiter de leur dernier jour de liberté avant de commencer leur job d'été. Elle s'allongea et sentit la couette qui s'affaissait doucement sous son poids. Elle aurait aimé que sa mère voie ça. Un véritable manoir. Elle aurait peut-être admis que c'était une bonne idée, tout compte fait.

Ses pensées revinrent à cette fille, à l'étage, puis elle la chassa de son esprit. Elle s'appuya sur les oreillers et ferma les yeux. Une brise douce entrait par la fenêtre ouverte et, au loin, elle entendait le roulement des vagues.

Je suis là, pensa-t-elle. *Pour dix semaines entières.*

Chapitre 2

– Voilà Tatiana, dit Thayer Quinlan, aussi blasée que jamais, tout en entortillant une mèche de cheveux châtains sous son énorme chapeau à bord large. La pauvre. Link la trompe.

Darwin, dont les taches de rousseur rougissaient déjà, se tordit le cou pour apercevoir Tatiana sur le patio.

– Vraiment ? Avec qui ?

– Kearcy McBride, articula Thayer en silence, juste avant de prendre une bouchée de salade composée.

– Avec Kearcy ? lâcha Darwin, étonnée. Mais elle a du gras dans le dos. Et des cheveux abîmés.

Thayer haussa les épaules, comme s'il s'agissait de l'un des grands mystères du monde.

– Oui, mais elle a l'air mince, grommela Darwin en revenant à sa feuille de laitue couronnée de cœurs de palmier. Elle a au moins ça pour elle.

Isabel observait Tatiana Gould qui traversait le patio du Club Georgica, et il lui semblait voir son aura s'envoler comme des peluches ou des pellicules. L'été précédent, Tatiana Amory avait été la fille chérie du Georgica. Sa plus grande réussite était sa relation avec Link Gould, un garçon sexy et drôle, toujours sur le point de la quitter pour l'une des nombreuses femmes qui se jetaient à son cou. Tatiana exerçait sur lui un pouvoir légendaire. Isabel devait bien l'admettre, cette fille avait un don. Chaque fois que Link annonçait qu'il se sentait « pris au piège », elle se débrouillait pour apparaître au Crown au bras d'un superbe mannequin brésilien de la collection de vêtements de son père, et Link tombait à genoux. Mais il avait tenu très longtemps. Quand il avait fini par la demander en mariage, après six ans d'ambivalence, les membres du Georgica s'étaient réjouis. Tout New York était au comble de l'excitation. *Town and Country* l'avait mise en couverture, Olivier Theyskens avait dessiné sa robe, et ses parents avaient organisé pour l'heureux couple une splendide fête de fiançailles.

Mais ça, c'était l'année dernière. Désormais, les matrones de la bonne société et les jeunes mères assises sous les parasols à rayures blanches et vertes arboraient leurs plus beaux sourires en fer barbelé. Il y avait bien quelques hommes installés à des tables, mais en ce début d'été, le patio du Georgica était principalement le territoire des femmes. Avec courage, Tatiana passa devant les tables, la tête haute, des lunettes d'aviateur dissimulant son visage. Elle savait forcément que les gens parlaient d'elle. C'était le patio du Georgica, après tout. Pourtant, Isabel ne se sentait pas vraiment désolée pour elle. Si elle avait été mariée à Link Gould, elle n'aurait jamais laissé une autre fille s'interposer entre eux.

– On va lui parler, murmura Thayer.

– Oh non, dit Darwin. Ne l'appelle pas...

– Tatiana ! s'écria Thayer en agitant la main. Hé ho !

Tatiana sourit et les rejoignit d'un pas léger.

– Salut les filles. Comment ça va?

– N'est-ce pas une journée magnifique? demanda Darwin.

– Oui, pas mal, répondit Tatiana, la rabrouant en une seule phrase, ce qui arrivait souvent à Darwin. Salut, Isabel. C'était comment la Californie?

– Super.

– J'ai de la famille à Montecito. Je te les présenterai. Ils sont formidables.

Elles évoquèrent brièvement quelques connaissances communes, leurs marques de vêtements préférées, puis Tatiana s'éloigna au soleil, et Isabel se mit à compter. Un... Deux... Trois...

Thayer repoussa son assiette.

– Il paraît qu'à son mariage, commença-t-elle à voix basse, tout excitée, il n'y avait que de l'écran solaire et des tongs dans les paquets de bienvenue. Alors que ma mère a bien dû dépenser mille dollars en billet d'avion pour Tulum.

– Sérieux? demanda Darwin.

– Qu'est-ce qu'elle aurait voulu? lança Isabel, incapable de se retenir. Un billet de cent dollars?

– Non, répondit Thayer, les sourcils froncés. Qu'est-ce qui te prend?

– Je plaisante, c'est tout.

Thayer et Darwin échangèrent un regard perplexe, puis elles se remirent à manger.

Isabel faisait tourner une tranche de tomate sur son assiette. Le proverbe selon lequel les gens riches ne parlaient jamais d'argent était vraiment faux. Ils en parlaient tout le temps.

– Au fait, vous êtes au courant que les Knox sont de retour ? demanda Darwin. Il paraît que lui est devenu un énorme producteur à Hollywood. Peut-être qu'il me fera jouer dans son prochain blockbuster.

Selon Darwin, son avenir de star du cinéma ne se conjuguait pas au conditionnel, mais bien au futur. Sur toutes ses photos de profil Facebook, qu'elle changeait chaque semaine, elle regardait l'appareil d'un air charmeur.

– Hé, dit-elle à Isabel, ils n'étaient pas super amis avec tes parents, dans le temps ?

– Qui ? demanda Isabel.

Darwin leva les yeux au ciel.

– Les Knox ! Hé ho, réveille-toi !

– Je crois, oui. Je n'étais qu'un bébé. Je m'en souviens à peine.

Un malaise soudain la traversa, sans qu'elle sache pourquoi, et elle le repoussa.

– Je suis sûre qu'il verra en toi la prochaine Natalie Portman, reprit-elle. Alors, qu'est-ce qui est prévu, ce soir ? Je vous en prie, dites-moi qu'il y a un truc bien.

Thayer et Darwin échangèrent un regard entendu.

– Aston fait une fête, annonça la première. Et il m'a demandé de t'inviter.

Isabel plongea le regard dans les grands yeux marron de Thayer. Elle ne serait jamais une jolie fille, mais elle s'était arrangée depuis l'année dernière. Son opération du nez n'y était pas pour rien.

– Je vais passer mon tour, dit Isabel.

– Aie un peu de pitié pour ce pauvre garçon et vas-y, insista Darwin. C'est pour toi qu'il organise cette soirée.

– Après lui avoir brisé le cœur, le moins que tu puisses faire est d'aller à la soirée débile qu'il donne pour te reconquérir, ajouta Thayer.

– Petit *a*, ce n'est pas comme si j'avais voulu lui briser le cœur, déclara Isabel. Et petit *b*, je ne pense pas lui devoir quoi que ce soit.

– Explique-nous pourquoi tu as rompu avec lui, dit Darwin. Je n'ai jamais compris.

– Pourquoi pas ?

– Peut-être parce que tu étais folle de lui l'année dernière ? répondit Thayer.

Isabel baissa les yeux sur son assiette, soudain furieuse. Oui, c'était vrai, elle en avait pincé pour Aston l'été dernier. Au fil des ans, le gamin en surpoids avec les dents en avant s'était transformé en joueur de crosse séduisant, au réseau social impeccable. Avait également joué en sa faveur le fait qu'il était sorti avec toute une série d'apprenties mondaines jolies et maigres, la plus sérieuse étant Victoria Drake, son équivalent féminin : belle, bien élevée, dont le père avait donné plusieurs millions au Metropolitan Museum. Isabel connaissait Aston depuis de nombreuses années, mais il n'avait jamais essayé de la séduire, si bien que l'été dernier, elle avait fini par se sentir un peu vexée. Un soir, lors d'une fête sur la plage, elle l'avait approché et lui avait offert un verre de bière et une avalanche de compliments. Cela n'avait pas pris longtemps. À la fin de la soirée, il avait laissé Victoria sur la plage pour ramener Isabel chez elle. Deux jours plus tard, ils sortaient officiellement ensemble.

Mais ensuite, comme toujours, elle avait changé d'avis. Il existait des raisons concrètes, évidemment : il ne l'écoutait pas bien, il avait des goûts musicaux douteux, et il n'avait pas arrêté de faire campagne auprès d'elle pour qu'elle lui offre sa virginité, comme si elle allait lui faire cet honneur. Le véritable problème, cependant, était qu'elle était déjà sortie avec lui. Une centaine de fois, lui semblait-il. Il n'était qu'une énième personnalité typique du monde des écoles privées. Rien de différent, rien d'inhabituel, rien qu'elle n'ait pas déjà vu auparavant.

Elle avait mis un terme à leur relation pendant la fête de Madeleine Fuller, sur la pelouse, devant la maison. Elle lui avait expliqué qu'elle partirait en Californie quelques semaines plus tard, que les relations à distance ne fonctionnaient jamais et qu'elle devait le laisser partir, pour qu'il puisse être heureux, blablabla.

– Mais... Mais... on est si bien ensemble, avait-il balbutié. Qu'importe la distance quand on s'aime ?

Elle l'avait regardé droit dans les yeux.

– Qui a dit que je t'aimais ?

Elle n'en était pas très fière désormais. Pourtant, il ne semblait pas lui en vouloir. Il lui avait envoyé une dizaine de mails pendant l'année scolaire, parfois seulement pour dire bonjour.

– Écoutez, allez à sa fête, dit-elle. Je vous y rejoindrai peut-être.

– Et comment comptes-tu faire ? demanda Thayer. Tu as soudain obtenu ton permis de conduire ?

– Ah, ah.

– Sérieusement, quand vas-tu retenter le permis ? insista Darwin. On ne peut pas passer l'été à te trimballer en ville.

– Ne t'inquiète pas, ça n'arrivera pas. Et c'est terminé entre

Aston et moi. Pour de bon. Je ne lui rendrais pas service en y allant.

Elle jeta un coup d'œil à la plage de sable jaune privée et au ruban d'eau foncée et agitée derrière elle. Elle ressentait soudain le besoin de s'éloigner de cette table.

– Je vais aller nager, dit-elle.

Thayer battit des paupières.

– Nager ? demanda-t-elle. Dans l'océan ?

– Oui.

– Il doit être glacé.

– Et alors ? Ça fait du bien.

Darwin et Thayer se regardèrent à nouveau d'un air entendu. *Oui, la Californie l'a changée*, semblait dire ce regard.

– Je reviens tout de suite, ajouta Isabel.

Elle prit rapidement sa serviette sur le dossier de sa chaise et s'engagea sur le passage en bois qui menait à la plage.

– Amuse-toi bien ! cria Darwin, la voix dégoulinant de sarcasme.

Le vent cinglant la heurta de plein fouet alors qu'elle se dirigeait vers l'eau, faisant remonter le bout de ses cheveux au-dessus de ses épaules. Il n'y avait pas âme qui vive sur la plage. Le siège du sauveteur était vide, comme s'il allait de soi que personne n'irait se baigner aussi tôt dans la saison. Au sommet de la chaise, un drapeau jaune battait dans le vent. Baignade dangereuse, mais pas interdite. D'ailleurs, pendant son année au lycée à Santa Barbara, elle était devenue bien meilleure nageuse.

Les vagues enflaient et s'écrasaient dans un bruit de tonnerre, suivi du grésillement de l'écume. Elle fonça droit dans l'eau. Elle avait le cœur serré. Depuis son retour sur la côte

Est, respirer lui faisait mal. Elle inspira et ressentit de nouveau cette douleur aiguë, juste sous ses côtes. Comme si elle retenait sa respiration sous l'eau. C'était ici qu'elle avait rencontré la plupart de ses amis et qu'elle avait passé tous ses étés. Elle connaissait cet endroit. Elle y était presque comme chez elle. Pourtant, alors que la brise marine s'enroulait autour d'elle, donnant la chair de poule à ses bras nus, elle comprit pourquoi elle n'arrivait pas à respirer. Elle ne le supportait plus. Elle ôta sa tunique en coton et se retrouva en bikini. L'air froid faillit lui faire changer d'avis, mais elle l'ignora. Elle courut vers les vagues.

L'eau gelée provoqua des ondes de choc sur son corps. Elle plongea sous une vague juste avant qu'elle ne se brise, puis elle remonta à la surface, sentant le sel dans son nez et dans sa bouche. Elle ouvrit les yeux et se retourna. Le club semblait déjà minuscule, insignifiant, et les parasols vert et blanc évoquaient ceux, miniatures, qu'on mettait dans les cocktails de fruits. Quelque part là-bas, Thayer et Darwin parlaient probablement d'elle. *Peu importe*, pensa-t-elle. *Qu'elles parlent de moi.*

Elle faisait du sur-place, réfléchissant à un livre qu'elle avait lu le semestre dernier, au lycée. Il parlait d'une femme vivant sur une île au large de la Louisiane, une épouse et une mère, amoureuse d'un homme plus jeune. Quand elle se rendait compte qu'elle ne pouvait pas quitter son mari et vivre avec son véritable amour, elle se suicidait en se noyant dans l'océan. Isabel avait écrit une dissertation sur cet ouvrage pour son projet de fin d'année en littérature, intitulé *Circonstances extérieures antagonistes dans L'Éveil de Kate Chopin*. C'était un titre un peu prétentieux, mais elle avait obtenu un A. Dans l'océan, alors qu'elle regardait la mer de parasols vert et blanc, elle pensait à ce personnage. Comme elle, elle savait ce qu'on attendait d'elle. Le bal des débutantes où elle ferait son entrée dans le monde. L'université, puis des stages chez les meilleurs décorateurs d'intérieur de l'Upper East Side. Elle sortirait, puis se marierait avec quelqu'un d'exactement semblable à Aston March. Ensuite, elle aurait des enfants et peut-être, si elle avait de la chance, une carrière à assortir des coussins en soie à la collection de robes de ses clientes. Sa vie ressemblerait à celle de toutes les personnes qu'elle connaissait. Rien de drôle. Rien d'exceptionnel. Tout sauf une vie.

Elle nagea sous une autre vague, bougeant ses membres dans l'eau froide. Lorsqu'elle ressortit la tête, elle faisait face à des dunes. Elle se retourna, essayant de trouver le club. Alors, elle le repéra, si loin sur sa gauche qu'elle le distinguait à peine. Elle avait déjà dérivé à plus d'un kilomètre vers l'est. Le courant était plus fort qu'elle ne l'avait cru.

Elle se mit à nager le crawl en direction du club, mais une vague roula sous elle, l'entraînant encore plus loin. Elle fendait l'eau avec ses bras, se dirigeant vers la plage désormais. Une autre vague s'écrasa sur elle ; elle sentit le contre-courant sous son corps. Cette fois, quand elle remonta à la surface, elle ne vit plus que l'horizon. Et un mur d'eau de plus en plus grand. C'était une vague. Qui fonçait droit sur elle.

Elle pivota, essayant de se rapprocher de la plage. L'eau la repoussa, l'empêchant de bouger. Elle regarda derrière elle. La vague était grosse, trop grosse, et elle allait se briser sur elle. Et il y avait quelque chose sur cette vague. Un type allongé sur une planche de surf, ramant frénétiquement avec ses bras, franchissant la crête. Il s'apprêtait à se mettre debout. Il ne l'avait pas vue.

Fais-lui signe, se dit-elle. *Bouge les bras.* Elle se mit à agiter les bras au-dessus de sa tête comme une folle, en signe de détresse, du moins elle l'espérait.

Il était presque debout lorsqu'il l'aperçut. Elle remarqua sa combinaison, le lustre de ses cheveux bruns et son expression paniquée quand il la vit, trop tard pour changer de trajectoire. Au tout dernier moment, elle plongea alors que la vague se recourbait, se refermant sur elle-même, et s'écrasait, la poussant vers le fond.

Et voilà, pensa-t-elle. *Je vais mourir. Comme le personnage de ce livre débile.*

Retenant son souffle, elle agitait les bras, essayant de se hisser vers la surface, lorsqu'une main lui agrippa le poignet et la tira violemment hors de l'eau.

De l'air. Du soleil. Elle ouvrit la bouche et se cogna le bras sur un objet dur : la planche de surf.

– Monte sur la planche ! l'entendit-elle crier. Monte !

Elle était si faible qu'elle pouvait à peine bouger, mais elle réussit à se glisser sur la planche, qui lui râpa le ventre.

– Accroche-toi, une autre vague arrive, dit-il. Rame ! Rame !

Elle força ses bras à pagayer. Il nageait devant elle, une main sur la pointe de la planche, la tirant vers lui.

– Bon, on va la prendre, annonça-t-il avant de se placer près d'elle et de passer un bras autour de sa taille. Continue ! C'est bon, vas-y !

Cela lui rappela le bodyboard, qu'elle avait pratiqué enfant. Elle se cramponna aux côtés de la planche, il se cramponna à elle et, alors que la vague se brisait sous eux, la planche s'éleva au-dessus de l'eau, effleurant légèrement la surface, comme un tapis volant. Quelques instants plus tard, ils raclaient le sable.

Elle descendit de la planche en rampant sur ses coudes et en crachant de l'eau. Le sel lui piquait les yeux et le fond de la gorge.

– Ça va? demanda le garçon, à quatre pattes à côté d'elle.

Elle s'allongea à plat ventre et toussa de nouveau.

– Hé, tu t'en es bien sortie, reprit-il. Ça va aller.

Elle roula sur le dos et ferma les yeux. Quand elle les rouvrit, quelques minutes plus tard, un visage était penché au-dessus d'elle et lui faisait de l'ombre. Des gouttes d'eau tombaient de ses cheveux. D'abord, elle distingua un menton creusé d'une fossette, puis des lèvres pleines et enfin de grands yeux marron limpides.

Il glissa une main sous l'épaule d'Isabel et l'aida à s'asseoir.

– Où es-tu entrée dans l'eau?

Elle désigna la plage.

– Au niveau du club. Le Geor... le Georgica.

– OK. Mais d'abord, il faudrait peut-être que tu remettes ça.

Elle suivit son regard. Le haut de son bikini s'était retourné, exposant complètement sa poitrine. Elle le remit rapidement en place.

Il l'aida à se relever et elle fit quelques pas, les jambes flageolantes. Il passa un bras autour de sa taille, tenant de l'autre sa planche de surf.

– Alors, qu'est-ce que tu faisais dans l'eau? demanda-t-il. Tu t'es dit que c'était un bon jour pour aller nager?

– Et qu'est-ce que tu y faisais, toi? Cette plage n'est pas faite pour le surf.

– Tu as quelque chose contre les surfeurs, apparemment.

– Non. Je surfe.

Il lui lança un regard en biais.

– Vraiment?

– J'ai surfé à Rincon. À Santa Barbara. Tu en as entendu parler, non?

– Bien sûr, répondit-il, un sourire aux lèvres. Mademoiselle la surfeuse connaît les bons spots.

Une rafale de vent la fit frissonner.

– Tu as froid? demanda-t-il.

– Un peu.

Il s'arrêta et planta sa planche dans le sable. Sans un mot, il défit la fermeture éclair de sa combinaison et la descendit jusqu'à sa taille, révélant son torse et son ventre musclés.

– Viens là, dit-il en ouvrant les bras.

Elle se blottit contre lui et soudain, elle sentit ses mains qui frottaient rapidement ses épaules, ses bras et son dos, réchauffant tout son corps. Sa chair de poule disparut.

C'est dingue, pensa-t-elle. *Tu ne le connais même pas. Et il est déjà en train de te tripoter.* Pourtant, debout là, le visage appuyé contre la peau salée de son épaule, sentant la chaleur de ses mains sur elle, elle ne voulait pas qu'il arrête.

– Voilà, dit-il en reculant, les yeux toujours inquiets. Ça va mieux?

– Oui, répondit-elle, incapable de le regarder. Merci.

Elle l'entendit refermer sa combinaison.

Ils se remirent à marcher en silence ; il avait le bras sur ses épaules, et elle avait passé le sien autour de sa taille. *Juste pour me stabiliser*, se disait-elle. Néanmoins, après leur étreinte, cela lui paraissait plus intime que ça. Elle sentait encore le frotte-

ment de ses mains sur sa peau. *Combien de filles ?* se demanda-
t-elle. *Combien de filles sont amoureuses de ce mec ?*

Elle s'arrêta devant la chaise du sauveteur.

– J'y suis. Et regarde ça, lança-t-elle, le doigt pointé sur le
siège vide. C'est bien de voir que le Georgica est toujours au
cœur de l'action.

– Sinon, je ne t'aurais pas rencontrée, dit-il en la regardant
droit dans les yeux. Ça va aller, tu vas pouvoir rentrer toute
seule ?

Elle jeta un coup d'œil aux parasols vert et blanc à rayures.
Elle était tentée de lui demander de la raccompagner, ne
serait-ce que pour voir la tête de Darwin et Thayer. Mais elle
se dit qu'elles ne le méritaient pas.

– Oui. Ça va. Merci.

– Pas de problème, déclara-t-il, avant de reculer d'un pas.
Hé, comment tu t'appelles, mademoiselle la surfeuse ?

– Isabel. Isabel Rule. Pourquoi ?

– Comme ça. Ça pourrait s'avérer utile. Moi, c'est Mike.

Il sourit d'une manière qui lui rappela ses mains sur elle,
frictionnant sa peau, puis il se détourna et s'éloigna.

Chapitre 3

Rory se tenait devant le bloc de boucher reconverti en table, dans la cuisine des Rule, une bouteille de vin coincée comme une arme sous son bras.

– Quand tu sers, ne te tiens pas trop loin, dit Fee, qui la rapprocha de la table. Il faut que tu sois plus près. Sinon, le vin coulera trop brusquement dans le verre, et tu risques de tacher la nappe.

– Compris, répondit Rory en mimant l'acte avec la bouteille. Verser près du verre.

– Mais pas trop près non plus, l'avertit sa tante. Tu pourrais glisser et le fendre.

Fee déplaça le verre à vin en cristal, le posant quelques centimètres plus près du couvert qu'elle avait disposé pour que Rory s'entraîne.

– Je sais que c'est compliqué. Et sans vouloir te mettre la pression, cette bouteille de vin vaut trois cents dollars.

Rory la posa sur la table. À quelques mètres d'elle, Eduardo, le cuisinier, faisait des pirouettes entre le fourneau à huit brûleurs et le plan de travail en marbre où il hachait, goûtait, assaisonnait, coupait en dés. Cet homme petit, aux cheveux noirs en bataille et aux bras lisses et glabres, travaillait dans une concentration totale. Quatre poulets cuisaient dans une rôtissoire en verre, exactement identique à celle que Rory avait vue dans un restaurant sur l'autoroute du New Jersey. Trois pizzas miniatures crépitaient dans le four à bois.

– Combien de personnes viennent dîner? demanda-t-elle.

– Quatre, je crois, répondit Fee. Si tu ne veux pas le faire, dis-le-moi. On peut essayer de trouver quelqu'un d'autre.

– Non, ça va, mentit-elle. Ça va être super.

Elle sourit et Fee parut avaler son bobard, même si elle lui lança un regard appuyé tandis qu'elle commençait à ranger l'argenterie.

La légère panique que Rory avait éprouvée tout l'après-midi devenait de plus en plus difficile à dissimuler. Cela avait débuté alors qu'elle rangeait ses vêtements, et quand Fee l'avait emmenée dans la cuisine pour lui servir un sandwich au fromage grillé accompagné de légumes en papillote, elle avait à peine pu en avaler une bouchée. Plus tard, tandis que Bianca lui faisait visiter les étages inférieurs de la maison, son anxiété n'avait fait que croître. Chaque pièce spacieuse, décorée avec goût, semblait avoir un nom : la salle de projection, la salle de petit déjeuner, la salle de boue. Comme elles passaient de pièce en pièce, Bianca lui montrait les œuvres d'art ou les meubles les plus sublimes et lui livrait une petite anecdote. «Tu noteras le tableau de Francis Bacon sur le mur ; Mme Rule l'a acquis lors d'une enchère à Londres» ou «Tu peux voir un piano Bösendorfer dans le coin ; M. Rule adore jouer du Chopin.» Dehors, sur le vaste patio dallé, alors qu'elles se tenaient près d'un bassin de nage, creusé juste à côté de la piscine rectangulaire, plus large, Bianca avait expliqué : « C'est pour Connor, leur plus jeune fils. Il fait partie de l'équipe de natation de son université, en Californie. » Et en bas, dans la « salle de jeux », qui comprenait un billard, une table de ping-pong, un juke-box Wurlitzer et une pile généreuse de jeux de société, Bianca avait déclaré : « Les Rule adorent jouer au tennis de table. Mme Rule a même été classée. »

Dès qu'elles passaient devant une photographie encadrée sur un mur, ou posée sur l'une des tables basses, Rory apercevait un ou deux Rule, ou parfois la famille au complet. Ils étaient très séduisants, avec des cheveux châtain blond et un teint bronzé et radieux. Mais la beauté de la famille, c'était Isabel. Elle se détachait sur chacun de ces clichés, tant à cause de ses grands yeux bleu clair que de sa moue permanente.

Quand elle était retournée dans sa chambre, l'esprit saturé de toutes ces informations, Rory avait pris l'un de ses carnets et griffonné tout ce dont elle se souvenait.

Sloane : tennis
M. Rule : Chopin
Mme Rule : Francis Bacon, art
Connor : natation
Gregory : Harvard

Curieusement, la seule personne que Bianca n'avait pas mentionnée était Isabel. Mais peut-être moins en entendrait-elle parler, mieux ce serait.

– Passons au reste, dit Fee en s'appuyant contre l'un des nombreux plans de travail en inox. De quel côté sers-tu ?

– Du côté gauche, si je tiens un plat ou si je présente la

corbeille à pain. Du côté droit si je sers directement des assiettes.

– Bien, et ce soir, il y aura des plats, n'est-ce pas, Eduardo ?

Ce dernier était penché sur un petit tas de gingembre pelé, qu'il éminçait à une vitesse surhumaine.

– Hum, hum, marmonna-t-il, complètement absorbé par sa tâche.

– Oui, nous aurons des plats, affirma Bianca en entrant en coup de vent. Mais nous servirons d'abord la soupe.

Rory commençait à se rendre compte que Bianca avait le chic pour se joindre à des conversations qui avaient débuté avant qu'elle n'entre dans la pièce. Elle s'était changée, revêtant une robe droite noire et un collier de perles fines ; elle était si élégante que Rory se demanda si elle allait dîner avec les Rule.

– Est-ce prêt, Eduardo ? interrogea-t-elle, les bras croisés.

– Oui, répondit Eduardo, au garde-à-vous. Tout est prêt.

– Bien. Il semblerait donc que nous soyons dans les temps, dit Bianca avant de se tourner vers Rory pour examiner sa tenue. Eh bien, on ne fait pas dans le discret ce soir.

Rory considéra ses vêtements. Son haut blanc à volants, parsemé de paillettes, lui parut soudain terriblement voyant.

– Faut-il que je me change ?

– Ça ira, répondit Bianca avec un sourire pincé. Tout le monde va donc se servir dans les plats, sauf pour les petits pains. (Elle souleva le couvercle d'une casserole.) Tu les placeras sur les assiettes à pain, et tu apporteras aussi la sauce teriyaki qui va avec le poulet, et tu la serviras à la louche dans les assiettes. Compris ?

Rory hocha la tête. Bianca remit le couvercle.

– Je pense qu'il faudrait rajouter un peu de safran, lança-t-elle à Eduardo.

Ce dernier prit une pincée de brins rouges dans un petit bocal en verre et se précipita vers la casserole.

– Je crois que nous avons tout passé en revue, intervint Fee. Rory s'en sortira très bien.

– J'en suis certaine, dit Bianca.

Un bip bruyant résonna dans la pièce ; Rory sursauta. Fee et Bianca se dirigèrent toutes les deux vers l'interphone, mais Bianca l'atteignit la première et appuya sur un bouton.

– Oui ?

– Quelqu'un peut-il apporter quelque chose à boire ? demanda une voix de femme. Et la nièce de Fee ? Peut-elle descendre également ?

– Tout de suite, répondit Bianca, qui se tourna vers Rory. Tu te rappelles comment aller à la salle de jeux ?

– Je vais l'y conduire, dit Fee.

Elle se dirigea vers un petit réfrigérateur à vin que Rory n'avait pas remarqué et en sortit une bouteille de rosé non entamée.

– Ça peut être un peu compliqué quand on n'y est allé qu'une fois, ajouta-t-elle.

– C'est pour qui ? demanda Rory.

– Mme Rule aime toujours siroter un peu de vin avant le dîner, répondit sa tante en remplissant un verre à pied. Bon, allons-y.

Quand elles furent sorties de la cuisine, Rory ne put se retenir plus longtemps :

– Est-ce que j'ai l'air ridicule dans cette tenue ?

Fee chassa cette question d'un geste de la main.

– Je t'en prie, ne fais pas attention à elle. Je t'avais prévenue.

– Mais je peux me changer...

– Ce n'est pas nécessaire, trancha Fee avec un regard sévère.
Si tu commences à lui lécher les pompes, elle saura qu'elle te
tient.

Bon conseil, pensa Rory alors qu'elles descendaient l'escalier
de service. Encore une chose dont elle devrait se souvenir
dans cette maison. Comme elles approchaient du sous-sol,
elle entendit le bruit aigu des rebonds rapides d'une balle de
ping-pong.

– Ils sont tous très gentils, lança Fee par-dessus son épaule,
comme si elle lisait dans les pensées de sa nièce. Tu t'en sorti-
ras très bien.

– Ils ne vont pas me demander de jouer au ping-pong,
hein?

Fee gloussa. Quand elles arrivèrent au bas de l'escalier,
Isabel n'était nulle part en vue, heureusement. Les quatre
autres Rule jouaient comme des fous furieux.

– Allez! cria Mme Rule en frappant la balle au-dessus du
filet.

Elle était petite, avec des cheveux d'un blond éclatant
amassés en chignon désordonné.

– Prends ça!

Sloane, la grande sœur d'Isabel, plongea pour récupérer la
balle sur un côté de la table et la renvoya à son frère.

– Oui! hurla celui-ci en la relançant de l'autre côté du filet,
droit sur son père.

Finalement, M. Rule frappa la balle, qui fila devant sa
femme, sans toucher la table.

– Aaaah ! s'écria Mme Rule, qui fit semblant de taper la table avec sa raquette. C'était dehors, Larry ! C'était claire-ment dehors !

Rory avait du mal à croire que cette même femme achetait des tableaux de maître aux enchères et employait une gérante de maison glaciale. Elle était habillée dans un style juvénile, avec un jean slim bleu foncé, un haut sans manches jaune citron et l'un de ces gros colliers voyants avec des pierres noires de tailles différentes qu'on voyait toujours dans le cata-logue J. Crew.

– Elle était dedans, Luce. C'est juste que tu l'as quittée des yeux.

M. Rule avait la carrure svelte, le visage rougeaud d'un cou-reur de fond, et l'allure assurée et détendue d'une personne achetant et vendant les plus grands immeubles du monde.

À côté d'elle, un garçon grand et mince avec des lunettes et des cheveux marron coupés court alla chercher la balle et la rapporta à la table. Rory savait qu'il s'agissait du fils aîné, Gregory, qui venait d'obtenir son diplôme à Harvard.

– Non, je crois que maman a raison, dit-il. Je crois que la balle était dehors.

– Dix-sept à seize, annonça Sloane.

Elle ressemblait plus à son père, alors qu'Isabel tenait sans aucun doute de sa mère.

– Attends, Sloane, intervint Mme Rule, qui se dirigea vers Rory, un grand sourire aux lèvres, comme si elle était sa fille disparue depuis longtemps. Tu dois être Rory, lança-t-elle d'une voix chaleureuse. Nous avons beaucoup entendu parler de toi. Je suis Lucy Rule.

– Bonjour. Je suis ravie de faire votre connaissance.

La jeune fille lui serra la main, consciente qu'elle devait être en train de rougir.

– Qu'est-ce que tu en penses, Rory? demanda Mme Rule. La balle était dedans ou dehors?

– Euh, je ne sais pas trop, répondit-elle, prise au dépourvu.

Le visage de Mme Rule s'adoucit.

– Désolée, je te mets dans l'embarras, n'est-ce pas? Je pense juste qu'il va falloir que nous engagions un arbitre un de ces jours, dit-elle en jetant un regard perplexe à son époux. Voici mon mari, Lawrence. Et mes deux aînés, Sloane et Gregory.

– Bonjour, souffla Rory en rendant aux intéressés leurs saluts polis. J'espère que je n'interromps pas votre partie.

– Oh, nous aimons toujours jouer un peu avant le dîner, expliqua Mme Rule. Pour nous ouvrir l'appétit.

Elle prit le verre que tenait Fee, but une gorgée de vin, puis repoussa une mèche de cheveux rebelles.

– Alors, comment trouves-tu ta chambre? Tu as assez de cintres?

– Oh, euh, oui, tout à fait.

– Bien. Rory dort dans la chambre d'amis, en bas, dit Mme Rule, à l'attention de Gregory et Sloane.

– Oh, j'adore cette chambre! lança Sloane. Je la prendrais pour moi, si c'était possible.

– C'est une super chambre, renchérit Gregory.

– C'est la plus proche de la plage, intervint M. Rule. D'ailleurs, n'hésite pas à y aller quand tu veux. Nous ne faisons pas de manières, ici.

Il fit tourner sa raquette entre ses doigts, puis il la posa sur un buffet.

– Et merci de nous aider pour le dîner de ce soir, ajouta

Mme Rule, en passant le bras sous celui de Rory, avant de l'entraîner vers l'escalier. Le personnel local... Disons qu'il vaut mieux ne pas compter sur eux.

Alors que Sloane et Gregory rangeaient leurs raquettes, Rory remarqua la ligne de minuscules bouteilles d'Évian et les petites serviettes roulées sur le buffet, à portée de main.

– Je pense que jouer en famille est extrêmement important, poursuivit Mme Rule. Quand j'étais petite, mon père tenait à ce que nous soyons tous très sportifs. Il voulait que nous jouions au tennis, que nous prenions des leçons de plongée ou que nous montions nos chevaux. Malheureusement, je n'ai jamais été douée pour grand-chose, à part pour le ping-pong. Pratiques-tu un sport ?

– Pas vraiment.

– Et ta mère ? Aime-t-elle faire de l'exercice ?

– Pas au sens traditionnel du terme.

– Eh bien nous, nous sommes tous doués dans une discipline sportive. Connor – il n'est pas encore là, il arrivera dans quelques jours – fait partie de l'équipe de natation de l'USC.

Elle désigna un garçon sur l'une des nombreuses photographies encadrées accrochées au mur. Rory aperçut un jeune homme bon chic bon genre, avec des cheveux blonds et une mâchoire carrée, avant que Mme Rule ne lui fasse signe de la précéder dans l'escalier.

– Et Sloane est l'une des joueuses de double vedettes du Georgica.

– Vraiment ?

– Et toi, qu'est-ce que tu aimes faire ?

– Elle étudie, intervint Fee, ce que Rory trouva légèrement gênant.

– C'est bien, dit Mme Rule. Et qu'aimerais-tu faire plus tard ?

Rory s'éclaircit la gorge, alors qu'elle parvenait au palier.

– Je n'en suis pas encore sûre. Peut-être avocate pour enfants. J'aime aussi réaliser des films, mais ça ne me mènera sûrement nulle part.

Soudain, Mme Rule se transforma, comme si une rafale de vent avait soufflé sur son visage et l'avait vidé de toute expression.

– Quelqu'un a-t-il vu mon autre fille ? demanda-t-elle en gravissant les dernières marches. Isabel ? Isabel, tu descends ? C'est l'heure du dîner !

– Peut-être qu'elle est encore en train de se remettre, dit Sloane.

Son frère lui donna un coup de coude.

– Sois gentille.

Rory entendit des pas dans l'escalier et rassembla ses forces.

– J'espère que tu es habillée ! lança Mme Rule.

Isabel apparut sur le palier, vêtue d'une chemise rose froissée et d'un bermuda.

– J'ai une terrible migraine, souffla-t-elle en attachant ses longs cheveux.

– Remonte dans ta chambre et enfile une robe, répliqua sa mère.

– J'ai failli me noyer !

– Mais ce n'est pas arrivé, intervint M. Rule. Alors j'aimerais que tu fasses ce que ta mère te demande et que tu descendes dîner.

– Ne lui donne pas d'ordre, Larry, murmura Mme Rule.

Le regard plein de défi d'Isabel courut sur toute l'assem-
blée, avant de se poser sur Rory, si intense que celle-ci recula
d'un pas.

– Je n'ai pas faim, dit-elle, sans la quitter des yeux.

Rory se rapprocha de la porte battante.

– Je vais aller voir si quelqu'un a besoin de moi en cuisine,
balbutia-t-elle. Je vous prie de m'excuser.

Ça n'allait pas être facile, de vivre avec une famille dont
elle ne faisait pas partie. Elle devrait apprendre à se rendre
invisible au bon moment. Surtout quand Isabel Rule serait
dans la pièce.

– C'est un terrain incroyable, dit son père, de l'autre côté
de la table. Le tout vaut probablement une centaine de millions. Il bénéficie de presque vingt-cinq hectares. J'ai de la
chance d'en avoir obtenu cinq.

Assise à la longue table du dîner, entortillant sa serviette
sur ses genoux, Isabel fixait la flamme vacillante de la bougie. Cet après-midi lui faisait l'impression d'un rêve magnifique et violent. Et maintenant, elle n'arrêtait pas de penser
à lui. À ses yeux et à ses cheveux bruns mouillés. À la chaleur
de ses mains sur ses bras et son dos. À la façon dont il lui
avait souri avant de se retourner. Où était-il, en ce moment ?
Pensait-il à elle, lui aussi ?

– Qui est le propriétaire, déjà ? demanda Elisa Crawford, la
peintre dont la mère d'Isabel collectionnait les œuvres, bien
que celle-ci n'ait jamais compris pourquoi.

– Un cultivateur de pommes de terre, répondit M. Rule en
rompant un petit pain. Sa famille possède ce terrain depuis

deux cents ans. L'un de ces nostalgiques du bon vieux temps qui détestent l'argent nouveau.

– Il n'a pas apprécié que Larry soit dans la finance, dit sa mère avant d'avaler une minuscule gorgée de soupe.

– Mais il a adoré que je sois marié à une Newcomb, répliqua-t-il en regardant sa femme avec fierté. Le nom de jeune fille de Lucy ouvre encore des portes auprès des gens du coin.

– Je suis du coin, justifia sa mère.

– Mais écoutez ça, poursuivit son père. Nous avons dû promettre à ce vieux grincheux que la maison, une fois terminée, ferait moins de trois mille cinq cents mètres carrés.

– Peut-il exiger cela ? demanda Bill Astergard, qui présentait son propre talk-show sur PBS, que personne ne regardait mais que tout le monde admirait.

– Malheureusement oui, répondit son frère, qui aimait toujours la ramener pendant les dîners de leurs parents. Il a intégré cette condition au contrat.

– Mais j'ai trouvé un moyen de la contourner, dit son père en prenant son verre à eau.

– Lequel ? demanda Elisa Crawford.

Son père lui fit un clin d'œil en sirotant un peu d'eau.

– Mes avocats savent ce qu'ils font.

– J'adore Sagaponack, lança Sloane, à propos de rien.

Sa sœur était la personne sur terre la moins à l'aise en société. À part la fille qui les servait, bien sûr. Comment s'appelait-elle, déjà ? Laurie ? Rory ? Elle n'arrêtait pas d'entrer d'un pas traînant dans la pièce avec la nourriture, à peine capable d'établir un contact visuel alors qu'elle se plaçait à côté de chaque chaise pour fourrer un plat sous le nez des convives. Et ce haut... berk ! Où faisait-elle son shopping ? Elle n'avait pas non plus apprécié le regard que cette fille lui avait adressé dans le hall, avant le dîner, comme si elle était une extraterrestre ou une gamine gâtée. *Qu'elle pense ce qu'elle veut*, se dit Isabel. Ce n'était pas sa faute si ses parents obligeaient leurs enfants à passer du temps avec eux et leurs amis. Finalement, elle n'avait pas eu d'autre choix que de monter dans sa chambre et d'enfiler une robe. C'était du gâchis de porter ici cette superbe robe droite Chloé, couleur ivoire, mais au moins, sa mère l'avait laissée tranquille.

– J'ai un mauvais pressentiment à ce sujet, Lucy, intervint Felipe Santo Grazie, avec un accent cubain marqué. À vrai dire, je ressens une énergie négative très, très forte.

Felipe était de loin la personne la plus intéressante à cette table, grâce à ses anecdotes sur la période où il avait travaillé pour Andy Warhol, dans les années quatre-vingt.

– Oh, c'est vrai, dit sa mère avec un intérêt soudain. Vous êtes médium, n'est-ce pas, Felipe ?

– Un peu, répondit-il timidement. J'ai toujours eu des prémonitions.

– Et vous tirez tout cela de vos talents télépathiques ? demanda son père, avec un sourire narquois.

Isabel entendit son frère ricaner doucement à côté d'elle.

Soudain, la fille – Rory ? – se glissa à côté d'elle et lui fourra un plat de poulet sous le nez.

– Poulet ? murmura-t-elle.

Isabel prit les pinces sans croiser son regard et déposa du blanc sur son assiette. La fille passa à la personne suivante. Elle espérait que leurs interactions s'en tiendraient à ça cet été. Elle ne savait même pas où elle dormait, mais avec un peu de chance, c'était loin de sa chambre.

– Je suis vraiment médium, vous savez, dit Felipe à Isabel, en se penchant vers elle. Vous, par exemple. Vous avez rencontré quelqu'un aujourd'hui. Je le sais.

– Comment le savez-vous ? demanda Isabel, étonnée.

– Il est grand, brun et beau, continua-t-il avec un petit sourire. Il vous a fait grande impression.

Isabel le dévisageait.

– Il se trouve que vous avez raison.

– Bien sûr ! dit-il fièrement. Et entre vous et moi, je pense que c'est une bonne chose que vos parents déménagent. Cette maison... Elle est splendide, mais... (Il regarda autour de lui et frémit légèrement.) Trop de secrets.

– Comment ça ? s'étonna Isabel qui, du coin de l'œil, vit que la fille refaisait le tour de la table, armée d'une petite soupière et d'une cuillère.

– Demandez-leur, répondit Felipe en désignant son père et sa mère de la tête. Ils savent de quoi je parle.

– Mais quel genre de secrets ? insista Isabel.

Soudain, Felipe disparut derrière la fille.

– Sauce teriyaki ? proposa celle-ci, osant à peine la regarder dans les yeux.

– Oui.

Isabel se pencha vers Felipe et s'apprêtait à répéter sa question quand elle sentit qu'un liquide frais tombait sur ses genoux. Elle baissa les yeux. De la sauce teriyaki marron formait une flaque sur sa robe. La fille en avait renversé sur elle.

– Berk ! s'exclama-t-elle en se levant.

– Que se passe-t-il ? demanda sa mère.

– Elle vient de me renverser de la sauce dessus ! répondit-elle, le doigt pointé sur la coupable. Regarde. J'en ai partout !

– Je suis vraiment désolée, dit la fille, blanche comme un linge. Je suis vraiment désolée.

– Isabel, rassieds-toi, s'il te plaît, lança sa mère, qui s'efforçait de rester calme.

– Ça ne partira pas. Elle l'a ruinée ! Regarde !

Elle courut jusqu'à la cuisine. À sa grande irritation, elle entendit la fille qui la suivait.

– Que se passe-t-il ? s'exclama Eduardo, devant l'évier, en faisant volte-face.

– Est-ce qu'on a de l'eau de Seltz ? demanda Isabel en se dirigeant vers le réfrigérateur.

– Vraiment, je suis désolée, répéta la fille.

Isabel l'ignora.

– De l'eau de Seltz ? lança-t-elle à Eduardo. Quelque part ?

Le cuisinier ouvrit le réfrigérateur et en sortit une petite bouteille d'eau gazeuse.

– Donnez-la-moi, cracha-t-elle en la lui prenant des mains.

Elle arracha des feuilles du rouleau de sopalin et versa de l'eau dessus.

– Vraiment, je suis désolée, dit la fille.

– Qu'est-ce que tu fais là ? demanda Isabel, tamponnant furieusement la tache.

– Pardon ?

– Qu'est-ce que tu fais là ? répéta-t-elle en regardant la fille, qui se tordait les mains. Pourquoi tu es là, d'abord ?

La fille ne répondit rien.

– Ils n'auraient pas dû te demander de faire ça, tu sais.

Bianca apparut dans l'embrasure de la porte donnant sur le couloir.

– Isabel, que se passe-t-il ? lança-t-elle de sa voix condescendante habituelle.

– Pourquoi avez-vous demandé à cette fille de nous servir ce soir ? Elle n'y connaît rien.

– La personne que nous avions engagée nous a fait faux bond, répondit Bianca. Nous avons agi au mieux dans le peu de temps dont nous disposions.

– Alors vous auriez dû prévoir un buffet.

– Ta mère ne voulait pas de buffet.

Isabel retourna à sa robe.

– Peu importe, dit-elle sèchement.

– Je suis vraiment désolée, répéta Rory.

– Arrête de dire ça ! lança Isabel avant de jeter les morceaux de papier à la poubelle. C'est trop tard. Avec un peu de chance, les teinturiers pourront faire quelque chose. Mais visiblement, toi tu ne sais pas ce que tu fais.

Elle sortit de la cuisine d'un air digne, prenant soin d'éviter le regard hautain de Bianca.

– Ça suffit, déclara celle-ci. Je vais m'occuper de la suite.

Rory posa la soupière sur le comptoir, les mains tremblantes. Elle avait servi à table pendant deux ans et n'avait jamais laissé tomber ne serait-ce qu'une tranche de saucisse sur personne. Pourquoi n'avait-elle pas réussi à verser un peu de sauce ? Qu'est-ce qui n'allait pas chez elle ?

– Je suis vraiment désolée, marmonna-t-elle.

– C'est bon, tout le monde sait que c'était un accident, dit Bianca, d'une voix dénuée de toute compassion.

Il ne lui restait rien d'autre à faire que d'aller dans sa chambre. Elle se dirigea vers la porte.

– Tu ne veux pas dîner ? demanda Bianca. Eduardo peut te préparer une assiette.

– Non, ça ira. Je n'ai pas très faim.

Personne ne mentionna son emportement pendant le reste du repas. Ils parlèrent comme si elle n'était pas là, ressassant les mêmes sujets qu'à tous les dîners : qui avait acheté quelle maison pour combien, qui avait été admis au Georgica dernièrement, et la difficulté à trouver des domestiques compétents dans les Hamptons ces temps-ci. Dès que Bianca sortit de la cuisine avec des coupes de glace au citron et aux myrtilles, Isabel repoussa sa chaise de la table.

– Puis-je être excusée ? demanda-t-elle.

Sa mère lui décocha un regard noir – de toute évidence, elle était encore en colère –, mais elle hocha sèchement la tête. Isabel quitta la pièce sans un mot et se précipita à l'étage.

Elle sentit que Sloane et Gregory la regardaient. L'été dernier, ils s'étaient constamment ligués contre elle, du moins quand ils ne cafardaient pas auprès de leurs parents. Lorsqu'elle avait emprunté la Range Rover pour se rendre à une fête à Sagaponack, à seulement vingt minutes de chez eux, Sloane avait été la première à dire à sa mère qu'elle avait pris la voiture pour « faire une virée sauvage ». Quand elle était restée toute la nuit sur la plage avec Josh McIntee, juste pour admirer le lever de soleil, son frère lui avait annoncé avec le plus grand sérieux qu'elle salissait le nom de la famille avec son « cinéma ». Et ensuite, ils avaient tous les deux flippé à cause de l'incendie... La dernière chose dont elle avait besoin, c'était qu'ils lui fassent la morale. Du moins, jusqu'à l'arrivée de Connor. Il la défendait toujours et, heureusement, Sloane et Gregory l'écoutaient tout le temps. Peut-être parce qu'ils savaient qu'il était le chouchou de leur mère.

Elle ouvrit la porte de sa chambre et regarda les murs roses, les rideaux en soie gonflés par le vent et le lustre blanc ancien qui pendait au plafond. À quatorze ans, elle avait voulu que sa chambre ressemble à un mélange de maison de poupée et du décor de *Marie-Antoinette*, de Sofia Coppola. Maintenant, elle aurait souhaité de simples murs blancs et des rideaux verts, comme dans sa chambre au lycée. Ce serait peut-être son projet de l'été : se débarrasser de tous ces frous-frous. Ils ne lui correspondaient plus.

Elle entra dans son dressing, dont la démesure lui parut ridicule. C'était étonnant, les effets d'une année loin de chez soi. Elle l'avait tellement aimé, quand elle l'avait conçu, mais désormais, elle le trouvait risible. Tout était regroupé par couleur, avec une section réservée aux rayures. Son meuble à chaussures occupait un mur entier et, dans un coin, tous ses sacs et pochettes étaient accrochés à des patères recouvertes de tissu. Elle s'assit sur la méridienne incurvée au milieu de la pièce et se contempla dans le miroir en pied. Peut-être avait-elle exagéré avec cette fille, tout à l'heure. Peut-être s'était-elle conduite comme une imbécile.

Sa rêverie fut interrompue par des bruits de pas. Sa mère apparut à la porte, le regard houleux.

– Qu'est-ce qui ne va pas, chez toi ?

– Elle a bousillé ma robe. Tu as vu ce qu'elle a fait ?

– Tu aurais dû t'excuser poliment et aller dans la cuisine.

On ne se comporte pas comme ça en public. Et je t'interdis de crier sur le personnel. C'est à moi de le faire, pas à toi. (Elle inspira profondément, s'agrippant à son cardigan en soie.) Et j'attends toujours que tu m'expliques ce qui s'est passé aujourd'hui. Sauter dans l'océan, comme ça, sans maître nageur, ni personne sur la plage.

– J'avais envie de nager.

– Mme Dancy m'a confié qu'on aurait dit un rat noyé quand tu es revenue sur le patio.

– Parce que j'ai effectivement failli me noyer.

Sa mère pencha la tête sur le côté, et plusieurs mèches de cheveux blonds s'échappèrent de son chignon et tombèrent sur son épaule.

– Ne fais pas ça, Isabel. Ne joue pas les martyrs. Les choses vont être différentes cet été. Tu comprends ? Pas de sorties toute la nuit, pas de voiture, pas de mensonges. Ton père en a par-dessus la tête de toi, si ça a une quelconque importance à tes yeux...

– Ça n'en a pas.

Sa mère s'empourpra.

– Ne dis pas ça.

– Il ne me parle même pas. Pourquoi me soucierais-je de ce qu'il pense ? Et le problème, ce n'est pas moi. C'est elle qui a fait une erreur. Dieu sait pourquoi tu l'as acceptée ici.

– Tu seras gentille avec cette fille, compris ? Elle n'a pas la moitié des privilèges que tu as. J'essaie de faire une bonne action en l'accueillant ici cet été.

– Tu es juste terrifiée à l'idée que Fee démissionne et s'en aille, marmonna Isabel.

Sa mère garda le silence.

– Bonne nuit, Isabel, dit-elle finalement avant de sortir.

La jeune fille resta sur la méridienne. L'été avait à peine commencé et elle ressentait déjà le besoin de partir. La fatigue envahit ses membres. Une autre vague la submergea et elle ferma les yeux. Aussitôt, elle le revit. Ces cheveux dégoulinants. Ces yeux. Ce sourire.

Il était là. Près d'ici. Et peut-être, peut-être qu'il pensait à elle.

Elle retourna dans sa chambre et s'approcha de la station iPod sur sa table de nuit. Elle lança la playlist qu'elle avait faite au lycée, juste avant de rentrer à la maison, et elle s'allongea sur son lit. Elle voulait encore penser à lui.

Rory était recroquevillée sur son lit dans l'obscurité grandissante, incapable de bouger ou d'allumer la lumière. Bientôt, pourtant, il faudrait qu'elle s'active et qu'elle décide quoi faire.

Presque toute sa vie, elle avait été prudente. Réviser une heure de plus le matin avant un contrôle. Attendre les soldes. Économiser assez d'argent sur son salaire pour s'assurer que la facture d'électricité serait payée. Alors évidemment, il était logique que, la seule fois où elle se relâchait un peu, ce soit la catastrophe. Et il lui avait fallu seulement huit heures pour le comprendre.

Quand elle s'assit sur son lit, il faisait nuit noire. Des ombres tombaient sur la moquette, projetées par les lumières à l'extérieur de la maison. Elle prit le téléphone sur sa table de nuit et examina les boutons correspondant aux différentes pièces : BIBLIOTHÈQUE, CABANE DE LA PISCINE, CHAMBRE DES MAÎTRES. Elle raccrocha. Fee avait dit qu'elle était en bas, à côté de la salle de jeux. Il serait plus simple d'aller la trouver.

Elle s'engagea dans le couloir en direction de l'escalier de service. La maison était tranquille. La seule créature vivante qu'elle vit ou entendit était Trixie, qui releva la tête de son panier et considéra Rory avec des yeux sombres et expressifs. Elle descendit et alluma la lumière au-dessus du billard. Les raquettes étaient toujours posées sur le buffet, formant entre elles des angles étranges. Rien qu'à les regarder, la honte la submergea. Elle ne pouvait même pas imaginer ce qu'ils pensaient d'elle maintenant. Quand bien même la réaction d'Isabel avait été grossière. Et il semblait que la famille se voyait très souvent rappeler l'impolitesse de la jeune fille.

Elle sortit de la pièce et arriva dans un couloir. Elle s'arrêta devant une porte sous laquelle elle voyait de la lumière. Elle frappa doucement.

– Fee ? C'est moi.

La porte s'ouvrit. Fee avait enfilé une longue chemise de nuit blanche aux manches bouffantes.

– Coucou ma chérie. Je me doutais que tu viendrais. J'étais en train de faire mes mots croisés. Entre.

Rory jeta un coup d'œil dans la pièce. Elle était trois fois plus petite que la sienne. Il n'y avait de l'espace que pour un lit une place, une table de chevet et une petite armoire sur laquelle était posé un minuscule écran plat. Rien de plus. Pas de dressing, pas de fauteuils rembourrés. Pas de fenêtre allant du sol au plafond.

– Cette chambre est tellement petite, souffla-t-elle. Désolée. Je voulais dire, par rapport à la mienne. C'est moi qui devrais dormir ici.

– Elle me va très bien comme ça, marmonna Fee. Et personne ne descend jamais ici. Ce qui est encore mieux.

Elle s'assit sur son lit et reprit ses mots croisés.

– Un synonyme de classe en six lettres, lança-t-elle, les yeux plissés. Commençant par un *C*.

Rory réfléchit un instant.

– Cachet?

– Ca-chet, répéta Fee en écrivant les lettres. Bien. Très bien. Tu es une fille très intelligente.

– Ouais, sauf que je ne sais pas servir de la sauce.

Fee reposa le journal.

– Ah, ne t'en fais pas pour ça. Tu as fait de ton mieux. Et soit dit en passant, ils n'auraient jamais dû te mettre dans cette position.

– Mme Rule me prend sans doute pour une idiote. Et Isabel...

– Est une gamine pourrie gâtée, l'interrompit Fee.

– Je me dis juste que c'était peut-être une erreur, poursuivit Rory, qui s'assit au bord du lit.

– Parce que Isabel Rule a fait une colère? Non. L'erreur, ce serait de passer tout l'été avec ta mère et son nouveau gigolo.

– C'est juste que je n'ai pas l'expérience nécessaire. Je pensais l'avoir, mais c'est tellement perturbant.

– Comment ça? demanda Fee, les sourcils froncés.

– Eh bien, les Rule... Ils étaient si sympathiques. Ils m'ont donné l'impression d'être leur invitée. Tu sais, en me laissant cette chambre, et en étant tellement gentils quand nous avons fait connaissance. (Rory prit un stylo, le décapuchonna, puis remit le bouchon.) Et puis d'un seul coup, je leur servais à dîner. C'était tellement bizarre. Je ne m'attendais pas à ce qu'ils soient aussi gentils, je crois. C'est tout.

Fee posa le journal sur la table de nuit.

– Ce ne sont pas des ogres, c'est sûr, dit-elle avec une certaine prudence. Mais je n'ai jamais oublié que j'étais la gouvernante. Pas une seule seconde.

– Je vois, souffla Rory, même si elle ne savait pas trop où sa tante voulait en venir.

– Oublie cette soirée. Et essaie de te détendre. Fais-toi des amis en ville. Va à la plage. Et au nom du ciel, ne t'en fais pas pour Isabel. C'est une enfant perturbée.

– Comment ça ?

– Elle a toujours eu des problèmes de comportement. Elle ne s'est jamais sentie à sa place, j'ignore pourquoi. Avec les autres enfants, il n'y a jamais eu de souci. Mais Isabel... Elle a toujours aimé tester les gens. Et puis l'été dernier, elle a failli faire brûler cette maison.

Rory laissa tomber le stylo.

– Tu es sérieuse ?

Fee hocha la tête, l'air sombre.

– Elle est rentrée d'une soirée complètement soûle et elle s'est endormie devant la télé, une cigarette à la main. Le tapis a pris feu, puis les rideaux, et elle aurait détruit toute l'aile nord de la maison si son frère Connor n'était pas descendu se chercher quelque chose à manger dans la cuisine.

– Mince alors.

– C'est à ce moment-là qu'ils ont décidé de l'envoyer étudier en Californie. Elle n'est pas rentrée de toute l'année. Pas même pour Noël. Jusqu'à il y a deux semaines. Alors depuis, les choses ont été un peu compliquées ici. Tu as juste été prise entre deux feux, si on peut dire.

Rory tripotait le bracelet brésilien à son poignet droit.

– Ça c'est sûr.

Fee posa la main sur la sienne.

– Mais ne t'en fais pas. Tout ira très bien.

Rory sourit.

– À quelle heure faut-il que je me lève demain ?

– Vers huit heures, ça devrait aller.

Rory se redressa et serra Fee dans ses bras.

– OK. Et merci encore. Pour tout. Bonne nuit.

– Bonne nuit, ma chérie.

Quand Rory passa devant les raquettes, sur le buffet, elle n'éprouvait plus aucune gêne. Les Rule devaient être des gens bien, pour que Fee ait travaillé pour eux aussi longtemps. Elle les revit en train de jouer au ping-pong, parfaitement synchronisés, avec un esprit de compétition mais aussi de la solidarité, de la bienveillance. La seule fissure dans cette façade, jusque-là, était leur fille folle et méchante.

Elle entra dans sa chambre sans allumer et défit le lit massif. Elle avait hâte de dormir. De la musique s'échappait de la pièce du dessus. Une mélodie familière. L'une de ses chansons préférées, en fait. Florence and the Machine.

Quelqu'un d'autre aimait ce groupe, dans cette maison.

Chapitre 4

Le lendemain matin, Rory fut réveillée brusquement par le bruit d'une tondeuse à gazon. Elle se redressa sur un coude et cligna des yeux à la lumière du soleil. Elle s'était endormie la fenêtre grande ouverte, laissant entrer l'air frais de l'océan. Elle attrapa la pendule Tiffany en verre sur sa table de nuit et la regarda fixement. Il était neuf heures et demie.

Elle courut dans la salle de bains, ôtant son pyjama au passage. Devant la douche, elle tourna toutes les manettes, essayant de faire couler l'eau. Finalement, elle trouva le bouton sur le côté. Elle entra dans la cabine en verre et se tint sous le jet puissant ; l'eau frappait ses paupières. D'abord, elle avait saccagé la robe d'Isabel Rule. Et maintenant, pour son deuxième jour de travail, elle allait passer pour une bonne à rien paresseuse qui faisait la grasse matinée. La prochaine fois, elle ne se servirait pas de la pendule comme d'une alarme ; elle utiliserait son téléphone, comme une personne normale.

Deux minutes plus tard, elle quittait sa chambre vêtue d'un jean et du premier haut qui lui était tombé sous la main. Trixie bondit de son panier et parcourut le couloir à toute vitesse pour venir la saluer.

– Salut ma jolie, murmura-t-elle. Souhaite-moi bonne chance, d'accord ?

Elle caressa la tête de la chienne et la laissa lui lécher la main. Elle se demanda si Trixie recevait beaucoup d'attention dans cette maison. Elle en doutait.

Juste avant de pousser la porte de la cuisine, elle entendit des voix provenant de l'autre côté.

– Peut-être que si on ne lui avait pas imposé ça dès son premier soir, ça ne serait pas arrivé, disait Fee.

– On ne lui a rien imposé, répliqua Bianca. Elle s'est portée volontaire. Mais j'ignorais qu'elle...

Rory ouvrit la porte. Fee tenait une pile de nappes dans ses bras et Bianca, assise devant un grand écran d'ordinateur, tapait une liste. Elles avaient toutes les deux une expression coupable.

– Bonjour, dit Bianca d'un ton sec. Je suppose que tu as bien dormi ?

– Je suis désolée, je pensais avoir mis le réveil.

– Ce n'est rien, Rory, intervint Fee. Je t'ai préparé un smoothie, si tu as faim.

Fee ouvrit le réfrigérateur et en sortit un grand verre rempli de ce qui ressemblait à un milk-shake à la fraise.

– Fraise, banane, myrtilles, annonça-t-elle en ôtant le film en plastique. Plus un peu d'huile de lin et des amandes en poudre.

– Merci, dit Rory.

Elle passa la pièce en revue. La veille, les plans de travail et l'îlot central avaient été couverts de nourriture, d'épices et de plats. Maintenant, toutes les surfaces étaient vides et reluisantes. Et il manquait autre chose.

– Où est Eduardo ?

– Il a été congédié, répondit Bianca d'un ton neutre. Notre nouvelle cuisinière nous rejoindra ce soir.

Rory frissonna. Elle se rappelait la façon dont Eduardo s'était agité dans la cuisine, dans un déploiement d'hyperactivité. Peut-être s'était-il agi de peur pure et simple. Elle but une gorgée de smoothie. Elle voulait encore s'excuser pour la veille, mais elle se souvint que Fee lui avait conseillé de ne pas s'aplatir devant Bianca. Mieux valait faire comme s'il ne s'était rien passé.

– Alors, que puis-je faire aujourd'hui?

– Tu vas aller faire des courses au marché, annonça Bianca alors que l'imprimante se mettait à ronronner sous l'ordinateur. Tu as bien ton permis?

– Euh, oui.

– Parfait. Nous aimerions que tu fasses un saut en ville, à Citarella. Voici une liste de ce qu'il faut acheter. Mets la note sur le compte de Mme Rule.

Bianca lui tendit la feuille imprimée. Rory jeta un coup d'œil à la liste. Elle suivait l'ordre alphabétique et était divisée en plusieurs catégories soulignées : *Viandes. Crustacés. Condiments.*

– Et s'il te plaît, achète exactement ce qui est noté, ajouta Bianca. Mme Rule exige des marques très précises.

– Et si un produit n'est plus disponible?

– Alors prends ce qu'il y a de mieux à la place.

Ne sachant trop ce que cela signifiait, Rory se contenta de plier la liste et de la mettre dans son sac à main.

– Et ensuite, nous aimerions que tu ailles chercher Isabel à Two Trees.

– Isabel a besoin qu'on aille la chercher? demanda-t-elle docilement.

– Au centre équestre. Elle a sa leçon d'équitation.

Bianca griffonna les mots TWO TREES sur un carnet.

– Voilà. Entre simplement ça dans le GPS et il te dira comment t'y rendre.

Rory prit le morceau de papier. La perspective de se retrouver seule avec Isabel Rule dans un espace confiné l'effrayait franchement.

– Tu peux aller la récupérer à onze heures trente, poursuivit Bianca. Et tu peux prendre la Prius. Les clés sont sur le contact.

– OK, super. Pas de problème.

– Et s'il te plaît, quoi qu'il arrive, ne la laisse pas conduire, l'avertit Bianca. C'est bien compris ?

– Euh, oui, tout à fait, répondit-elle, démoralisée.

– Je vais t'accompagner dehors, dit Fee en se dirigeant vers la porte d'un pas traînant.

Rory la suivit dans le couloir.

– Pourquoi faut-il que j'aille chercher Isabel ? chuchota-t-elle. Elle ne sait pas conduire ?

Fee attendit d'avoir refermé la porte de derrière pour répondre.

– Elle a raté son permis, expliqua-t-elle avec un faible sourire. Je ne peux pas dire que cela m'étonne. Bon, tu sais faire marcher ce truc ? demanda-t-elle devant la rutilante voiture gris métallisé.

– Oui.

Elle monta à l'intérieur et appuya sur le bouton pour la démarrer. Le GPS s'alluma et une voix féminine robotique ronronna : « Bienvenue. »

– Prends à droite, puis à gauche, puis file droit en ville, dit

Fee. Citarella se trouve au bout de Main Street. Et si tu as des questions, appelle la maison.

– OK, lança Rory avant de fermer la portière.

Fee frappa sur la fenêtre et Rory baissa la vitre.

– Et attention à la circulation. Montauk Highway peut être sacrément bouchée.

– Pas de problème.

Fee repartit vers la maison et Rory posa les yeux sur le tableau de bord compliqué, essayant de s'y retrouver. Elle n'avait jamais conduit une voiture avec un GPS. Elle n'en avait jamais compris la nécessité, d'autant plus qu'elle connaissait toutes les rues de sa ville natale.

Du coin de l'œil, elle vit une Jetta noire se garer juste à côté d'elle. Steve était derrière le volant. Il lui fit signe puis descendit, chargé de tout un tas de raquettes de tennis.

– Comment ça va ? demanda-t-il.

Rory hésita à lui dire la vérité. À cet instant, il était la seule personne dans cette maison à ne pas savoir qu'elle avait déjà commis un impair. Elle baissa la vitre.

– Ça va. Tout le monde est très gentil. Tout se passe bien. Mis à part que j'ai renversé de la sauce teriyaki sur Isabel hier soir.

Steve éclata de rire.

– J'aurais bien aimé voir ça.

– Tout le monde l'a vu.

– Accroche-toi, dit-il en lui tapotant l'épaule. La sauce finira bien par prendre.

– C'est le pire jeu de mots que j'ai jamais entendu.

– Attends-toi à en entendre d'autres, je te préviens.

Rory se mit à rire.

– À plus tard, lança-t-elle avant de faire une marche arrière.

– Bonne chance ! s'écria Steve.

Au moins, elle avait Steve le pro du tennis de son côté. Peut-être était-ce une bonne chose qu'elle ne puisse s'empêcher de copiner avec les mecs mignons.

Main Street dormait encore et, à part quelques personnes agrippées à leurs gobelets de café et à leurs journaux, il n'y avait pas grand monde dans la rue. Aucune des boutiques chic ne semblait encore ouverte. Sur une échelle, un homme changeait lettre par lettre le fronton du cinéma. On se serait cru dans n'importe quelle ville de Nouvelle-Angleterre, de bonne heure un samedi matin.

Néanmoins, quand elle arriva au parking de Citarella, elle comprit où se trouvaient tous les gens : ici. Des flots de voitures entraient et sortaient. Elle finit par dénicher une petite place entre une Lexus et une Bentley reluisante. Alors qu'elle marchait vers le magasin, un 4 × 4 faillit lui rentrer dedans en marche arrière. Une fois à l'intérieur, elle n'en revint pas de la foule. La file pour les caisses serpentait dans tout le magasin, de l'entrée au mur du fond avant de revenir à l'avant. Deux femmes faisant la queue à la poissonnerie se disputaient pour savoir qui était la première. Cela lui rappelait le jour précédant l'ouragan Irene et le supermarché débordant de gens essayant de faire le plein de fournitures de survie. Mais ici, il n'y avait pas de packs d'eau ou de douzaine de boîtes de thon dans les chariots. Juste des petits paquets délicats enveloppés dans du papier brun de boucher et des petits bocaux aux couvercles noirs et brillants. *Oui, ce n'est pas un supermarché comme les autres*, pensa Rory en prenant un chariot.

Elle n'avait jamais entendu parler de la plupart des articles présents sur la liste de Bianca. Au rayon fromages, elle dut se frayer un chemin entre une file de personnes se poussant et se bousculant, et elle n'était même pas sûre d'avoir choisi le meilleur *asiago classico*. Au comptoir des pâtes, elle commanda un kilo de *richetti* frais, qui se révélèrent n'être qu'une version plus sophistiquée des pennes. Au rayon condiments, elle prit des bocaux de pâte aux piments rouges harissa et du miso séché. Un paquet de Granola coûtait onze dollars. Onze dollars ! Rory faillit le reposer sur le rayonnage, juste par principe. Mais c'était apparemment ce que les Rule désiraient. C'était absurde, pensa-t-elle en secouant la tête. Les Rule avaient une Prius, une voiture modeste, mais ils gaspillaient leur argent pour de la nourriture qu'ils auraient pu payer deux dollars.

Quand elle eut terminé, elle se dirigea vers le bar et se commanda un croissant et une tasse de café. Elle avait à peine pu entamer son smoothie.

– Ça fera six dollars soixante-quinze, dit l'homme derrière le comptoir.

– Quoi ?

– Six dollars soixante-quinze.

– Pour un café et un croissant ?

L'homme se contenta de lui lancer un regard de défi. Rory sortit son portefeuille et lui tendit l'argent. Sa mère avait peut-être eu raison de dire que les Rule auraient dû la payer.

Elle mangea son petit déjeuner en faisant la queue à la caisse. Après avoir mis la note de trois cents dollars sur le compte de Lucy Rule, elle chargea les deux sacs dans le coffre et quitta le parking. TWO TREES, WATER MILL, tapa-t-elle sur le GPS au feu rouge.

« Distance, quatorze kilomètres » annonça la voix automatique.

Rory consulta la carte sur l'écran. Water Mill se situait à l'ouest d'East Hampton, sur la Montauk Highway, puis à environ deux kilomètres au nord. Elle avait au moins quinze minutes devant elle. Quatorze kilomètres, quinze minutes : tout était sous contrôle.

Vingt minutes plus tard, elle n'avait parcouru que quatre kilomètres. Fee n'avait pas menti : la circulation sur la Montauk Highway était presque à l'arrêt. Elle tripota le GPS. Il devait bien y avoir un autre chemin que cette nationale à deux voies pour aller à Water Mill. Elle regarda la carte. Elle n'avait pas le choix. Elle agrippa le volant et imagina Isabel en train de l'attendre, la mine de plus en plus sombre. Le trajet du retour s'annonçait mal.

À midi moins le quart, elle parvint enfin à Hayground Road. Elle quitta la nationale et longea à toute vitesse des champs ouverts. Arrivée à l'écurie et au centre équestre Two Trees, elle s'engagea dans une longue allée en graviers. Isabel se tenait devant l'écurie principale, les yeux sur son téléphone. Vêtue d'un pantalon noir ajusté et d'une chemise blanche boutonnée jusqu'en haut, un casque d'équitation couleur ébène pendu au poignet, elle semblait encore plus intimidante que la veille. *Ne t'inquiète pas*, se rassura Rory. *Vous n'avez pas à devenir meilleures amies. Vous n'avez même pas à être amies. Vous devez juste passer vingt minutes ensemble dans une voiture.*

Rory baissa la vitre.

– Je suis vraiment désolée, dit-elle en s'arrêtant devant Isabel. Il y avait des embouteillages.

Isabel marcha jusqu'à la portière du conducteur, l'ouvrit, et regarda Rory avec impatience.

– Quoi ? demanda celle-ci.

– C'est moi qui conduis. Tu t'assois côté passager.

– Euh, à vrai dire, je pense qu'il vaudrait mieux...

Isabel baissa le menton et la foudroya du regard.

– C'est moi qui conduis, répéta-t-elle.

Lentement, Rory défit sa ceinture et sortit du véhicule. Que pouvait-elle faire d'autre ? Isabel monta à l'intérieur et claqua la portière. Rory avait à peine eu le temps de s'asseoir et de fermer la sienne qu'Isabel appuyait sur l'accélérateur et effectuait un demi-tour serré. Alors qu'elles fonçaient dans l'allée, Isabel prit son téléphone posé sur ses genoux et commença à taper un message d'une main.

– Tu es sûre que tu devrais faire ça ? demanda Rory, accrochée au tableau de bord.

– Faire quoi ?

– Envoyer un texto. Tu pourrais avoir une amende. Et c'est dangereux.

– Voilà, j'ai terminé, dit Isabel en laissant tomber le téléphone sur ses genoux avant de tourner brusquement dans Hayground Road. Ne t'inquiète pas autant.

– Alors, où vas-tu au lycée ? poursuivit Rory, légèrement nauséeuse.

– À Santa Barbara.

– Je ne suis jamais allée en Californie. Je n'ai même jamais pris l'avion.

– C'est fascinant.

– Tu as ton propre cheval ? l'interrogea Rory, décidant de changer de tactique.

– Hum, hum.

– Je ne suis montée à cheval qu'une ou deux fois, juste pour des promenades. Pour tout dire, ils me font un peu peur et...

– Désolée, mais je peux me concentrer sur la route ? l'interrompit Isabel.

Elle s'engagea sur la nationale, ignorant complètement la voiture qui fonçait droit sur elle.

Rory déglutit.

– Bien sûr.

La circulation finit par ralentir. Isabel reprit son téléphone et se remit à taper un texto. Rory regardait par la fenêtre. Elles passèrent devant un panneau où il était écrit : VOUS ENTREZ À BRIDGEHAMPTON, FONDÉE EN 1656. *Avec une circulation épouvantable de 2012*, pensa Rory.

– Il y a tellement d'étals de légumes, murmura-t-elle alors qu'elles dépassaient des tentes avec des pancartes annonçant : MAÏS D'ÉTÉ et TOMATES FRAÎCHES. Les gens aiment vraiment la nourriture par ici.

Et pourtant, tout le monde est mince, songea-t-elle. Ce n'était pas logique.

Soudain, Isabel sortit de la route embouteillée et s'engagea sur le bas-côté.

– Qu'est-ce que tu fais ? s'écria Rory en s'agrippant à sa poignée.

– Tout le monde fait ça ici, répondit calmement Isabel.

– Mais tu roules sur le bas-côté ! C'est interdit.

– Il faut vraiment que tu te détendes, dit la jeune fille, alors que l'avant d'une voiture apparaissait devant elle, jaillissant d'une allée dissimulée.

– Attention ! hurla Rory.

Isabel enfonça le frein. La Prius s'arrêta brusquement. Rory s'agrippa au tableau de bord. Elles n'étaient qu'à quelques centimètres de l'autre véhicule. La femme au volant semblait paralysée par la peur.

– Eh bien, c'était moins une, fit remarquer Isabel, toujours aussi calme.

– Tu es folle ou quoi ? Tu aurais pu l'emboutir !

Isabel recula pour que la femme puisse s'engager sur la nationale. Dès qu'elle fut partie, la jeune fille se remit à rouler sur le bas-côté.

– Mais qu'est-ce que tu fais ? hurla Rory.

– Tu veux bien te détendre ? cria Isabel en prenant la Georgica Pond Road. Tu es vraiment stressante.

Un instant plus tard, elles quittaient le bas-côté et roulaient dans une rue pavée tranquille.

– Tu vois ? lança Isabel. Mon Dieu !

Rory s'agitait sur son siège. Elle avait mal aux doigts tant elle avait serré la poignée. *Les riches*, pensa-t-elle. *Ils croient que les règles ne s'appliquent pas à eux.*

Isabel entra dans Lily Pond Lane. Au portail, elle ouvrit la boîte à gants et en sortit une petite télécommande.

– Bon, tu es catatonique, ou quoi ?

Rory regardait le portail qui s'ouvrait en silence.

– Ça va, marmonna-t-elle alors qu'elles roulaient le long de la pelouse.

Des arroseurs projetaient de l'eau sur le gazon.

– Je suis désolée, OK ?

Rory jeta un coup d'œil à la main d'Isabel, sur le volant. Son bracelet à breloques en or luisait au soleil. Il y avait notamment un « I » accroché à la chaîne.

– J'aime bien ton bracelet, dit Rory, qui essayait de ne pas parler trop gentiment.

77

– Merci.

Isabel regarda brièvement le bracelet brésilien de Rory. Celle-ci s'attendait à ce que la jeune fille lui fasse un compliment, ne serait-ce que par politesse, mais elle ne dit rien. Normal, pensa Rory en se retournant vers sa vitre. Cette fille était horrible.

Alors qu'elles se dirigeaient vers les garages, Isabel remarqua une Nissan Exterra rouge foncé, pas de première jeunesse, dans l'allée circulaire. Sur le pare-chocs, elle vit un autocollant : BOUTIQUE DE SURF AIR ET VITESSE, MONTAUK NY.

– Et voilà, rentrées en une seule pièce, déclara-t-elle sur un ton sarcastique en se garant derrière l'Exterra.

Rory ne répondit pas. Elle descendit et alla ouvrir le coffre. Heureusement, la douzaine d'œufs bruns bio qu'elle venait d'acheter était intacte.

La porte de derrière s'ouvrit en grinçant.

– Isabel ? demanda Fee. Il y a un garçon pour toi.

Un jeune homme se glissa derrière la gouvernante et descendit les marches dallées. Il était difficile de ne pas le dévisager. C'était peut-être le garçon le plus sexy que Rory avait jamais vu. Des cheveux châtains épais tombaient devant ses grands yeux limpides, d'un marron chocolat profond. Une barbe de quelques jours recouvrait sa mâchoire et son menton à fossettes, mais ses lèvres étaient pleines, presque féminines. Son T-shirt blanc et son jean noir d'encre mettaient en valeur un corps mince et musclé là où il fallait. *Voilà des ennuis*, pensa Rory. Sa mère l'aurait adoré.

Isabel le regarda venir vers elle. Mike était encore plus beau avec des vêtements qu'en combinaison. Elle admira ses bras bronzés, noueux, et se souvint de ce qu'elle avait éprouvé quand ils l'avaient enlacée sur la plage. Elle s'était sentie en sécurité, excitée, électrifiée. Son esprit se vida.

– Hé, dit-il. Je suis venu prendre de tes nouvelles.

– Salut, lança-t-elle, d'une voix étonnamment rauque. (Elle avait besoin d'un verre d'eau.) Comment m'as-tu trouvée ?

– Ce n'était pas difficile, répondit-il avec un sourire entendu.

Elle se rendit compte que Rory rentrait les sacs de courses dans la maison, suivie de Fee. Elle était seule avec lui désormais. Et il lui souriait encore.

– Tu fais de l'équitation ? demanda-t-il en la regardant de bas en haut.

– Hum, hum.

– Et tu surfes.

– Ouaip.

– En quoi es-tu la meilleure ?

Elle se balança d'avant en arrière.

– Je ne sais pas. Peut-être que tu pourrais me le dire.

Son sourire s'élargit.

– Tu as une combinaison ici ? demanda-t-il en désignant la maison.

Elle haussa les épaules.

– Bien sûr.

Il jeta un coup d'œil à sa grosse montre noire.

– Alors qu'est-ce qu'on attend ?

Elle hésita un instant, se demandant s'il était sérieux.

– Attends-moi ici. Je reviens tout de suite.

Elle se dirigea vers la porte, se retenant de courir.

La maison semblait vide. Tout le monde devait être au club, ce qui lui convenait parfaitement. Elle ne voulait pas avoir à demander la permission de sortir. Elle gravit l'escalier quatre à quatre, s'agrippant à la balustrade en fer. Il était ici. Elle lui plaisait. Ou du moins, elle était presque sûre de lui plaire. Elle ouvrit la porte de sa chambre à toute volée et se précipita vers sa commode. Quelques secondes plus tard, elle avait remplacé sa tenue d'équitation par son bikini mandarine préféré, une tunique en coton et des sandales en cuir argenté. Elle prit son sac de plage puis descendit à la salle de boue, où toutes les combinaisons et les planches de surf de la famille étaient rangées dans un placard. La salle de boue était un nom vraiment stupide ; pour ce qu'elle en savait, personne n'avait jamais ramené de boue dans la maison, seulement du sable, mais ses parents insistaient pour l'appeler comme ça. Elle ouvrit le placard, attrapa sa combinaison et la planche de Connor. Elle savait que cela ne l'aurait pas dérangé.

Dans le hall, elle faillit foncer la tête la première dans la fille qui lui avait crié dessus dans la voiture. Rory s'écarta de son chemin, se dirigeant vers sa chambre.

– Hé, lança Isabel. Tu peux dire à tout le monde que je suis allée à la plage avec un ami ?

Rory semblait méfiante.

– D'accord. Comment s'appelle-t-il ?

Isabel dut réfléchir un instant.

– Mike. Nous sommes amis. On va à Montauk.

– À quelle heure rentreras-tu ?

– Qu'est-ce que ça peut te faire ? demanda Isabel, légèrement agacée.

– Et si on me pose la question ?

– Personne ne le fera. N'en parle que si le sujet vient sur le tapis, OK ? À plus.

Elle n'attendit pas la réponse de Rory. Elle courut vers la porte d'entrée, les semelles de ses sandales claquant sur le sol en marbre. Elle sentit que la fille la regardait. Se disant peut-être qu'elle était ridicule.

Mais elle s'en fichait. Elle s'en soucierait plus tard.

Chapitre 5

Isabel essora ses cheveux trempés d'eau salée et jeta sa planche sur le sable. Son cœur battait à tout rompre après cette dernière vague et ses épaules commençaient à lui faire mal. Mais pour l'instant, cet après-midi avait été incroyable. Elle était déjà venue à Ditch Plains, mais auparavant, elle n'avait vu que les galets, les rochers et les tuyaux d'écoulement à demi cachés sous les dunes. Aujourd'hui, elle trouvait cet endroit magnifique. Les embruns salés formaient une brume épaisse au-dessus de l'océan agité et elle devait plisser les yeux pour repérer le moment où la vague se brisait. Des surfeurs flottaient à la surface, attendant le bon moment. Des chiens se jetaient dans l'eau pour aller chercher des balles de tennis et des bâtons. Des couples se promenaient, main dans la main. Et il y avait Mike, sortant de l'eau, sa planche sous le bras.

– Alors ? demanda-t-il en s'ébrouant. Tu te sens d'attaque pour en prendre une autre ?

– Bien sûr. Une dernière.

– Ne le prends pas mal, mais tu es meilleure que ce que je pensais.

– Je te l'avais bien dit, lança-t-elle en lui décochant un sourire, avant de retourner dans l'eau.

Elle se jeta à plat ventre sur sa planche et commença à nager. Mike plongea à son tour, et il se mit à faire la course avec elle.

– Hé, attends ! s'écria-t-il.

Elle lui plaisait. Il ne parlait pas beaucoup, mais à la moindre occasion, il la complimentait, lui donnait des conseils sur sa posture. Ils n'avaient pas eu le temps de se poser des questions personnelles, mais cela lui convenait. Pourtant, il y avait tant de choses qu'elle aurait aimé connaître sur lui. Elle ne savait même pas quel âge il avait. Ni où il vivait. Ni combien de filles il fréquentait en ce moment. *Reste cool*, se dit-elle. Elle n'avait pas eu à se dire une chose pareille depuis des années.

Et puis, alors qu'ils étaient assis sur leurs planches, attendant la vague, ce fut lui qui commença à l'interroger.

– Alors, quel âge as-tu ?

– Dix-sept ans.

Un de ses pieds toucha le sien sous l'eau.

– Et toi ?

– Vingt ans. Trop vieux ?

– Trop vieux pour quoi ?

Il lui sourit.

– J'ai l'impression que tu ne prends pas de risques avec les garçons.

– Des risques ? Tu vas m'avouer que tu es un assassin ou un truc comme ça ?

– Je veux dire, tu sors avec des types que tu connais. Des types que tu peux contrôler. J'ai raison ?

– Et moi j'ai l'impression que tu amènes beaucoup de filles surfer.

– Je n'amène jamais surfer aucune fille, rétorqua-t-il avec une expression si sérieuse qu'elle détourna les yeux et fit semblant de scruter l'océan.

Quand la vague arriva, il lui fallut un grand effort pour se concentrer, parce qu'elle savait qu'il la regardait. Elle se mit debout pile au bon moment et se tint, un pied devant l'autre, les bras écartés, les yeux rivés sur la côte qui se rapprochait rapidement. Par chance, elle ne tomba pas. Et alors que sa planche filait sur l'eau, elle pensa : *Je ne veux pas que cette journée se termine. Je veux surfer cette vague jusqu'à la fin de mes jours.*

De retour sur la plage, elle défit sa combinaison et se sécha avec l'une des serviettes de plage rayées qu'ils avaient étendues sur le sable. Des mouettes criaient au-dessus d'elle. Elle pensa à Darwin et Thayer, au Georgica, en train de manger leurs salades du bout des dents, passant le patio en revue, attendant son arrivée. Elle essaya de les imaginer assises avec un garçon comme lui. Elles préféreraient mourir qu'être vues ici, à Ditch Plains.

Isabel regarda Mike en train de surfer, faisant des zigzags sur l'eau. Il était vraiment bon. Meilleur que tous les mecs de son lycée.

– Que dirais-tu d'un sandwich au homard ? demanda-t-il quand il la rejoignit sur la serviette. Si tu as encore le temps.

– J'ai le temps, répondit-elle en essayant de paraître désinvolte. Et j'adore le homard.

– Parfait.

Il se pencha vers elle. Elle se pencha vers lui pour lui rendre son baiser, mais il voulait seulement attraper la serviette qui était près d'elle pour se sécher les cheveux.

– Alors allons-y, déclara-t-il.

– OK, dit-elle, espérant qu'il n'avait rien remarqué.

Devant la voiture, elle s'efforça de ne pas le regarder tandis qu'il posait sa combinaison, mais à un moment, la serviette autour de sa taille glissa, lui donnant un aperçu saisissant de la peau sous son nombril. Elle monta dans la voiture pour ne pas le dévorer des yeux. Pourquoi était-elle aussi bizarre avec ce garçon ? On aurait dit qu'elle n'avait jamais fréquenté un membre du sexe opposé.

Son téléphone tinta doucement dans son sac. Thayer lui avait envoyé un texto : *Où es-tu ??* Elle sourit et le remit dans son sac.

Mike ouvrit la portière.

– Alors, on va où ? demanda-t-elle.

– Chez Buford, répondit-il en se glissant derrière le volant, en short et T-shirt, sentant la lessive. Tu y es déjà allée, non ?

– À vrai dire, non.

– Tu plaisantes ? lança-t-il, penché vers elle alors qu'il faisait une marche arrière. Comment est-ce possible ?

Parce que ma mère pense que c'est un taudis, aurait-elle voulu répondre, mais elle se retint. Elle se contenta de hausser les épaules et de lui adresser son sourire le plus mystérieux.

Ils roulèrent sur la nationale jusqu'à ce que les murs rose fané de la Cabane à Homards Buford apparaissent. Mike se gara dans le petit parking bondé, juste à côté de deux types d'une vingtaine d'années sortant d'un vieux van avec des planches de surf attachées sur le toit. Elle les reconnut ; ils avaient surfé avec eux à Ditch Plains.

– Hé, Mike ! Ta copine assure un max ! cria l'un d'entre eux.

Il avait la tête rasée et portait un T-shirt avec une insulte imprimée en lettres voyantes.

– Je sais, répondit fièrement Mike. Je vous présente Isabel. Isabel, voici Brad et Matt.

– Salut, dit-elle, soudain intimidée.

Brad, celui qui avait parlé, lança un regard approbateur à Mike.

– On se voit à l'intérieur, mon pote, lança-t-il.

Alors qu'ils traversaient le parking, Mike fit signe à deux autres personnes, puis à deux types et une fille qui faisaient la queue pour commander.

– Tu dois venir ici souvent, murmura Isabel.

– Oui, c'est un peu comme chez moi.

Il s'approcha du comptoir, mais au lieu de commander, il serra la main d'un homme grisonnant d'une cinquantaine d'années.

– Ça roule ? lui demanda-t-il.

– Mikey ! dit l'homme en cognant son poing contre celui de Mike. Comment va ton père ? Comment ça se fait qu'il ne vient plus jamais ?

– Il est très occupé cette saison. Mais j'ai quelqu'un d'autre à te présenter. Buford, voici Isabel. Isabel, voici Buford Giles.

– Bonjour, dit Isabel en lui tendant la main.

– C'est un cœur tendre, celui-là, annonça-t-il en désignant Mike. On ne dirait pas comme ça, mais c'est vrai.

– Bon, ça suffit, intervint Mike en libérant la main d'Isabel de la poigne de Buford. On prendra deux numéro 8 avec de la mayo en plus et des frites de patate douce. Et deux piñas coladas sans alcool, ajouta-t-il avec un clin d'œil.

– C'est noté.

Buford lui rendit son clin d'œil et, un instant plus tard, il leur tendit deux boissons mousseuses avec des pailles et de petites ombrelles. Isabel but une gorgée de la sienne. Ce n'était sûrement pas une piña colada sans alcool. Le rhum lui brûla la gorge.

– Merci, vieux, dit Mike avant de prendre la main d'Isabel et de l'entraîner sur le patio. Ils vont nous apporter nos sandwichs. Allons chercher une place.

Même s'il n'était que seize heures, presque toutes les tables étaient occupées par des surfeurs ou des gens qui ressemblaient à des surfeurs et piochaient dans des paniers remplis de fruits de mer tout en sirotant leurs boissons. L'odeur du rhum Malibu se mêlait à la senteur piquante du sel et à celle de la graisse. Des haut-parleurs diffusaient du reggae. Tout le monde avait l'air plus âgé qu'eux, mais Mike traversait le patio comme une célébrité, échangeant des accolades et tapant dans des mains alors que les gens criaient son nom.

– Qui es-tu, le maire de Montauk? demanda Isabel quand ils s'assirent à la seule table disponible.

– Nan, j'ai grandi ici, c'est tout.

– À Montauk?

– À North Fork, dit-il en souriant. Tu en as entendu parler?

– Bien sûr.

Elle n'avait jamais rencontré personne venant de North Fork. Elle n'y était allée que quelques fois, en général pour prendre le ferry pour Block Island, où vivait sa tante. Tout ce dont elle se souvenait, c'était de nombreux terrains agricoles, de petites maisons à bardeaux et de restaurants de fruits de mer dénués de charme près du port.

– Comment Buford connaît-il ton père? demanda-t-elle pour changer de sujet.

– Nous avons une exploitation de légumes et un stand

près de Wainscott, répondit-il en remuant sa boisson avec sa paille. Il fournit Buford en maïs et en tomates tout l'été.

– Et Buford te fournit en piñas coladas.

– On peut dire ça.

– Tu travailles sur l'exploitation ? l'interrogea-t-elle, espérant qu'il n'y verrait pas d'insulte.

– L'été, oui. Le reste de l'année, je vais à l'université de Stony Brook.

Il s'appuya contre le dossier de sa chaise, laissa tomber ses tongs et posa ses pieds bronzés sur les accoudoirs d'une autre chaise.

– Et qu'est-ce que tu étudies ?

C'était logique que Mike aille à la fac, vu son âge, mais elle avait du mal à l'imaginer étudiant.

– Les trucs habituels, répondit-il, énigmatique. Rien d'intéressant. Parlons de toi. Qu'est-ce que tu tentais de fuir l'autre jour, dans l'eau ?

– Rien.

Il ne la quittait pas des yeux.

– Rien ?

– Je voulais juste nager.

– Loin, très loin de ton club. Alors que la plupart des gens seraient prêts à tout pour le fréquenter.

– Attends, où veux-tu en venir ?

Il rit, puis s'accouda sur ses genoux, si proche d'elle qu'à la lumière déclinante du soleil, elle distingua une fine traînée de sable près de sa mâchoire.

– Je me demande simplement ce que tu fais ici avec un type de North Fork alors que tu pourrais lézarder au soleil au club Georgica.

– Peut-être que je m'ennuie.

– Peut-être, oui.

– Et je pourrais te poser la même question. Que fais-tu avec une fille privilégiée qui n'a jamais mis les pieds chez Buford?

Sans la quitter des yeux, il prit son verre et but une longue gorgée. Elle n'avait jamais vu un garçon qui communiquait autant de choses en parlant si peu. Et à cet instant précis, son sourire semblait dire : *Parce que tu es la fille la plus sexy que j'aie jamais vue et que je meurs d'envie de t'embrasser.*

Buford interrompit ce moment en leur servant leur nourriture.

– Et voilà! Deux homards. Supplément de mayo. Bon appétit.

Alors qu'il s'éloignait, Isabel observa le sandwich au homard niché à côté d'une montagne de frites de patate douce.

– Ça a l'air incroyable.

– Ouaip, acquiesça Mike. Je crois que ce serait mon dernier repas de condamné.

Elle en prit une grosse bouchée dégoulinante.

– Waouh.

Il hocha la tête, comme si c'était la réaction qu'il avait attendue.

– Et toi, ce serait quoi ton dernier repas?

– Peut-être ça.

– Ton dernier dessert, alors.

– Oh, c'est facile. Une tarte aux fraises.

Il rit.

– Quoi? Qu'est-ce qu'il y a de drôle?

– Une tarte aux fraises? répéta-t-il, sceptique.

– Tu en as déjà mangé?

– Je crois, oui.

– C'est délicieux, dit-elle avec conviction. Et je sais la faire.

– Tu sais la faire, toi?

– Oui. En temps normal, ma mère ne me laisse rien faire dans la cuisine, mais en pâtisserie, je suis douée.

On aurait dit qu'il se retenait de rire.

– Attends. Pourquoi ne veut-elle pas te laisser cuisiner?

– Parce que nous avons des domestiques. Pourquoi mes parents voudraient-ils que je cuisine?

– Je ne sais pas, peut-être pour t'apprendre à te débrouiller toute seule? demanda-t-il, une lueur dans les yeux, avant de tremper une frite dans la mayonnaise. Tu devrais m'en préparer une, un jour.

– Seulement si tu es très, très gentil avec moi.

– Et qu'est-ce que ça suppose? lança-t-il d'un ton suggestif, en se penchant vers elle.

Elle s'écarta de lui et laissa ses cheveux tomber devant ses yeux.

– Laisse-moi te poser une question. Combien de petites copines as-tu?

– Combien j'en ai ou combien j'en ai eu?

– Combien tu en as. En ce moment.

Le rythme de la musique changea, devenant lent et sexy. Une chanson qu'elle avait aimée l'été dernier.

From the very first time I rest my eyes on you, girl
My heart said follow through
But I know now that I'm way down on your line
But the waiting feel is fine*

---

* Dès que j'ai posé les yeux sur toi, ma jolie / Mon cœur m'a dit fonce / Mais je sais que je suis tout en bas de ta liste / Mais j'aime bien attendre.

Le rhum commençait à lui faire tourner la tête. Elle ferma les paupières et se balança un peu au rythme de la musique, jusqu'à ce qu'elle sente les doigts de Mike glisser furtivement sur sa main. Elle ouvrit les yeux et vit qu'il avait le regard rivé sur elle.

– Juste une. Mais j'y travaille encore.

Adossée contre une montagne d'oreillers, Rory regardait le téléphone dans sa main. Trois appels manqués, trois de Lana McShane. Sa mère n'avait jamais aimé laisser des messages vocaux. Elle préférait appeler encore et encore puis raccrocher, de sorte que Rory finissait toujours par se sentir coupable et paniquée.

Au moins, la soirée avait été calme. Elle avait dîné dans la cuisine avec Fee, Bianca et Erica, ou plutôt avec Fee et Erica pendant que Bianca lisait un numéro du *Vogue* français et les ignorait. Ensuite, Rory avait pris un long bain à bulles dans la baignoire en marbre encastrée puis s'était enveloppée dans le peignoir en soie et chenille avant de se mettre au lit. Il était vingt et une heures quarante-cinq. Si elle ne rappelait pas sa mère, celle-ci le ferait sans doute. *Autant se débarrasser de ça*, pensa-t-elle en composant son numéro.

Sa mère répondit après une sonnerie.

– Allô?

Ce seul mot suffit à Rory pour savoir qu'elle avait bu.

– Hé, maman, c'est moi. Désolée d'avoir manqué tes appels.

– Oh. J'ai appelé plus d'une fois?

– Je crois. Alors, comment ça va?

– Pas très bien. (Rory entendit un reniflement étouffé.) Je crois que Bryan et moi avons rompu.

– Oh! lâcha Rory, éprouvant un petit remords, car elle ne l'avait pas vu venir, du moins pas si vite. Je suis désolée. C'est triste.

– Chérie, j'ai besoin de toi, dit sa mère d'une voix suppliante. S'il te plaît, rentre à la maison. S'il te plaît. Aide-moi à surmonter ça.

– Maman, je ne peux pas. Je viens juste d'arriver.

– Rory, je t'en prie. Et en plus, ils ont coupé le câble hier, alors je ne peux même pas regarder la télé…

– J'avais mis la facture sur le frigo. Tu ne l'as pas vue?

– J'avais seulement un peu de retard, répondit-elle d'une voix désespérée. Dis à tante Fee que tu es désolée mais que j'ai besoin de toi. Elle comprendra. (Elle renifla à nouveau.) Tu es tout ce que j'ai, chérie.

Rory serra l'un des minuscules coussins bleu et blanc à pois dans sa main. Elle sentait les tentacules familiers de la culpabilité se faufiler hors du téléphone et s'enrouler autour d'elle, la serrant de plus en plus fort.

– Je ne peux pas, dit-elle finalement. Je viens d'arriver. Ce serait vraiment mauvais pour moi si je partais maintenant. Va te coucher. Tout ira mieux demain. Je te le promets.

Il y eut un clic, puis le silence.

– Allô? Maman?

Elle avait raccroché. Rory regarda l'écran noir de son téléphone. Ce n'était pas la première fois que sa mère terminait ainsi une de leurs conversations téléphoniques, mais cela ne l'avait jamais autant énervée. *Va te faire voir*, pensa-t-elle. Elle coupa la sonnerie et rangea le téléphone dans le tiroir du haut de sa table de chevet, où elle ne l'entendrait même pas vibrer. Si sa mère rappelait, elle ne voulait pas le savoir.

Elle remonta les couvertures sous son menton et s'enfonça dans le matelas moelleux. Peut-être que venir à East Hampton n'avait pas été une erreur, tout compte fait. Elle commençait à en avoir assez de soigner sa mère à chaque rupture. Au moins, elle n'avait pas commis d'horrible gaffe aujourd'hui. Annoncer à Bianca qu'Isabel était partie à Montauk avec un inconnu n'avait pas été facile, mais c'était le problème d'Isabel, pas le sien.

– Attends ici, dit Isabel lorsqu'ils s'arrêtèrent devant le portail en fer. Il faut que je tape le code.

Elle relâcha lentement la main de Mike, qui avait tenu la sienne pendant tout le trajet, et elle descendit de voiture. Elle tituba un moment, puis posa la main sur la portière pour rétablir son équilibre. Le sol tanguait. Les piñas coladas de Buford prenaient leur revanche. *Concentre-toi*, pensa-t-elle. Elle se stabilisa puis fit le tour de la voiture ronronnante pour atteindre l'interphone.

Jusque-là, toute la journée avait été parfaite, à une exception près : Mike ne l'avait toujours pas embrassée. Elle savait qu'il en avait envie. Chez Buford, ils n'avaient cessé de rapprocher leurs chaises en plastique tout en discutant, jusqu'à ce que leurs visages soient si proches qu'une fois ou deux, elle avait posé sa tête contre son épaule en riant. Ensuite, ils étaient montés dans sa voiture, dans le noir, toujours hilares (elle plus que lui : elle avait bu la moitié d'une autre piña colada, lui un Coca) et elle s'était adossée contre le siège en pensant, *Bon, maintenant, maintenant il va le faire. Il va m'embrasser.* Mais il avait simplement démarré le moteur et lui avait pris la main.

– Je ferais mieux de te reconduire chez toi, avait-il dit.

– D'accord, avait-elle répondu, un peu décontenancée.

Et elle ne l'en avait désiré que plus.

Elle se penchait sur l'interphone, essayant de se rappeler le code, quand elle entendit Mike :

– Je devrais peut-être juste te laisser là.

– Pourquoi ? demanda-t-elle.

– Parce qu'il est un peu tard.

– Tu as peur de mes parents, le taquina-t-elle.

Il rit et secoua la tête pour chasser les cheveux tombés devant ses yeux.

– Ce n'est sans doute pas le moment idéal pour faire leur connaissance.

Elle regarda la longue allée doucement illuminée, par-delà le portail. Elle ne voulait pas lui dire au revoir ici. Elle était déjà sortie de la voiture. Comment pourrait-il l'embrasser, si elle était dehors ?

– Attends, dit-elle. J'ai une meilleure idée.

Rory replia l'oreiller sous sa tête et attrapa la télécommande sur sa table de nuit. Elle n'avait pas eu de mal à s'endormir la veille, mais ce soir, elle était complètement éveillée, comme si elle avait bu deux cafés après le dîner. C'était la dernière fois qu'elle appelait chez elle avant de se coucher. Avoir affaire à sa mère aussi tard le soir, c'était l'insomnie assurée.

Elle entendit gratter à sa fenêtre. Elle ouvrit les yeux. Était-ce un raton laveur ? Y en avait-il dans les Hamptons, ou était-ce trop luxueux pour eux ?

Le bruit recommença. Elle s'assit. Cette fois, on poussait

sur la fenêtre. Quelque chose, ou quelqu'un, essayait de l'ouvrir.

Finalement, la fenêtre se débloqua et se souleva avec un couinement bruyant. Sous le regard de Rory, trop effrayée pour bouger, quelqu'un entra lentement dans la chambre, une jambe à la fois. C'était un garçon.

Elle hurla et alluma la lumière.

– Désolé ! s'écria-t-il.

C'était le mec sexy qu'elle avait vu devant la maison ce matin. Sauf qu'il n'avait plus l'air aussi cool.

– Désolé ! murmura-t-il, les mains en l'air, comme s'il venait d'être arrêté. Désolé !

– Qu'est-ce que tu fiches ici ? cria-t-elle en remontant ses couvertures sur son cou.

Il cligna des yeux et baissa lentement les mains.

– Isabel m'a dit...

La poignée de la porte tourna et il ressortit par la fenêtre juste au moment où Bianca Vellum entrait, serrant sa robe de chambre en soie à rayures contre sa poitrine.

– Que se passe-t-il ici ? demanda-t-elle, les yeux plissés.

Rory regarda la tong droite de Mike disparaître au-dessus du rebord de la fenêtre, puis dans la nuit.

– Rien, répondit-elle.

Bianca reposa les yeux sur elle. À en juger par son expression courroucée, elle aussi avait vu le pied de Mike.

– C'était... Ce n'est pas ce qu'on pourrait croire, commença Rory.

– Je vais seulement le dire une fois, lâcha lentement Bianca, sans cligner des yeux. Tu n'es pas autorisée à recevoir des invités dans ta chambre. Il s'agit de la maison de quelqu'un d'autre, pas de la tienne. Tu comprends ?

– Oui, souffla Rory. Bien sûr.

Bianca resserra encore sa robe de chambre contre elle.

– Bonne nuit, dit-elle avec un dégoût palpable, avant de refermer la porte.

Rory resta assise toute seule, fixant la fenêtre ouverte. Isabel Rule lui avait dit de passer par là, elle en était certaine. Elle semblait déterminée à la faire renvoyer. Et à ce rythme-là, ce serait un miracle si elle échouait.

À l'étage, Isabel, allongée sur son lit, regardait les murs qui s'inclinaient d'avant en arrière de manière déconcertante. Elle avait entendu un cri dans la pièce du dessous, les pas de Mike courant sur la pelouse, puis Bianca qui s'en prenait à quelqu'un. Inutile de dire que son plan n'avait pas fonctionné.

Rory devait avoir dit à Bianca que le garçon qui s'était introduit dans sa chambre était venu voir Isabel ; c'était bien son genre. Ces quatre dernières années, depuis qu'elle était gérante de la maison, Bianca n'avait jamais manqué une occasion de l'épingler à tout propos. Elle semblait même y prendre du plaisir. *Oh, tant pis*, pensa-t-elle en fermant les yeux. Qu'ils la punissent. Cela en avait valu la peine. Elle ne doutait pas qu'elle le reverrait. Et la prochaine fois, quoi qu'il en coûte, il l'embrasserait.

Le lendemain, Rory se réveilla à l'aube. Les oiseaux gazouillaient furieusement dans les arbres alors qu'une lumière grise filtrait à travers les stores. Elle s'étira et ouvrit les yeux, bâillant voluptueusement jusqu'à ce que le souvenir de la veille lui revienne. Elle s'assit, serrant les draps contre sa poitrine. Ce matin, tout le monde saurait qu'un type avait essayé de se faufiler dans sa chambre. Les Rule seraient sans doute furieux. Elle espérait seulement qu'ils ne la renverraient pas chez elle. Il fallait qu'elle trouve un moyen de s'expliquer. Leur dire qu'il s'agissait du nouveau petit copain d'Isabel était hors de question. Elle pouvait supporter la colère des Rule, mais pas celle d'Isabel. Elle lui faisait assez peur comme ça.

Elle finit par sortir du lit pour aller prendre une douche. Quand elle arriva dans le couloir, vêtue de son jean préféré et de son débardeur en coton le plus joli, la maison était silencieuse. Apparemment, les Rule faisaient la grasse matinée le dimanche.

Elle traversa le couloir et poussa la porte battante. Heureusement, il n'y avait que Fee dans la cuisine, penchée sur le lave-vaisselle dont elle sortait des verres.

– Bonjour ! lança Rory, aussi gaiement que possible.

Fee lui accorda à peine un regard, séchant les verres avec un torchon.

– Bonjour, cracha-t-elle. Tu as bien dormi ?

Elle est au courant, pensa Rory. *Évidemment.*

– Fee, ce n'est pas ce que tu crois, pour hier soir. Au cas où tu en aurais entendu parler.

– Tu ne peux pas faire entrer des garçons dans ta chambre, répondit lentement Fee, sans la regarder. C'est comme ça, Rory. Tu ne peux pas avoir d'histoires d'amour ici.

Dis-lui simplement que c'est Isabel qui vit une histoire d'amour, songea-t-elle. Mais c'était impossible. Elle sortit un lourd plat du lave-vaisselle.

– Les Rule sont au courant?

– J'ai supplié Bianca de ne rien dire, répondit-elle en lui prenant le plat des mains. Et il se trouve qu'elle a accepté. Bien sûr, maintenant j'ai une dette envers elle, ce qui est la dernière chose que je souhaitais.

– Je suis désolée. Mais merci de lui avoir demandé de ne rien dire.

– Je ne comprends pas. Je ne pensais pas que tu étais comme ça.

La porte s'ouvrit. Rory se retourna, s'attendant à voir le visage réprobateur de Bianca, mais ce fut Isabel qui entra dans la pièce d'un pas chancelant. On aurait dit qu'elle avait à peine dormi. Elle avait les yeux injectés de sang, la peau pâle et les cheveux emmêlés en touffes autour de son visage. *Gueule de bois*, pensa Rory. *Et une belle.*

– Reste-t-il un peu de ce jus vert qu'Eduardo préparait? demanda Isabel d'une voix rauque.

– Je crois qu'il y en a un peu ici, répondit Fee en fouillant dans le réfrigérateur.

Elle ne semblait pas avoir remarqué l'état d'Isabel. Ou alors elle y était habituée.

Rory en profita pour foudroyer la jeune fille des yeux, mais celle-ci évitait soigneusement de la regarder.

– Tiens, dit Fee en lui tendant une bouteille en plastique sans étiquette remplie d'une espèce de boue verte. Tu te sens bien?

– Je crois que j'ai la grippe.

La grippe ? pensa Rory en lui lançant un regard mauvais. *C'est ça, oui.*

– Oh, dans ce cas, tu ferais bien de retourner au lit, suggéra Fee.

– Merci, dit-elle avant de sortir d'un pas traînant, poussant la porte du bout des doigts.

– Il doit y avoir un virus dans l'air, fit remarquer Fee avec inquiétude, puis elle retourna à ses verres.

– Je reviens tout de suite, lança Rory.

Elle poussa la porte battante. Elle ne pouvait pas laisser Isabel s'en tirer comme ça.

– Hé, je peux te parler une seconde ? demanda-t-elle.

Isabel se retourna et lui adressa un regard ennuyé.

– Pour qu'on puisse discuter du garçon qui s'est introduit dans ma chambre hier soir et à cause duquel je me suis fait engueuler ?

Isabel continuait de la dévisager comme si elle s'était exprimée en sanscrit.

– J'étais juste curieuse de savoir ce que tu en pensais.

– Merci, dit Isabel d'une voix blanche. Et pour ta gouverne, je ne savais pas que tu dormais là. Je ne parlerais pas de « ta chambre ». C'est la chambre d'amis. Et tu es invitée.

Elle se retourna vers l'escalier.

– Je suis sûre que ça ne te dérangerait pas que je me fasse renvoyer, mais j'ai besoin d'être ici. Je suis désolée si ça te pose un problème.

– Ça ne me pose aucun problème, répliqua Isabel avant de disparaître.

Rory entendit une porte se fermer à l'étage. Elle inspira profondément, les poings serrés. Pour la première fois de sa vie, elle comprenait l'envie de frapper quelque chose. Cette fille était affreuse. C'était une snob. Pourrie gâtée. Et elle n'avait absolument aucun scrupule. À partir de maintenant, elle ferait tout son possible pour l'éviter. Et pour tenter de convaincre Bianca et Fee qu'elle n'était pas assez bête, insouciante ou immature pour demander à des garçons de venir dans sa chambre.

Quand elle retourna dans la cuisine, Fee était partie. Elle contempla les plans de travail en inox reluisants et éprouva une envie subite de sauter dans une voiture et de s'éloigner. Manquerait-elle à quelqu'un si elle allait faire un tour en ville ? Il fallait au moins qu'elle prenne l'air. Alors, elle se souvint de la plage. Elle ne l'avait toujours pas vue. « Nous ne faisons pas de manières », avait dit M. Rule à ce sujet. Et pourtant, elle avait la nette impression que le personnel de cette maison ne passait pas beaucoup de temps à prendre le soleil sur la plage privée de la famille.

Elle sortit de la maison, traversa la roseraie et déboucha sur le patio dallé. Tout au bout, derrière les deux piscines et la ligne de chaises longues aux coussins blancs immaculés, un drapeau américain battait dans la brise. Au-delà s'étendait l'océan gris-bleu. Elle posa ses tongs et emprunta un chemin en planches menant à des dunes herbeuses. Elle était étonnée par la propreté du sable. Pas de canettes de bière ou de flacons de crème solaire vides, ni même d'empreintes de pas. Et il n'y avait personne en vue. Elle avait l'impression de se trouver sur sa propre île privée.

La marée était basse. De minuscules oiseaux se dandinaient dans le sable humide dont la texture évoquait celle du daim. Une vague prit de la puissance et s'écrasa. Rory s'approcha du bord et une couche d'eau glacée recouvrit ses pieds. Elle se retourna pour chercher la maison la plus proche. D'ici, elle apercevait des bouts de cheminée et plusieurs rangées de lucarnes. Une autre demeure luxueuse. Est-ce que les gens qui y vivaient descendaient parfois à la plage ? Sortaient-ils de temps en temps de leurs propres pensées pour remarquer cette beauté ? Isabel n'appréciait manifestement pas cette maison, mais elle se demandait ce qu'il en était des autres Rule.

Après avoir admiré l'océan pendant plusieurs minutes, elle fit demi-tour. Bianca devait la chercher. Elle gravit les planches chauffées par le soleil, ressentant la brûlure dans ses cuisses. Mais quand elle arriva sur le patio, il n'était plus désert. Quelqu'un brisait la surface du bassin de nage dans un crawl parfait.

C'était un garçon. *Connor Rule*, pensa-t-elle. Le nageur. Forcément. Elle enfila ses tongs et s'engagea sur les dalles, espérant ne pas se faire remarquer. Alors, elle entendit une sonnerie de téléphone. Elle repéra l'iPhone posé sur l'une des chaises longues, juste à côté d'une serviette molletonnée et d'un sweat-shirt bordeaux. Elle jeta un coup d'œil au jeune homme qui nageait toujours. Il n'entendait pas son téléphone. Sans réfléchir, elle le prit et s'approcha de la piscine.

– Euh, excuse-moi ? lança-t-elle. Ton téléphone ! Il sonne !

Le nageur sortit la tête de l'eau. Des lunettes de plongée lui rendirent son regard.

– Quoi ?

– Ton téléphone !

Il nagea jusqu'au bord de la piscine et elle se pencha vers lui pour le lui tendre. Mais leurs mains ne se rejoignirent pas. Une seconde plus tard, le téléphone tombait au ralenti au fond de l'eau.

– Oh mon Dieu ! s'exclama-t-elle.

Sans un mot, le garçon plongea au fond de la piscine, récupéra l'appareil et remonta à la surface.

– Oh mon Dieu... Je suis... Je suis vraiment désolée.

Il y eut une éclaboussure et, en faisant onduler ses biceps, il se hissa hors de l'eau et se mit debout. L'espace d'un instant, Rory crut qu'il était nu, mais elle vit alors qu'il portait un slip de bain bleu marine. Un minuscule slip de bain bleu marine.

– Pas de problème, dit-il en ôtant ses lunettes et en secouant ses cheveux blonds. J'en avais marre de toute façon.

– Je suis vraiment désolée, répéta-t-elle.

– Sérieusement, ne t'en fais pas pour ça, insista-t-il en s'avançant vers elle. Je m'appelle Connor, au fait. Et tu es...

– Rory.

Il tendit la main et elle la serra, s'efforçant de ne pas trop se laisser hypnotiser par ses yeux bleu-vert.

– Ma mère m'a dit que tu allais passer l'été avec nous.

Il jeta le téléphone sur la chaise longue, comme s'il l'avait déjà oublié, et attrapa une serviette.

– Comment ça se passe, pour l'instant ? demanda-t-il.

– Bien. Si on oublie tous les téléphones que j'ai jetés dans la piscine.

Doucement avec les blagues. Ce n'est pas parce qu'il est mignon que tu dois le faire rire.

– Je t'assure que tu m'as rendu service, dit-il en se séchant les épaules.

– Ah bon ? Pourquoi ?

– C'est agréable de faire une pause de temps en temps. J'aime bien ne pas être joignable parfois.

– Oui, je vois ce que tu veux dire.

– Vraiment ? Y a-t-il quelqu'un que tu aimerais éviter ?

– Parfois, oui.

– Qui donc ? demanda-t-il, paraissant sincèrement inté-ressé.

Elle envisagea de lui dire la vérité, puis elle changea d'avis.

– Personne que tu connais.

Il sourit et laissa tomber la serviette sur la chaise longue.

– Ma mère aussi me rend dingue, lança-t-il.

Elle rit.

– J'ai vu juste, hein ? poursuivit-il.

– Absolument.

Elle sentait que de l'électricité, quelque chose de non exprimé passait entre eux, une sorte de connexion. Ce garçon n'était pas seulement mignon, il était drôle, gentil, et c'était facile de parler avec lui. Presque instinctivement, elle recula vers la maison.

– Merci d'être aussi cool pour le téléphone. Je suis désolée.

– Pas de problème, dit-il en remettant ses lunettes. La pro-chaine fois, je veillerai à ce que rien ne m'échappe.

Elle rit à nouveau et se précipita vers la maison, se sentant observée. Et effectivement, elle l'était.

– Nous avons besoin que tu ailles à Dreesen, déclara Bianca dès que Rory pénétra dans la maison.

– Bien sûr, répondit Rory. Je vais juste chercher mon sac.

– J'espère que tu as fait une bonne promenade, ajouta Bianca, qui fit traîner ce dernier mot en désignant la piscine. Le personnel n'est pas censé descendre à la plage après neuf heures. Ni être sur le patio.

Avant que Rory puisse répondre, elle se détourna et retourna dans la cuisine.

Chapitre 6

On ne pouvait lire un texto qu'un certain nombre de fois avant de devenir folle, pensa Isabel en regardant son téléphone sous la table.

Salut beauté. J'ai dû filer. On peut se voir cette semaine ?

Elle fit défiler l'écran jusqu'à sa réponse, qu'elle avait stratégiquement envoyée soixante-quinze minutes plus tard.

Carrément :)

Cet échange avait eu lieu la veille au matin et depuis, elle n'avait pas eu de nouvelles. Était-ce à cause du mot « carrément » ? Du smiley ? C'était sans doute à cause du smiley. Il faudrait qu'elle calme le jeu la prochaine fois. Mike avait sûrement compris à quel point il lui plaisait.

Deux soirs plus tôt, elle avait été assise dans sa voiture, à rire et écouter de la musique, lui tenant la main comme si leur attraction mutuelle était évidente. Il avait eu envie de l'embrasser. Elle en était certaine. Et il n'en avait pas été loin. Et maintenant, elle ne savait pas si elle le reverrait, sans parler de l'embrasser.

– Arrête avec ce téléphone, lança son père, de l'autre côté

de la table du petit déjeuner. Isabel ? Tout de suite. Tu verras tout le monde au club dans quelques heures.

– Ce n'est pas quelqu'un du club, répondit-elle.

– Isabel ! tonna-t-il.

Elle posa le téléphone sur la table en soupirant. Le petit déjeuner en famille du lundi matin était l'un de leurs rituels estivaux les plus pénibles. Son père avait lancé cette habitude afin de passer plus de temps avec eux avant de partir pour la semaine à New York, mais cette obligation rendait tout le monde nerveux et crispé. Isabel aurait largement préféré faire la grasse matinée.

– Bonjour ! lança sa mère alors qu'elle et Sloane entraient dans la salle.

Sa mère aimait porter sa tenue de yoga le plus longtemps possible après sa séance afin d'exhiber sa silhouette tonique. Sloane, au contraire, enfilait dès que possible l'une de ses tuniques informes et un pantacourt. Elle combattait les mêmes cinq kilos depuis la sixième et, toutes ces années plus tard, elle ne semblait pas plus proche de la victoire. Isabel aurait préféré que sa sœur accepte son corps et trouve quelque chose de plus intéressant à faire de son temps.

– Nous avons eu une séance fantastique, dit sa mère en s'asseyant à sa place habituelle.

Un exemplaire du *New York Times* était posé sur son set de table, ainsi qu'un verre de jus de légumes épais et marron. Elle en but une gorgée.

– Quelle belle journée ! s'exclama-t-elle.

– Ils disent qu'il va faire presque trente-deux degrés, ajouta Sloane en piochant dans la portion de raisin qu'elle mangeait chaque matin. La première vague de chaleur de l'été.

Intérieurement, Isabel leva les yeux au ciel.

– Je crois qu'on s'arrêtera à Sagaponack en route, déclara son père. Ça ne peut pas faire de mal de se montrer un peu.

– Si tu veux, dit sa mère.

– En plus, le vieux bonhomme aime bien Gregory, poursuivit-il.

– Il ne me craint pas comme il te craint toi, c'est tout, intervint celui-ci.

– Eh bien, c'est formidable, dit sa mère.

Elle ouvrit son journal comme s'ils n'étaient pas là.

– Tu sais, tu pourrais montrer un peu plus d'enthousiasme. Surtout pour seize millions.

– Mais je ne veux pas vendre cette maison, répliqua-t-elle sans lever les yeux. Je te l'ai dit une centaine de fois.

– C'est vrai. Tu préfères t'inquiéter au sujet de la plomberie vétuste, de l'érosion de la plage et de la Société de préservation historique qu'on a toujours sur le dos...

– Exactement.

– Pourquoi es-tu aussi attachée à cette maison ? C'est un gouffre financier. Toutes ces rénovations, tous ces aménagements paysagers...

– C'est ma maison, conclut-elle d'un ton sans réplique.

Son père repoussa sa chaise qui racla bruyamment le sol.

– Greg, tu es prêt ?

Isabel examina la pile de pancakes intacte sur son assiette. Les disputes de ses parents ne lui avaient pas manqué. Et elle allait encore devoir les supporter pendant trois mois.

Gregory posa sa fourchette et se leva, tel le garçon obéissant qu'il avait toujours été.

– Pas de problème, dit-il.

Il était presque la copie conforme de son père. Ils avaient tous les deux de fins cheveux châtains, le visage rond et des yeux marron de chien battu. Gregory avait commencé à travailler pour la compagnie de leur père le lendemain de l'obtention de son diplôme à Harvard et, un an plus tard, il semblait bien lancé pour se transformer en Lawrence Rule, à tous points de vue. Isabel l'imaginait très bien dans vingt ans : marié à une femme qui ne le supporterait pas, père de trois enfants dont il voudrait désespérément être proche, sans savoir comment s'y prendre.

Sloane était un peu plus jolie que Gregory, mais elle n'était pas du genre à s'impliquer dans l'entreprise familiale (ni dans aucune autre entreprise, d'ailleurs), si bien qu'elle recevait moins d'attention de la part de leur père. Néanmoins, ces trois-là formaient un parfait trio ; ils s'asseyaient toujours les uns à côté des autres à table et ne parlaient qu'ensemble. L'un des points qui les rapprochaient était Isabel : que faire d'elle, comment la contrôler, comment la punir. Elle l'avait remarqué pour la première fois l'été précédent, après toute cette histoire à la suite de l'incendie. On aurait dit qu'ils partageaient tous les trois le même cerveau, du moins quand il s'agissait d'elle. Sloane avait suggéré de l'envoyer dans un lycée à Denver où l'on mettait en isolement les élèves qui enfreignaient les règles. Gregory avait proposé l'une de ces entreprises qui viennent kidnapper les enfants en pleine nuit et les emmènent dans un camp de survie perdu dans la nature. Et son père avait payé les frais de scolarité pour son année de lycée en Californie avant même que sa mère ait donné son accord. La plupart du temps, elle n'arrivait pas à croire qu'elle était de la même famille qu'eux. Heureusement, elle avait Connor, mais il ne semblait pas éprouver la profonde antipathie que son frère et sa sœur aînés lui inspiraient. Sloane et Gregory l'adoraient. Cela dit, Connor s'entendait avec tout le monde. Il faudrait qu'elle lui apprenne à être un peu plus méchant. Il se faisait toujours piétiner par les filles.

– Passe une bonne semaine, dit sa mère avec langueur alors que son père quittait la pièce.

Gregory s'approcha d'elle et l'embrassa sur la joue.

– À vendredi, maman.

– Au revoir, mon chéri. Travaille dur.

Isabel éprouvait un besoin pressant de partir en courant. Elle ressentait toujours ça après une dispute entre ses parents. Peut-être pourrait-elle emprunter la voiture et aller à la recherche du stand de Mike à Wainscott. Ce ne serait pas du harcèlement à proprement parler, puisqu'il se situait probablement au bord de la nationale.

– Alors, qu'allons-nous faire aujourd'hui ? demanda gaiement sa mère. Aller au club ? Faire du shopping ?

– Il paraît qu'une boutique éphémère Carven ouvre aujourd'hui sur Newton, dit Sloane.

– Ça m'a l'air fascinant, marmonna Isabel.

Une femme brune aux cheveux bouclés et au sourire guilleret entra avec un bol de myrtilles sauvages. Isabel supposa qu'il s'agissait de la nouvelle cuisinière.

– Est-ce que tout est à votre goût ? demanda-t-elle en plaçant le bol devant Mme Rule.

– Tout est parfait, Erica, répondit sa mère, croisant à peine son regard. Pourriez-vous nous envoyer Bianca, s'il vous plaît ?

– Bien sûr, souffla-t-elle, un peu d'inquiétude perçant dans son sourire.

Elle sortit et Bianca fit son apparition.

– Oui ?

– Bianca, pourriez-vous dire à Erica qu'à partir de maintenant je lui parlerai de la nourriture après le repas ?

– Bien sûr.

– FedEx est-il déjà passé ?

– Oui, je vais vous faire apporter votre courrier, répondit Bianca avant de sortir.

– Maman, je peux emprunter la Prius ? demanda Isabel. Juste pour une heure ? Je la ramènerai tout de suite.

– Non, rétorqua sa mère, agacée.

Elle versa un peu de yaourt grec dans son bol de myrtilles.

– Mais je sais conduire, lui assura Isabel.

– Tu n'as pas ton permis.

– Tu as failli nous faire tomber d'une falaise à Vail, au printemps dernier, intervint Sloane.

– Parce que quelqu'un m'avait donné de mauvaises indications. Et puis il faut que je m'entraîne pour le prochain examen.

– Pas toute seule, déclara sa mère.

Isabel jeta un coup d'œil à Connor.

– Pas question, Iz, dit-il en levant les mains. J'ai essayé. Tu ne m'écoutes pas.

– Ce n'est pas vrai.

– Désolé, mais je ne veux pas recommencer.

– Si personne ne veut me donner de leçons, comment vais-je passer cet examen stupide ?

Rory entra, les enveloppes FedEx à la main. Elle semblait

110

toujours terrifiée et évita le regard d'Isabel alors qu'elle apportait les lettres à sa mère.

– Voilà, souffla-t-elle.

– Merci, Rory, dit sa mère. Comment ça se passe ? Tout va bien ?

– Très bien.

Isabel la vit lancer une œillade à Connor (à moins que ce ne soit à elle ?) puis détourner le regard.

– Dis-moi, tu as bien ton permis de conduire ?

– Euh, oui.

– Alors peut-être que tu pourrais donner des leçons de conduite à Isabel.

Celle-ci faillit bondir de son siège.

– C'est vraiment une mauvaise idée.

– Pourquoi ? demanda sa mère, avant de se retourner vers Rory. Tu as eu ton permis du premier coup, n'est-ce pas ?

– Oui, répondit Rory, la gorge serrée.

– Tu vois, elle est manifestement douée...

– Mais elle vient juste d'avoir son permis, protesta Isabel. Elle n'a même pas le droit de m'apprendre à conduire. Légalement.

– Je doute que ce soit un problème, répliqua sa mère en ouvrant une enveloppe. Rory te donnera des leçons plusieurs fois par semaine, jusqu'à ce que tu sois prête à passer l'examen. Ça ne te dérange pas, n'est-ce pas, Rory ?

Le visage de la jeune fille était devenu si pâle qu'Isabel pensa qu'elle allait être malade.

– Euh, non.

– Et si ça me dérange, moi ? lança Isabel.

Sa mère la foudroya du regard.

111

– Comme tu veux, marmonna la jeune fille.

Elle regarda Rory et se rappela comme il lui avait été facile de passer derrière le volant la dernière fois. Elle serait au stand de Mike en un clin d'œil.

Une heure plus tard, Rory était assise sur le siège passager de la Prius, les mains moites, et Isabel fonçait à toute allure en plein milieu de Lily Pond Lane.

– Bon, si on essayait un demi-tour en trois manœuvres ? demanda-t-elle gentiment.

– Je te rappelle que tu n'es pas monitrice d'auto-école, rétorqua Isabel.

– C'est ta mère qui m'a demandé de faire ça.

Isabel lui lança un regard dédaigneux, tourna brusquement à gauche puis freina à quelques millimètres du trottoir.

– Super, dit Rory, nerveuse. Maintenant, fais une marche arrière.

Isabel s'exécuta, enfonçant l'accélérateur. La voiture fit une embardée.

– C'est bien, commenta Rory, s'efforçant de l'encourager. Maintenant, repasse la première.

Isabel actionna violemment le levier de vitesse et appuya de nouveau sur l'accélérateur. La voiture bondit en avant, manquant de peu un enfant à vélo.

– Doucement ! cria Rory.

– Je vais doucement ! répliqua Isabel en posant un pied léger sur le frein. Tu vois ? Tout va bien. Quel est le problème ?

Rory inspira profondément et se força à rester calme.

– OK, et si on s'entraînait à se garer ?

– Et si on roulait pendant un moment ? proposa Isabel.

Elle tourna dans la rue qui menait à la nationale.

– Où ?

– Je pensais à Wainscott, répondit-elle calmement.

Elle baissa la vitre.

– On devrait peut-être rester dans le quartier. Tant qu'on revoit les bases.

Isabel ouvrit la pochette ornée de perles qui lui tombait sur la hanche.

– Tu veux un chewing-gum ?

– Quoi ? Euh, non. Non merci.

Isabel en sortit un de son emballage ; la voiture fit un écart sur la gauche.

– Attention ! cria Rory.

Isabel agrippa le volant.

– Arrête-toi !

La jeune fille s'arrêta au bord de la route et mit calmement le chewing-gum dans sa bouche.

– Tu n'es vraiment pas douée, dit Rory, impressionnée.

Isabel plissa les yeux.

– Désolée, reprit Rory. Je ne voulais pas te vexer.

– Chacun a son propre style, répliqua Isabel, sur la défensive.

Elle se mit à mâcher en silence.

– Je suis désolée pour l'autre soir, lâcha-t-elle finalement. Quand Mike est entré dans ta chambre. C'était vraiment cool de ta part de ne pas me dénoncer.

– Ce n'est rien.

Isabel coinça une mèche de cheveux blonds derrière son oreille. Elle sortit son iPhone de son sac et l'alluma.

– Je me demande si je devrais lui envoyer un texto.

– À qui?

– Au mec qui a essayé de s'introduire dans ta chambre. Tiens, regarde. (Elle tendit son téléphone pour que Rory puisse lire le message.) Ça veut dire quoi, à ton avis?

Rory lut les trois lignes.

– Ça doit vouloir dire qu'il veut que vous vous voyiez cette semaine.

– Hum, hum, fit Isabel en rejetant ses cheveux par-dessus son épaule. Alors pourquoi ne m'a-t-il pas répondu?

– Ce message ne date pas d'hier?

– Si, mais normalement, il aurait dû me réécrire.

– Qu'est-ce que tu entends par « normalement »?

– Tu sais, c'est ce que font les autres garçons d'habitude.

– Alors les autres garçons t'envoyaient des messages tous les jours?

– Plus ou moins.

Rory regarda dehors. *Encore une chose que nous n'avons pas en commun*, pensa-t-elle. *Parmi des milliers d'autres.*

– Et toi? demanda Isabel. Tu as un petit copain?

– Non.

– Et tu dirais que tu es sortie avec combien de garçons?

Rory se tourna vers elle.

– Pourquoi?

– Je suis curieuse, c'est tout.

– Je ne sais pas, murmura-t-elle.

– Un nombre rond. Approximativement.

– Je n'en suis pas sûre.

– Deux? Trois? Six, sept?

– Je ne sais pas, répondit Rory, qui épousseta le tableau de bord avec ses doigts. Moins que ça.

114

Isabel la scrutait du regard, comme si elle tentait de compter le nombre de pores sur sa peau.

– Tu n'as jamais eu de copain, pas vrai ?

– Eh bien... Euh... Non.

Isabel se redressa et posa la main sur le volant, sous le choc.

– Oh mon Dieu ! Sérieusement ?

Les yeux de Rory la brûlaient.

– Oui. Sérieusement.

– Tu es lesbienne ? Parce que si tu l'es, ça ne me pose...

– Non, je ne suis pas lesbienne, répliqua Rory. Je suis occupée. Je travaille tous les soirs dans une pizzeria après les cours. Je paie toutes les factures, je vais au supermarché, je m'assure que ma mère va travailler et ne tombe pas dans le coma à force de boire tous les soirs... J'ai des soucis plus importants, d'accord ?

Isabel sembla considérer cela un moment.

– Il faut qu'on te trouve un copain.

L'espace d'un instant, le visage de Connor traversa l'esprit de Rory.

– Ou du moins une amourette, continua Isabel. On t'a déjà embrassée ?

– Bien sûr.

– Et d'autres trucs ?

– Oh mon Dieu, soupira Rory, qui commençait à se sentir mortifiée. Ça ne te regarde pas.

– Bien, dit Isabel, sans se laisser décourager. On va te trouver un mec. C'est l'été. Tu es censée t'amuser. Et crois-moi, tu en as bien besoin.

– Mais on ne s'amuse jamais, avec les garçons, contra Rory.

– Quoi ? Bien sûr que si !

– Pas vraiment. Pour mes amies, ça commence toujours bien et ensuite, ça prend le pas sur tout le reste. Elles attendent qu'ils les appellent, ou elles ne savent pas déchiffrer leurs messages, puis elles doutent d'elles, et ça ne m'a pas l'air marrant du tout.

– Parce que ces filles ne savent pas ce qu'elles font, dit Isabel en croisant ses bras bronzés. Il faut juste prendre l'avantage.

– Prendre l'avantage ? Qu'est-ce que ça veut dire ?

Isabel se retint de lever les yeux au ciel, tant cela lui paraissait évident.

– N'importe quelle fille peut prendre la main. Si tu restes mystérieuse et que tu ne donnes pas trop d'informations sur toi, si le garçon doit toujours tout deviner, c'est toi qui auras le contrôle. Et si c'est toi qui as le contrôle, tu ne seras jamais blessée.

– Alors tu n'as jamais été blessée par un mec ?

Isabel regarda au loin, comme si elle passait en revue des années d'expérience.

– Non, répondit-elle finalement.

– Eh bien, mon expérience a été un peu différente.

– Donc tu as eu un petit ami ?

– Il y a eu quelqu'un, mais ce n'était pas vraiment mon copain.

– Que s'est-il passé ?

Rory gratta une piqûre de moustique sur sa jambe. Elle n'avait pas envie de lui parler de Jason Marcum, qui avait flirté avec elle pendant presque tout l'automne dernier, l'avait invitée à un film de Ben Stiller, puis l'avait embrassée dans la voiture, tout ça pour se remettre avec son ex le lundi suivant.

– Je préférerais ne pas en parler.

– Très bien.

Isabel prit son chewing-gum et le colla dans l'emballage qu'elle avait gardé à la main, avant de le jeter par la fenêtre ouverte.

– Mais quoi qu'il te soit arrivé, les choses ne se passeront pas forcément comme ça la prochaine fois.

– Et si je ne suis pas comme toi ? demanda Rory. Si je veux juste être honnête avec quelqu'un ? Pourquoi faudrait-il que ce soit un jeu ?

– C'est toujours un jeu.

Elle mit la clé dans le contact. Un grincement assourdissant s'ensuivit.

– Le moteur tourne toujours, fit remarquer Rory.

– Et ça marche, continua Isabel, ignorant son erreur. N'importe quelle fille peut mener un garçon par le bout du nez. Il faut juste savoir s'y prendre. (Elle regarda sa montre.) Je ferais mieux d'aller au Georgica. Tu peux me déposer ?

– OK, mais c'est moi qui conduis, dit Rory en ouvrant sa portière.

Isabel lui laissa sa place sans protester et fit le tour de la voiture. Une fois derrière le volant, Rory ajusta les rétroviseurs – Isabel les avait réglés de telle sorte qu'ils étaient inutilisables – et s'engagea sur la route. Isabel se mit à taper un texto.

– Euh, je vais où ?

– Oh, prends à droite ici, puis descends toute la rue et ensuite à gauche, répondit-elle sans lever les yeux.

Rory conduisit alors qu'Isabel composait son message. Tandis qu'elles passaient dans de petites rues sinueuses, devant des maisons placées en retrait, derrière des pelouses en pente, Rory pensa aux relations amoureuses. Isabel avait raison : pour certaines filles, ce n'était vraiment qu'un jeu. Comme pour les trois ou quatre filles de sa classe qui sortaient tour à tour avec tous les beaux garçons du lycée, se les échangeant avec aussi peu d'émotion que s'il s'était agi de vernis à ongles. Il y avait sa mère, qui avait sans doute brisé bien des cœurs. Il y avait les filles en colonie de vacances qui réussissaient pratiquement à séduire les moniteurs et qui s'en amusaient. Et il y avait Isabel Rule, qui pouvait regarder quelqu'un droit dans les yeux et affirmer qu'elle n'avait jamais souffert à cause d'un garçon. Alors qu'est-ce qui n'allait pas chez elle ? Pourquoi ne pouvait-elle pas être comme ces filles ?

Elle passa devant le cimetière, avec ses rangées de tombes décolorées par le soleil qui s'enfonçaient dans l'herbe, puis dans Main Street, devant un groupe de filles chargées de sacs de shopping. Peut-être s'agissait-il simplement de connaître les règles du jeu, et peut-être pourrait-elle les apprendre ici, à East Hampton, où personne ne savait rien sur elle. Mais s'il était aussi facile de manipuler les garçons, comment pouvait-on en tomber amoureuse ? Connor, par exemple, ne semblait pas du genre à se laisser piéger. Depuis leur discussion au bord de la piscine, elle se sentait distraite, agitée. Savoir qu'il vivait sous le même toit qu'elle l'empêchait de se concentrer. Elle avait dû demander à Bianca de lui répéter le nom des journaux du matin qu'elle devait acheter à Dreesen, simplement parce qu'elle avait entendu sa voix de l'autre côté de la porte de la cuisine. Aujourd'hui, dans la salle à manger, elle avait failli se prendre une suée lorsqu'elle avait dû apporter les enveloppes FedEx. Et quand Mme Rule lui avait demandé de donner des leçons de conduite à Isabel, c'est à peine si elle avait pu répondre, parce que Connor était là, assistant à toute la scène.

Mais peut-être que le courant qu'elle avait senti entre eux n'était que le fruit de son imagination. Il était tellement beau, tellement intelligent et tellement sympa qu'elle ne pouvait que penser qu'il s'était passé quelque chose lors de leur rencontre. Et franchement, même s'il n'avait pas de copine, ce qui semblait impossible, qu'est-ce qu'un type comme Connor Rule pourrait bien lui trouver ? Elle ne connaissait rien à l'université, ne savait pas ce que c'était de grandir à New York, ou de vivre sur sa propre plage privée. Sans compter que techniquement, c'était son employeur. Ce qui signifiait qu'ils ne pouvaient de toute façon pas sortir ensemble.

– Prends cette rue jusqu'au bout, dit Isabel.

Rory se dirigea vers le manoir à bardeaux qui se dressait au bout de la route. Il était à peine plus grand que la maison d'Isabel, mais tout aussi grandiose et impressionnant. Plusieurs routes désertes s'enroulaient autour d'un bassin placé juste devant le club, comme des douves. Alors qu'elles approchaient du bâtiment, Rory remarqua le gros panneau qui disait : PROPRIÉTÉ PRIVÉE, RÉSERVÉE EXCLUSIVEMENT AUX MEMBRES, ENTRÉE INTERDITE.

– C'est ça le Georgica ? demanda-t-elle.

– Ouaip, répondit Isabel, toujours absorbée par son texto.

Eh bien, ça a l'air sympa, pensa Rory en roulant au-dessus du bassin.

– Bon, il y a une fête sur la plage ce soir à Bridgehampton, dit Isabel. Tu veux venir ?

– Ce soir ?

– Oui. Quoi, tu as autre chose de prévu ?

– Euh, non. D'accord. Mais c'est juste parce que tu as besoin d'un chauffeur ?

Isabel sourit. Elle paraissait impressionnée.

– Oui, j'ai besoin d'un chauffeur, mais je me suis dit que ce serait bien que tu rencontres du monde. À moins que tu n'en aies pas envie.

– Si, ce serait super. Euh, merci.

– Cool.

Le voiturier ouvrit la portière d'Isabel et lui offrit sa main alors qu'elle descendait du véhicule.

– Et merci encore pour l'autre soir, ajouta-t-elle. Salut !

Elle lui fit un signe de la main. Avant que Rory puisse répondre, le voiturier claqua la portière. Il semblait savoir qu'elle ne restait pas.

Chapitre 7

Rory enfila le haut qu'elle s'était acheté la semaine précédente et s'écarta du miroir. Il était d'un bleu turquoise vif et mettait en valeur sa taille fine, la seule partie de son corps qu'elle aimait montrer. Elle ajouta une ceinture extensible qui l'affinait encore plus et son jean blanc préféré. Elle avait aussi choisi ses boucles d'oreilles les plus sophistiquées. Cette tenue aurait été beaucoup trop habillée pour une fête sur la plage dans le New Jersey, mais à East Hampton, allez savoir... Quelqu'un pourrait la conseiller, cependant. Dehors, elle aperçut Steve qui rangeait des raquettes de tennis dans sa Jetta.

Elle l'appela par la fenêtre ouverte.

— Hé ! Je peux te poser une question ?

— J'arrive dans une minute.

Quelques instants plus tard, il frappait à sa porte, ses grosses lunettes de soleil pendues à un fil autour de son cou.

— Bon, est-ce que je suis trop habillée pour une fête sur la plage ?

Il la regarda de bas en haut.

— Je ne sais pas. Pourquoi tu me demandes ça à moi ?

– Parce que tu es la seule personne à qui je peux le demander. Que portent les filles à ce genre de soirées, par ici?

– Je ne sais pas. Un jean. Un chemisier. Je pense que tu es bien comme ça.

– Mais bien, ce n'est pas super.

Il sourit.

– Tu es super, Rory. Tous les garçons vont vouloir te parler. Même si je t'ai déjà vue parler à un garçon en particulier hier matin. Près de la piscine. Et vous aviez tous les deux l'air très contents.

Rory se sentit rougir.

– On discutait, c'est tout. J'ai fait tomber son téléphone dans la piscine sans faire exprès.

– Il n'avait pas l'air effondré.

– Qu'est-ce que ça veut dire?

– Rien. Amuse-toi bien ce soir. Et, sérieusement, tu es superbe.

Il s'en alla et Rory enfila une paire de tennis bleu foncé. Alors qu'elle passait devant le miroir, elle aperçut son reflet. Elle rougissait encore.

– Tu es prête? demanda Isabel en entrant dans un nuage de parfum ambré.

Elle portait une robe en dentelle ivoire, des sandales gladiateurs argentées et une grosse bague qui semblait être constituée d'une perle montée sur de l'or. Et elle qui avait craint d'être trop habillée... À côté d'Isabel, on aurait dit qu'elle allait faire sa lessive...

– Tu es belle, dit Rory. Super robe.

– Oh, ça? Ça fait des années que je l'ai. Hé, il faut juste que j'aille chercher quelque chose. Viens avec moi.

Rory la suivit dans le couloir en direction de la salle à manger et du bureau. Isabel se précipita dans une pièce étroite qui s'avéra être un bar. Elle s'accroupit devant un petit réfrigérateur et ouvrit la porte en verre.

– Qu'est-ce que tu fais ? demanda Rory.

– Je prends quelque chose pour la fête, répondit Isabel en sortant une bouteille de champagne dorée.

– On ne peut pas conduire avec ça dans la voiture.

– Pourquoi pas ? Elle n'est pas ouverte.

– Parce que nous sommes mineures.

Isabel sourit comme si elle avait affaire à un adorable bébé.

– Il faut vraiment que tu te détendes. Viens.

Elle se leva et quitta la pièce, la bouteille à la main ; Rory n'avait pas d'autre choix que de la suivre.

– Alors, où va-t-on ? demanda-t-elle quand elles furent dans la voiture.

– À la plage de Sagg Main. Prends la nationale et après Wainscott, tourne à gauche sur Sagg Main. Moi, je vais réfléchir aux garçons qui vont probablement venir.

Isabel ouvrit sa pochette en raphia et en sortit son téléphone alors que Rory s'engageait dans l'allée en graviers.

– Tu sais, lança Rory, je me disais que ce soir, j'essaierais surtout de me faire des amis. Peut-être de sympathiser avec des filles.

– Je te souhaite bon courage, marmonna Isabel, énigmatique.

Rory s'engagea sur Lily Pond Lane. La jeune fille sous-entendait-elle qu'elle serait incapable de se faire des amies ? Ou que ses propres amies ne gagnaient pas à être connues ?

– Bon, raconte-moi des trucs cool sur toi, dit Isabel en

rangeant son téléphone. Est-ce que tu fais du sport? Tu joues d'un instrument? Qu'est-ce que tu fais?

– Pourquoi?

– Parce qu'on doit te présenter comme une fille exceptionnelle, et il vaut mieux ne pas mentir.

– Eh bien, ils ont montré certaines de mes photos à la Foire de la ferme et des chevaux l'été dernier.

– La quoi?

– La Foire de la ferme et des chevaux. C'est une grande foire qui dure trois jours. C'est un gros truc là où je vis.

Isabel ne dit rien.

– Quoi d'autre?

– Je suis présidente du club de sciences.

– Euh, non.

– C'est quoi le problème? Il ne faut pas que je montre que je suis intelligente?

– Il ne faut pas que tu montres que tu es une intello coincée, répliqua Isabel en allumant la radio.

– J'aime réaliser des documentaires. J'ai gagné un prix dans mon cours de cinéma le semestre dernier.

– OK, ça pourrait être cool. De quoi parlait ton documentaire?

– D'une femme qui vit dans mon quartier. Elle a collectionné une centaine de peintures d'Elvis sur velours noir. Et tout plein d'autres trucs sur lui. C'est une sorte de Graceland ambulante.

– Et c'est sur elle que tu as fait un film?

– Oui.

– Pourquoi?

– Je ne sais pas. Parce qu'elle est passionnée. Je trouve ça cool d'être intéressé par quelque chose au point de se moquer de ce que vont penser les gens, qu'ils trouvent ça bizarre ou qu'ils se fichent de toi.

Isabel changea de station.

– Je vois, dit-elle sans enthousiasme. Oh, c'est là qu'il faut tourner.

Rory donna un coup de volant pour quitter la nationale.

– Merci de m'avoir prévenue, marmonna-t-elle.

– La plage est au bout de cette route. Tu verras le parking.

– Ça ne craint rien de garer la voiture là ?

– Mon Dieu, bien sûr que non !

Elles trouvèrent une place tout au bout du parking. Du moins, Rory supposa qu'il s'agissait d'une place ; il n'y avait pas de lampadaires, et il n'était manifestement pas censé y avoir beaucoup d'action ici le soir. Elle verrouilla la voiture et suivit Isabel, qui avait pris la bouteille de champagne. Plus loin, elle voyait des gens rassemblés autour d'un immense feu de camp qui crachait des étincelles dans l'obscurité. Une rafale de vent glacial s'éleva de l'eau et elle resserra son sweat-shirt autour de ses épaules. Dans sa robe légère, Isabel frémit à peine. Comme la plupart des très belles filles, elle semblait immunisée contre le froid.

– Hé, fit-elle à deux filles tenant des gobelets rouges à la main.

– Ça a un goût de pipi de chien, dit la plus grande. Evan aurait pu apporter de la bière décente.

– C'est bon, j'ai du renfort, déclara Isabel en brandissant le champagne.

– Oooh, mon préféré ! s'exclama l'autre fille, dont les cheveux épais semblaient d'un roux doré à la lueur du feu.

Elle renversa son verre dans le sable et le tendit à Isabel.

– Juste un peu. C'est très sucré.

Rory ne disait rien. Aucune des filles ne l'avait encore regardée. La plus grande, aux cheveux châtain foncé et à l'attitude ultra blasée, portait elle aussi une robe et de délicates tongs en cuir avec des motifs navajo entre les orteils. L'autre était vêtue d'un jean slim qui semblait pourtant trop large au niveau des cuisses. Aucune ne portait de tennis ou de ceinture léopard.

– Les filles, voici mon amie Rory, annonça Isabel. Rory, voici Thayer (elle désigna la plus grande) et Darwin. On se connaît depuis la maternelle.

– Salut, dit Rory en leur adressant un petit signe de la main.

Thayer et Darwin se contentèrent de la jauger de la tête aux pieds.

– Salut, souffla finalement Thayer.

Darwin murmura quelque chose, mais Rory ne comprit pas quoi. Isabel entreprit d'ouvrir la bouteille.

– Rory passe l'été chez nous. Vous vous rappelez ? Je vous en ai parlé.

– Oh, dit Darwin en hochant la tête. Tu viens d'où, déjà ?

– Du New Jersey, répondit Rory.

– Oh, alors c'est un truc du genre Secours populaire ou quoi ? demanda Darwin.

Thayer lui donna un coup de coude et elles gloussèrent toutes les deux.

– Euh, je ne sais pas, hésita Rory.

Elle savait que Darwin venait de l'insulter, mais elle ne comprenait pas vraiment comment.

– Et de quelle partie du New Jersey viens-tu ? l'interrogea Thayer.

Elle avait une diction traînante, comme si elle ne pouvait pas complètement ouvrir la bouche et qu'il lui fallait beaucoup de temps pour prononcer chaque mot.

– Du Sussex County. Juste à côté de la frontière de la Pennsylvanie.

– Hum, fit-elle, et elle n'ajouta rien.

Finalement, Isabel déboucha la bouteille avec son pouce. Un jet pétillant s'échappa et éclaboussa le jean de Darwin.

– Oh mon Dieu ! s'écria celle-ci en reculant. Iz ! Ça va pas, non ?

– Oups ! dit Isabel alors que le champagne coulait de chaque côté de la bouteille. C'est ma faute.

– C'est mon plus beau jean ! couina Darwin. Je n'ai plus qu'à le laver !

– Je suis désolée.

Rory savait qu'Isabel n'était pas du genre à s'excuser, et il y avait un très léger sourire satisfait sur ses lèvres quand elle la regarda.

– Attendez une seconde, Rory et moi n'avons pas de gobelets, dit-elle.

Rory jeta un coup d'œil au tonnelet enfoncé dans le sable, sur lequel étaient posés les gobelets.

– Je vais aller en chercher, proposa-t-elle, pressée de s'échapper.

Elle sentait que Darwin bouillait de colère.

Alors qu'elle s'éloignait, Isabel demanda :

– Pourquoi fallait-il que tu dises ça ? sur le Secours populaire ?

127

– Elle n'a même pas compris, répliqua Thayer.

– Et alors ? Ça vous tuerait d'être sympa une fois de temps en temps ?

– Qu'est-ce que ça peut te faire ? lança Darwin. C'est la fille de la gouvernante.

– La nièce, la corrigea Isabel. Et j'essaie de lui faire rencontrer des gens.

– Pourquoi ? demanda Darwin. Elle n'est pas à sa place ici. Non mais franchement, regarde comment elle est habillée.

– Ne sois pas aussi snob, marmonna Isabel.

– Je suis snob, moi ? C'est toi qui te comportes comme si tu étais trop bien pour traîner avec nous depuis quelque temps. Tu étais censée nous accompagner au Talkhouse samedi soir et tu nous as posé un lapin.

– Je vous ai dit que j'étais malade.

Ce mensonge la fit un peu grimacer. Elle était allée chez Buford avec Mike.

Thayer posa les yeux au loin puis se rapprocha d'Isabel.

– Oh mon Dieu. Andrew Palmer vient de me regarder. Je crois qu'il m'aime bien. Qu'est-ce que je dois faire ?

– Il faut que j'aille faire pipi, dit Isabel lui en tendant la bouteille. Tiens. Santé.

Elle marcha vers l'eau. Elle n'avait pas la force de faire semblant de s'intéresser à Thayer et à sa vie amoureuse pathétique. Depuis combien de temps était-elle là ? Cinq minutes ? Elle avait déjà envie de partir. Éclairées par la lueur rougeâtre du feu de camp, elle voyait les mêmes personnes que tous les ans, à chaque soirée sur la plage : Tripp Pressley, dont le père travaillait à Goldman Sachs et se rendait à Southampton en hélicoptère ; Anna Lucia Kent, avec son lissage brésilien, ses dents blanchies et ses seins énormes, dont la mère était PDG d'une compagnie de cosmétiques valant plusieurs millions de dollars ; et Whit Breckinridge, dont les fêtes en ville étaient si populaires que son portier avait besoin d'une liste et d'une crosse pour préserver l'ordre. À une époque, elle se serait fondue parmi tous ces gens, embrassant et étreignant chacun d'eux, débordant de choses à dire. Mais ce soir, elle les voyait à travers les yeux de Mike. Il n'aurait pas trouvé ces gens intéressants. En tout cas, pas aussi intéressants qu'ils pensaient l'être.

Rory était presque arrivée au baril quand elle reçut de la fumée en pleine figure. Elle se mit à tousser.

– Ça va ? demanda quelqu'un.

À travers ses yeux embués, elle vit un garçon aux cheveux bouclés châtain clair, vêtu d'un polo bleu marine, qui la regardait avec inquiétude.

– Je crois... Je crois... Je crois que ça va, bredouilla-t-elle entre deux quintes de toux.

– Tu en veux un peu ? proposa-t-il.

Elle tenta de secouer la tête tout en toussant, mais il ne comprit pas son geste. Il remplit un verre de bière et le lui tendit.

– Tiens.

Elle le porta à ses lèvres et but une gorgée. Elle n'aimait pas le goût de la bière, mais ça lui faisait du bien de boire quelque chose.

– Ça devrait le faire, déclara-t-il, même si c'est de la très mauvaise bière.

Elle prit une autre gorgée.

– Merci.

– Je m'appelle Landon.

– Rory.

– Attends, dit-il en plissant les yeux. Tu vas à Nightingale ?

– Excuse-moi, quoi ?

– Est-ce que tu vas à Nightingale ? À New York ?

– Je vis dans le New Jersey.

– Oh, lâcha-t-il, perplexe.

– Je suis venue avec Isabel. Isabel Rule.

– Oh, Isabel. Tu la connais comment ?

Rory réfléchit à sa réponse.

– Je passe l'été avec elle. Enfin, avec sa famille.

– Oh, c'est cool. Ta famille est amie avec la sienne ?

Pile au bon moment, Rory entendit une voix s'écrier vivement :

– Hé, Landon ! Quoi de neuf ? Ça fait un bail, *mio amico*.

Isabel se dirigeait vers eux, les bras tendus.

– Salut Isabel, dit-il en allant à sa rencontre.

Ils s'étreignirent comme deux vieux amis séparés depuis longtemps.

– Oh mon Dieu, je suis contente de te voir, s'exclama Isabel, les mains sur ses épaules. Comment va ta sœur ? Elle est à Vanderbilt, c'est ça ?

– Oui. C'est comment, la Californie ?

– Génial. Tu as fait la connaissance de Rory ?

Isabel jeta un coup d'œil approbateur au verre de bière de la jeune fille.

– Oui, elle était en train de me dire qu'elle passait l'été chez vous.

– Absolument. Elle est notre invitée.

– Oui, ma tante est sa...

Isabel l'interrompit.

– Landon et mon frère Connor sont allés à St. Bernard ensemble. Connor était un peu comme son grand frère au lycée. Bref, Rory est super cool. Et c'est la première fois qu'elle vient ici, alors je veux que tout le monde lui fasse passer un super moment, expliqua-t-elle, accentuant ces trois derniers mots.

– Cool, dit Landon.

– Tu peux nous excuser un instant ? demanda Isabel.

Elle tira Rory par le coude, l'entraînant dans l'obscurité.

– Bon, c'est parfait, déclara-t-elle. Landon est sympa, mignon, intelligent, pas trop imbu de lui-même. Mais si tu veux conclure l'affaire, il va falloir agir, pas rester plantée là.

– D'accord... Qu'est-ce que tu as en tête, exactement ?

– Tu dois flirter. Sourire, rire, raconter des trucs drôles. Jouer la mystérieuse. Et ne lui dis pas que tu es la nièce de la gouvernante.

– Pourquoi ?

– Ne lui dis pas, c'est tout, OK ? (Elle jeta un coup d'œil par-dessus l'épaule de Rory.) Il est en train de te regarder.

– Ah bon ? demanda Rory, faisant mine de se retourner.

– Ne regarde pas ! ordonna Isabel. Tu lui plais. Fais-moi confiance.

Rory en doutait, mais si c'était la Reine des Hamptons qui le disait, c'était sans doute vrai.

– Tu en es sûre ?

– Certaine. Maintenant, tout ce qu'il te reste à faire, c'est l'encourager. Ris à tout ce qu'il dit, souris, tiens-toi près de lui, touche-lui le bras, etc. Tu es prête ?

– OK.

Rory alla retrouver Landon et but une rapide gorgée de bière pour se donner de l'assurance. Elle essayait d'avoir une démarche élégante malgré le sable qui pénétrait dans ses tennis.

– Désolée, lança-t-elle. Je ne voulais pas te laisser tout seul.

C'était une phrase terriblement idiote, qu'elle n'aurait jamais dite en temps normal, mais Landon se ragaillardit aussitôt.

– Pas de problème. Je dégustais cette bière absolument infecte.

Elle éclata de rire et lui sourit plus radieusement qu'elle n'avait jamais souri à personne.

– Alors, dans quel lycée vas-tu ?

Elle battit des paupières. *Je n'arrive pas à croire que je suis en train de faire ça*, pensa-t-elle.

Isabel retourna vers ses amies. Ça lui faisait drôle d'avoir dit à Rory de ne pas avouer à Landon qu'elle était la nièce de Fee, mais la jeune fille avait besoin de s'amuser, et elle savait à quel point ces gens étaient snobs. Rory repartirait dans le New Jersey à la fin de l'été, et elle n'aurait jamais à les revoir. Isabel, elle, serait coincée avec eux toute sa vie.

– Isabel.

Elle se retourna. Aston March sortait de la pénombre et avançait vers elle, comme un fantôme. Il avait les cheveux plus courts que dans son souvenir et son visage lui parut plus plein, ses traits plus flous. On aurait dit qu'il avait beaucoup bu cette année.

– Salut, Aston, souffla-t-elle, l'estomac noué.

– Salut, Iz, dit-il avant de boire une gorgée. Tu nous as manqué le week-end dernier.

– Oui, désolée, j'étais malade.

Il regarda derrière elle en prenant une autre gorgée de bière.

– C'est comment, la Californie ?

– Génial. Comme je te l'ai écrit dans mes mails.

– Je vois, lâcha-t-il en traînant ses pieds dans le sable. Je vais à Yale cet automne.

– C'est ce que j'ai entendu dire. Félicitations.

Elle regarda par-dessus son épaule à la recherche de quelqu'un susceptible de la secourir. Elle avait espéré repousser ces retrouvailles de quelques jours.

– Je pense qu'on devrait se voir cet été, annonça-t-il en se rapprochant d'elle. Tu sais, nous laisser une autre chance. Qu'en dis-tu ?

– Aston...

– On était bien ensemble. Je crois que tu as eu peur, tout simplement.

– Aston, non, dit-elle en posant les yeux sur son visage soudain vulnérable. C'est terminé. Vraiment terminé.

Il la fixait comme s'il s'attendait à ce qu'elle s'exclame soudain qu'elle plaisantait.

– J'étais là pour toi l'été dernier. Quand tu t'es fait virer du lycée, quand tu as eu tous ces ennuis avec tes parents à cause de l'incendie, je t'ai défendue. J'ai dit que ce n'était pas ta faute, que tu n'étais qu'une victime. Mais peut-être que ce que les gens disent sur toi est vrai. Peut-être que tu es juste une fille à problèmes.

Une rafale de vent cingla le visage d'Isabel.

– Va au diable, cracha-t-elle avant de s'éloigner.

Elle marchait dans le sable, sentant le vent s'infiltrer à travers la dentelle de sa robe. Mike. Elle avait besoin de Mike. Elle ouvrit sa pochette. Elle allait peut-être lui envoyer un texto sur-le-champ. Tant pis pour les règles qu'elle s'imposait d'ordinaire. Elle n'en avait plus rien à faire. Elle sortit son iPhone et faillit le laisser tomber quand elle vit l'écran allumé.

Salut beauté. Quand peut-on se voir ?

Elle relisait le texto encore et encore. Son cœur battait à tout rompre. La tête lui tournait.

Demain, répondit-elle.

En temps normal, elle aurait attendu douze bonnes heures, peut-être même un jour entier. Mais cela lui paraissait mesquin désormais. S'il répondait tout de suite, cela signifierait qu'elle lui plaisait vraiment. Peut-être autant qu'il lui plaisait à elle.

Son téléphone sonna.

Cool. À très vite.

Elle sourit. *Bien sûr*, pensa-t-elle. Elle n'avait pas de quoi s'inquiéter.

Chapitre 8

– Vas-y, ma belle ! Vas-y, Trixie ! Cours.

Rory lança le bâton haut et loin et Trixie se précipita derrière lui. Du sable mouillé maculait ses pattes arrière et sa croupe. Il faudrait absolument qu'elle lui donne un bain quand elles auraient terminé, mais cela en aurait valu la peine. Elle n'avait jamais vu un chien aussi excité de sortir d'une maison.

– Attrape-le, Trixie ! Allez !

Dès que le bâton heurta le sol avec un bruit mat, Trixie referma ses mâchoires sur lui et le rapporta à la jeune fille, en laissant traîner une extrémité dans le sable.

– Bonne fifille ! cria Rory.

Trixie déposa le bout de bois à ses pieds.

– Très bonne fifille !

Il était tôt et la plage était déserte. Une épaisse couche de nuages cachait le soleil matinal. Rory sentait le sable froid entre ses orteils et inspirait l'air frais. Elle n'avait jamais joué avec un chien sur la plage auparavant. Ni donné son numéro à un garçon qu'elle venait de rencontrer dans une soirée. Elle sourit. Elle changeait, ici. Elle se sentait déjà plus légère, plus heureuse, plus libre. Différente. Peut-être qu'Isabel avait eu raison de dire qu'elle devait se détendre. Et que les garçons aimaient qu'on flirte avec eux.

C'était incroyable. Chaque fois qu'elle avait cru en faire trop et craint que Landon éclate de rire, se moque de la façon dont elle battait des paupières, qu'il se lasse de ses questions ou lui demande pourquoi elle s'intéressait autant à sa brève expérience dans l'équipe de lutte, il avait répondu par une autre blague, une autre histoire pas vraiment drôle, mais qu'il voulait drôle, tout pour garder son attention. De toute évidence, il n'avait pas trouvé qu'elle se comportait bizarrement. Il avait été flatté.

Ils avaient parlé pendant ce qui lui avait paru durer des heures, jusqu'à ce qu'elle laisse s'installer une longue pause. Alors, il avait demandé :

– Tu veux qu'on se revoie un de ces jours ?

– Bien sûr.

Il avait sorti son téléphone et elle lui avait donné son numéro. Et voilà. Elle était retournée à la voiture, se sentant presque un peu coupable de sa fantastique performance. Elle n'était même pas sûre que Landon lui plaise vraiment. Mais quand elle avait annoncé la bonne nouvelle à Isabel, dans la voiture, celle-ci s'était écriée : « Dieu soit loué ! » avec un tel enthousiasme que Rory avait eu l'impression de leur rendre à elles deux un énorme service.

Évidemment, si ça avait été Connor Rule qui avait pris son numéro, elle aurait été sur un petit nuage. Mais elle doutait d'être capable de se comporter comme ça avec lui. Il se serait sans doute demandé quelle mouche l'avait piquée. Et elle ne l'en aurait apprécié que plus.

Trixie lui ramena de nouveau le bâton. Rory regarda sa montre. Il était presque huit heures et demie. Si elle restait plus longtemps, Bianca allait se demander où elle était passée et elle n'avait pas envie qu'on lui fasse encore la morale. Si les Rule ne se servaient pas de la plage, pourquoi aurait-elle dû s'en priver?

– Allez, on rentre, dit-elle en regardant la croûte brune sur les pattes de Trixie.

Elle enfila les tongs qu'elle avait laissées au bas de l'allée en bois et commença à gravir les dunes. Soudain, Trixie la dépassa à toute vitesse et se mit à aboyer en remuant la queue.

– Trixie, attends! cria-t-elle. Pourquoi es-tu aussi pressée?

Elle trouva la réponse au sommet des dunes. Connor Rule était accroupi à côté de la chienne, occupée à lécher avec application ses longs mollets bronzés. Il leva les yeux.

– Salut, lança-t-il. Je viens de passer dans ta chambre pour te demander si tu voulais venir courir avec moi.

Elle resta plantée là un moment, pensant à ses cheveux frisés, aux taches d'humidité sous ses bras et à son nez qu'elle savait luisant de sueur.

– Que... Quoi?

– Faire un jogging? Tu sais, sur la plage?

Il se leva.

– Oh, oui. Je suis juste allée promener Trixie. Mais je ne cours pas. Je ne suis pas une grande coureuse.

– Moi non plus. Mon entraîneur pense parfois que quelque chose ne tourne pas rond chez moi.

– Ton entraîneur de natation?

– Ouais.

– Qu'est-ce que ça peut lui faire que tu coures ou non ?

– Ça fait partie de mon entraînement. Tu sais, la cardio.

Elle repoussa une boucle de son visage. Où étaient passés ses nouveaux talents de dragueuse ?

– Alors, euh, pas de natation aujourd'hui ?

– Non, j'ai besoin de faire une pause. À vrai dire, je pense à arrêter.

– Vraiment ?

– Je fais ça depuis des années. Je suis prêt à passer à autre chose. Mais la décision ne me revient pas.

– Pourquoi ?

Il sourit, embarrassé.

– Je suppose que c'est à moi de décider, mais mes parents seraient en colère.

– Je vois. Ils ont l'air vraiment fiers de toi.

– Mon père faisait de la course à pied quand il était jeune. Dans l'équipe de son université. Il revit ses jours de gloire à travers moi, dit-il en secouant la tête pour chasser quelques cheveux blonds de son front. Enfin... Et toi ? Qu'est-ce que tes parents te forcent à faire ?

– Mes parents ? En fait, il n'y a que ma mère. Et elle me force à tout faire.

– Comment ça ? Plusieurs sports ?

Elle rit.

– Non. Payer les factures. Faire les courses. M'occuper de l'assurance auto. Ce genre de trucs.

Le sourire de Connor disparut. De toute évidence, il la prenait pour une folle.

– Mais à part ça, j'aime réaliser des films, reprit-elle. Des documentaires, plus précisément.

– Vraiment ? À quel sujet ?

– L'année dernière, j'ai réalisé un film sur les gens qui collectionnent des trucs bizarres dans ma ville. Une femme était obsédée par les souvenirs d'Elvis. Une autre collectionnait des objets de restaurants vintage. Par exemple, des sets de table datant de l'ouverture de la chaîne Denny's, ou des serviettes en papier avec de vieux logos. Ce genre de choses.

Connor se contentait de la regarder. Le vent ébouriffait ses cheveux. *Je vais mourir*, pensa-t-elle. *À l'aide. Au secours.*

– Bref, mon rêve, c'est d'aller à l'école de cinéma de l'USC. Cela dit, je finirai sans doute à Rutgers, à étudier l'économie ou quelque chose d'utile.

– Oui, lâcha-t-il au bout d'un moment. Je vois ce que tu veux dire.

Il regarda la plage. Les nuages commençaient à se dissiper et Rory regretta de ne pas avoir pris ses lunettes de soleil.

– Bon, il va bien falloir que j'y aille, ajouta-t-il en désignant la plage. Mais tu devrais me montrer ce documentaire un de ces jours.

– Bien sûr. Il est sur mon ordinateur portable.

– Cool.

Il sourit lentement et enfila une paire de lunettes de soleil d'aviateur.

– Bon, il va bientôt falloir que j'aille travailler. Je donne des cours de navigation au yacht-club d'Amagansett. Tu fais de la voile ?

– Euh, non. Pas vraiment. Mais ça doit être cool.

– Je l'ai déjà fait l'année dernière. Tu es sûre que tu ne veux pas me tenir compagnie ?

– Bianca doit me chercher. Merci quand même.

– Passe une bonne journée, Rory.

– Toi aussi.

Elle se détourna et s'éloigna immédiatement, même si elle mourait d'envie de le regarder disparaître entre les dunes, aussi longtemps que possible. Cette fois, elle savait qu'elle ne l'avait pas inventé. Il y avait quelque chose entre eux. Quelque chose qui la faisait tellement sourire que ses joues lui faisaient mal quand elle pénétra dans la maison.

À peine était-elle entrée dans le couloir qu'elle entendit sonner son téléphone. Elle courut jusqu'à sa chambre et fouilla dans son sac à main. Un numéro qu'elle ne connaissait pas apparaissait sur l'écran. Un appel local, et pas de la maison.

– Allô ?

– Salut, Rory, lança une voix qui lui était vaguement familière. C'est Landon. Comment ça va ?

Elle s'assit au bord de son lit et se força à se concentrer. Sa conversation avec Connor lui avait un peu donné le vertige.

– Je vais bien, dit-elle, le cœur battant la chamade. Et toi ?

– Bien. Tu veux faire quelque chose ce soir ?

Elle se leva brusquement.

– Oui, répondit-elle, un peu plus vite qu'elle ne l'aurait voulu.

– Cool. *Mission impossible 5* passe au cinéma. On pourrait aller le voir et aller manger une pizza ensuite.

Elle pensa qu'il vaudrait mieux attendre de savoir si Bianca aurait besoin d'elle ce soir, mais elle ignorait comment lui dire ça.

– Super.

– OK. Je passerai te prendre à dix-neuf heures. Et oui, j'ai une voiture très cool.

Elle rit.

– J'ai hâte de l'essayer.

– Tu vas l'adorer. À tout à l'heure.

Elle raccrocha et jeta son téléphone dans son sac, toute contente. Elle avait un rendez-vous ce soir. Un rendez-vous !

Elle sourit à Trixie, qui attendait patiemment à côté du lit, toujours haletante après toute cette excitation sur la plage.

– J'ai un rendez-vous, lui dit-elle en lui caressant la tête. Un rendez-vous. N'est-ce pas incroyable ?

Si seulement c'était avec Connor, songea-t-elle. Mais elle chassa cette pensée. Isabel avait raison : Landon était cool, drôle, et pas trop imbu de lui-même. Le candidat parfait pour devenir son premier véritable petit ami.

Chapitre 9

À quinze heures quarante-cinq précises, Isabel passait à vélo le portail ouvert et tournait vers l'est sur l'asphalte lisse, cuit par le soleil, pédalant vers Main Beach. Dans quinze minutes seulement, elle le reverrait. Ces dernières trente-six heures, elle n'avait pensé qu'à être avec lui, alors sans doute qu'elle allait le rater, ou qu'il allait annuler à la dernière minute. Mais jusqu'à maintenant, il n'en avait rien fait. Elle se mit à pédaler plus vite, sentant le vent qui soulevait ses cheveux derrière elle. Il ne lui avait pas dit où ils allaient ni ce qu'ils allaient faire, précisant seulement qu'ils ne surferaient pas, ce qui lui convenait très bien, car elle avait encore un peu mal aux épaules.

Tu veux que je vienne te chercher? avait-il demandé par texto.

Parking de Main Beach, avait-elle répondu.

OK. À 16 h. J'espère que tu auras faim.

Il allait donc l'emmener manger quelque part. Elle espérait que ce serait dans un endroit comme chez Buford : bruyant, sale, mais authentique, charmant et délicieux. Cette fois, néanmoins, elle irait doucement sur le rhum.

Sur Ocean Street, elle tourna à droite et fila vers le parking au bout de la rue. Elle descendit de son vélo, le fit rouler jusqu'au râtelier à bicyclettes, à côté du snack, et l'y attacha. Il faisait chaud aujourd'hui, ce qui expliquait la présence de quelques jeunes mères assises sur des chaises en plastique ou sur des serviettes rayées étendues sur le sable, qui regardaient creuser et jouer leurs petits. Il n'y avait encore personne dans l'eau. Et pour ces femmes, aller se baigner ne serait pas vraiment possible tant que leurs enfants n'auraient pas grandi. Elle observait une femme blonde en particulier, qui essayait de discuter avec ses amies tout en gardant un œil sur son petit, occupé à jeter du sable avec une pelle. *Ça pourrait être moi un jour*, songea-t-elle. Elle chassa cette pensée d'un haussement d'épaules. C'était trop bizarre d'envisager ça maintenant.

Alors, tout au bout de la rue, elle vit apparaître une Exterra rouge foncé. Son ventre se serra. Il était là. Elle sortit un bâton de rouge à lèvres de sa poche et le passa sur ses lèvres, puis elle ressentit une envie absurde de partir en courant. Mais le 4 × 4 était trop rapide et en un clin d'œil, Mike effectua un dérapage contrôlé juste devant elle, faisant crisser le sable sous ses roues. La vitre se baissa. Il sortit la tête et elle vit ces yeux marron limpides et ces lèvres pleines, et ce sourire qui disait : *Je sais tout ce que tu ne veux pas m'avouer.*

– Hé, fit-elle, joli dérapage.

– Content que ça t'ait plu, répondit-il avec un grand sourire.

Elle s'approcha de la voiture et monta à l'intérieur. Il était habillé simplement d'un T-shirt blanc et d'un jean.

– Alors, c'est quoi le plan ? demanda-t-elle en s'efforçant de ne pas regarder ses bras.

Il se pencha en avant et examina les chaussures d'Isabel.

– Elles sont confortables ?

– Oui, répondit-elle en fixant ses espadrilles compensées. Pourquoi ?

– Je me renseigne, c'est tout, lança-t-il avant de sortir du parking.

– Euh, tu ne m'as toujours pas dit où on allait.

– Je sais, rétorqua-t-il simplement.

Il posa la main sur la sienne.

Rory poussa la porte battante.

– Est-ce que tu as vu Bianca ? demanda-t-elle. Elle vient de m'appeler sur l'interphone, mais je ne sais pas d'où.

Erica releva les yeux des blancs d'œufs qu'elle montait en neige avec un batteur électrique.

– Je crois qu'elle est dans la salle de projection, répondit-elle en regardant Rory avec attention. Que se passe-t-il ? Tu es toute rouge.

– Oh, j'ai un peu trop pris le soleil aujourd'hui, c'est tout. Merci !

Elle ressortit dans le couloir et essuya ses mains moites sur le devant de son short. Si Erica avait remarqué quelque chose, cela n'échapperait sûrement pas à Bianca. Il allait falloir qu'elle trouve une entrée en matière nonchalante. *Quelqu'un vient de m'inviter au cinéma* ; c'était tout ce qu'elle avait à dire. Elle n'avait pas besoin de préciser qui, comment et pourquoi, ni le fait qu'elle avait déjà accepté. Certes, ce serait sa deuxième sortie en deux jours, mais il n'y avait pas de quoi en faire un plat. Si ?

– Oh mon Dieu, mais ne t'en fais pas ! avait dit Isabel dans la voiture, alors que Rory la ramenait de Two Trees. Ce n'est pas comme si tu étais prisonnière ici. Tu es censée te faire des amis. Rencontrer des gens. Inutile d'en faire toute une histoire.

145

– Sauf que Bianca me prend pour une fêtarde invétérée. Tu t'en souviens ? Mike ? Dans ma chambre ?

Isabel avait souri et regardé par la fenêtre.

– Oh, oui. Je suis sûre qu'elle a tout oublié.

– J'en doute sérieusement.

– Mais c'est super qu'il t'ait appelée. Qu'est-ce que vous allez faire ?

– Il passe me prendre à dix-neuf heures et on va aller voir *Mission impossible 5*. Ensuite on ira peut-être manger une pizza.

– Ce n'est pas très imaginatif, pour un premier rendez-vous, mais OK. Tu as accepté tout de suite ou tu l'as fait mijoter un peu ?

– Je t'en prie, ne me dis pas que j'aurais dû le laisser mijoter. Nous étions au téléphone, il m'a proposé ça et j'ai dit oui.

Isabel avait coincé une mèche derrière son oreille.

– Bon, mais la prochaine fois, fais-le attendre un peu.

– Bien, avait répondu Rory avec mauvaise humeur. Et toi ? Que vas-tu faire avec Mike ?

– Je ne sais pas. Il entretient le mystère. Mais je suis sûre qu'on va s'amuser.

– Fais attention, quand même. Il est plus âgé que toi, non ?

– Oui, et alors ? Qu'est-ce que ça a à voir là-dedans ?

Rory avait failli rétorquer que ça avait à voir avec tout, mais elle avait préféré se taire. Ce n'était pas elle la spécialiste des relations amoureuses dans cette voiture.

À présent, elle traversait le sol en marbre du vestibule et descendait une volée de marches menant à la salle de projection. Elle n'y était allée qu'une seule fois, lors de sa visite avec Bianca, mais elle se rappelait l'avoir trouvée d'un luxe extrême, presque ridicule. Appliques de style Art déco tamisant les lumières, immense canapé en daim, fauteuils rembourrés avec ottomanes assorties et moquette épaisse aux motifs noirs et rouges, exactement comme celles qu'on devait trouver dans les cinémas avant l'époque des multiplexes et des auditoriums.

– Pourquoi ont-ils ça ? avait demandé Rory alors qu'elle et Bianca se tenaient sur le pas de la porte.

Celle-ci lui avait lancé un regard étrange.

– Pour se divertir, avait-elle répondu, comme si cela allait de soi.

Rory s'était sentie bête, mais elle commençait à s'habituer à tous ces détails outranciers. Au 175 Lily Pond Lane, il fallait toujours en faire trop. Une table de ping-pong ne suffisait pas : il fallait placer une pyramide de serviettes roulées sur un plateau au cas où quelqu'un transpirerait. Un lecteur Blu-ray ne suffisait pas : il fallait de vrais sièges de cinéma et de la moquette pour qu'on puisse se prendre pour un nabab d'Hollywood.

Elle frappa doucement à la porte et entra. Bianca et Fee époussetaient les tables en acajou entre les fauteuils.

– Rory, nous avons besoin que tu fasses un saut à Amagansett, dit Bianca en donnant des coups de poing sur un coussin orange. Mme Rule organise une soirée cinéma et elle va passer le nouveau film de Meryl Streep. Billy Withers va le lui prêter.

– Qui est Billy Withers ?

– Un attaché de presse de l'industrie du spectacle, répondit Fee. Il reçoit tous les films sur DVD, en avant-première.

– Les invités devraient arriver vers dix-huit heures, ajouta Bianca. Après être allée chercher le film, tu m'aideras à servir les boissons et les hors-d'œuvre. Nous verrons si Mme Rule veut servir un dîner complet après la projection.

– Euh, OK, dit Rory après une hésitation.

Bianca reposa le coussin et croisa les bras.

– Tu avais d'autres projets ? demanda-t-elle d'un ton sarcastique.

Rory se força à la regarder droit dans les yeux.

– Eh bien, quelqu'un m'a invitée au cinéma ce soir.

Fee sourit. Bianca garda un visage impassible.

– Tu n'es pas déjà sortie hier soir ?

– Si, mais je me disais que si vous n'aviez pas besoin de moi...

– Bonjour tout le monde ! lança Mme Rule en bondissant dans la pièce, chaussée de baskets blanches.

Elle avait un visage rayonnant et, avec sa jupe de tennis plissée et sa queue-de-cheval humide, elle semblait plus jeune qu'Isabel.

– Vous parlez de la fête de ce soir ? Je suis tout excitée ! Personne n'a encore vu ce film. Il ne sortira pas avant la semaine prochaine.

– Rory s'apprêtait à aller chez Billy, dit Bianca.

– Oh, très bien ! s'exclama Mme Rule, radieuse. Et j'espère que tu pourras nous donner un coup de main ce soir, Rory. Mes amies seront ravies de te rencontrer.

– Eh bien, elle nous demandait justement si elle pouvait sortir ce soir, déclara Bianca.

Rory fit la grimace.

– Je viens d'être invitée par un ami, lança-t-elle rapidement en regardant Bianca. Mais si ça pose un problème, je peux ne pas y aller.

– Oh, mais bien sûr que tu peux y aller, dit Mme Rule. Tu n'es pas enchaînée ici. Bianca et moi pourrons nous débrouiller toutes seules.

– Elle doit quand même aller chercher le film, rappela cette dernière.

– Eh bien qu'elle y aille. Fee, avez-vous vu ma robe Lanvin noire ? Je ne la trouve pas et elle serait parfaite pour ce soir. Pouvez-vous m'accompagner à l'étage ?

– Bien sûr, répondit Fee.

Alors que Fee et Mme Rule sortaient, Bianca en profita pour jeter un regard mauvais à Rory.

– Tu trouveras l'adresse de Billy dans l'annuaire, dans ta chambre. Et je ne pense pas qu'il soit nécessaire de te rappeler que tu ne dois ramener personne à la maison ce soir.

Rory continuait de soutenir son regard.

– Non, en effet, ce n'est vraiment pas nécessaire. Mais merci quand même.

Elle sortit. Elle avait presque été insolente, mais elle s'en fichait. Elle n'allait pas se laisser intimider par Bianca tout l'été.

– OK, j'ai deviné. On va chez toi.

– Non.

– Mais on est sur la péninsule de North Fork, répliqua Isabel, qui contemplait par la fenêtre les immenses champs de maïs, les vignobles et, au-delà, les eaux encore bleues de Peconic Bay.

Ils roulaient en direction de l'ouest depuis au moins une heure et discutaient à bâtons rompus ; ils avaient dépassé Bridgehampton, Water Mill et Southampton. Lorsque Mike avait tourné vers le nord à Riverhead, cela ne l'avait pas étonnée. Elle espérait seulement qu'il ne l'emmenerait pas chez lui pour lui présenter ses parents.

– Je sais, répondit Mike, mais on ne va pas chez moi.

Le soleil qui pénétrait par le pare-brise projetait une lumière dorée sur le tableau de bord.

– C'est vraiment joli par ici, dit Isabel. J'ai lu un jour que c'est toute cette eau qui rend la lumière aussi belle. Tu sais, la baie d'un côté et l'océan de l'autre. Cela rend tout spéculaire.

– Spéculaire ?

– C'est le contraire de diffus. La surface de l'eau est si lisse qu'elle réfléchit la lumière dans son ensemble. C'est ça, spéculaire.

Mon Dieu, je parle comme Rory, pensa-t-elle. Mike lui jeta un coup d'œil.

– Tu as toujours des bonnes notes en classe, toi, non ?

– Oh non, pas du tout. J'ai juste une bonne mémoire.

Elle regarda par la fenêtre, contente que Mike lui ait posé cette question.

– Alors, on va où ?

– Je te l'ai dit, c'est une surprise.

Soudain, Mike prit à gauche pour sortir de la nationale, s'éloignant de la baie, et ils s'engagèrent dans une longue allée en graviers ombragée par des chênes.

– Alors là, je suis paumée, lança Isabel. On va dans une ferme ?

– Tu as dit que tu aimais les fraises, non ?

Il prit un virage et des arpents de champs de fraises apparurent.

– Tu es sérieux ? Tu m'as emmenée sur une plantation de fraises ?

– Elle appartient à mes amis. On peut en ramasser autant qu'on pourra en porter. Et elles sont délicieuses. Complètement bio. Ils les vendent sur la Montauk Highway à six dollars la livre. Tu vas pouvoir me faire cette fameuse tarte aux fraises.

Aston March ne se serait jamais rappelé ça, pensa-t-elle. Jamais de la vie. Il se gara et elle défit sa ceinture.

– Toi aussi tu as une bonne mémoire.

– Tu rigoles ? J'ai hâte de la goûter.

Il alla ouvrir le coffre et en sortit un cageot à fruits vide.

– Mon père vient d'acheter un terrain près d'un champ de pommes de terre à Sagaponack, dit-elle. Ça va être bizarre de vivre sur une exploitation. Mais c'est tellement paisible, par ici.

– Qu'allez-vous faire de l'autre maison ?

– Je ne sais pas. Quelqu'un l'achètera. Elle va me manquer, cela dit. Même si je crois que notre nouvelle maison sera encore plus grande. En tout cas si c'est mon père qui décide.

– Plus grande ?

– Crois-le ou non, mais il existe des maisons plus grandes que la mienne.

De la terre s'infiltrait dans ses chaussures quand elle marchait, mais elle s'en fichait. Lorsqu'ils eurent ouvert la barrière, Mike posa le cageot et plongea la main entre les branches vertes. Elle voyait les queues des fraises qui pendaient, et les fruits au bout, tels des rubis. Il en ramassa une.

– Tiens, goûte ça. Elle a l'air bonne. Plus elles sont rouges, mieux c'est. S'il reste du vert, c'est qu'elles ont encore besoin de mûrir.

Il posa la fraise dans sa main.

– Vas-y, goûte.

Elle la mit dans sa bouche.

– Oh mon Dieu ! s'exclama-t-elle alors que du jus coulait sur sa langue. Elle est tellement sucrée.

151

– Je te l'avais dit ! Il faut aussi que tu les cueilles avec une partie de leur queue. Ça permet de conserver leur fraîcheur.

Elle le regarda commencer la cueillette et jeter les fraises dans le cageot sans se presser, mais avec l'aisance d'un expert.

– Tu assures, lui dit-elle alors qu'il examinait les fruits et lançait les plus mûrs dans la caisse, presque sans regarder.

– Au fait, je préfère la vraie crème fouettée, pas la chantilly en bombe.

Elle éclata de rire.

– Je m'en souviendrai.

Rory s'engagea dans l'allée, gara la Prius et prit le DVD qu'elle avait posé sur le siège passager, dans sa boîte en plastique. Elle avait eu du mal à trouver la maison de Billy Withers, au bout d'une route sinueuse à peine pavée, mais une fois sur place, la transaction lui avait pris moins d'une minute. Elle avait sonné et un homme grand avait ouvert la porte. Elle avait déduit à son pantalon kaki et à son polo qu'il s'agissait d'une sorte de majordome.

– Il faut le ramener demain à neuf heures, avait-il dit en agitant le disque devant elle, comme si elle ne le méritait pas encore.

– D'accord.

Il l'avait alors déposé dans sa main et lui avait claqué la porte au nez. Cela semblait lui arriver fréquemment ces jours-ci.

Le disque sur elle, elle courut dans sa chambre et se changea. Elle enfila un haut noir en stretch et un jean blanc, puis elle s'attacha les cheveux en queue-de-cheval. Ce n'était pas vraiment la mise en beauté idéale pour son premier rendez-vous dans les Hamptons, mais elle n'avait pas le choix. Elle laissa son sac à main près de la porte et partit chercher Bianca. Avec un peu de chance, cela ne prendrait pas trop longtemps.

– Je l'ai, lança-t-elle quand elle la trouva dans la cuisine, occupée à sortir d'un placard des plateaux aux poignées nacrées. Son majordome, ou son domestique, ou qui que ce soit, dit qu'il faut le ramener demain à neuf heures. Que dois-je faire maintenant ?

– Va l'installer, répondit sèchement Bianca. Qu'est-ce que tu crois ?

– Mais je ne sais pas me servir du projecteur.

Bianca poussa un long soupir condescendant et se dirigea vers l'interphone. Elle appuya sur un bouton.

– Connor ? Peux-tu retrouver Rory dans la salle de projection et l'aider à mettre le projecteur en marche ?

Le DVD faillit lui glisser des mains.

– Connor ? répéta Bianca.

– Je descends tout de suite, répondit le garçon, d'une voix que Rory trouva un peu grincheuse.

– Il va te montrer, dit Bianca. Maintenant, va-t'en. Tu bloques l'accès au placard.

Rory passa dans la salle à manger, trop étourdie pour se concentrer sur quoi que ce soit. Connor allait l'aider ? Connor et elle, seuls dans la salle de projection ? Elle était tellement distraite qu'elle heurta le coin de la table.

– Aïe !

Elle tapotait sa hanche endolorie quand elle entendit Connor dans l'escalier.

– Hé, dit-il en entrant dans la pièce. Tu as besoin d'aide ?

– Oui, merci. Je ne sais pas du tout m'en servir. Désolée que Bianca t'ait forcé à descendre.

– Ce n'est rien. Au moins, quelqu'un d'autre que moi saura faire marcher ce truc débile. Viens.

Elle le suivit dans l'escalier. Quelques minutes plus tard, ils se tenaient côte à côte dans l'étroite salle de projection, devant un grand meuble rempli de différents équipements. Elle se gratta la cheville avec son talon et refit sa queue-de-cheval pendant qu'il glissait le DVD dans le lecteur. Elle avait du mal à rester tranquille lorsqu'il était aussi proche d'elle. Il sentait bon, comme s'il venait de se doucher, et il était très beau. Elle se rendit compte que ses bras étaient complètement glabres.

– Est-ce que tu dois te raser tout le corps pour les compétitions de natation ? lâcha-t-elle sans réfléchir.

– Quoi ?

– Désolée, se reprit-elle. Je ne sais pas pourquoi je t'ai demandé ça. Oublie.

– Non, ce n'est rien. Oui. On doit se raser. (Il appuya sur un autre bouton.) Bon, tu vois quelque chose ?

Elle regarda l'écran.

– On dirait qu'il se passe quelque chose, mais l'écran reste noir.

Il soupira.

– Il n'y a que mes parents pour acheter un système dont seul un ingénieur saurait se servir, marmonna-t-il. Et maintenant ?

– Toujours rien. Attends.

Une image apparut brièvement – le logo Universal – puis disparut.

– Ça a presque marché.

– D'accord. Et maintenant ?

Il se retourna si brusquement que son bras droit effleura

le sien. Elle regarda à nouveau le générique du début, puis plus rien.

– Ça refait la même chose.

– Ça pourrait bien venir du disque, dit-il finalement, avant de l'éjecter. Essayons celui-ci.

Il glissa un autre DVD dans la fente et un titre apparut sur l'écran. Phish en concert à Utica. Trey Anastasio, les mains tendues, se penchait sur un micro, une guitare acoustique en bandoulière.

– Alors, quand vas-tu me montrer le documentaire que tu as réalisé? demanda-t-il.

Il se rapprocha d'elle, bloquant la minuscule source de lumière dans la salle de projection.

– Ah oui, c'est vrai, dit-elle, comme si elle avait oublié leur conversation. Quand tu veux.

– On pourrait le projeter ici.

– Euh, merci, mais je l'ai bricolé avec peu de moyens.

Le rugissement de la foule la fit sursauter alors que Phish se lançait dans une chanson.

– Bon, on dirait que le problème vient du disque, déclara Connor. Je crois qu'il est fichu.

– Génial, marmonna-t-elle.

– Ce n'est pas ta faute. Elles comprendront.

– Non, ce qui m'embête, c'est que je vais sans doute devoir y retourner et trouver autre chose. Et je suis censée sortir ce soir.

– Oh, fit-il, surpris. Je peux y aller à ta place, alors. À moins que tu n'aies envie d'y aller.

– C'est trop gentil.

– Pas de problème. Je sais ce que c'est, quand ma mère

invite du monde à la maison. Si je peux faire quelque chose pour préserver la paix...

Il fit un pas vers elle et elle se figea. Il allait l'embrasser, là, tout de suite, et elle n'était pas prête.

Il pencha la tête sur le côté et lui adressa un sourire forcé.

– Ça va ?

– Oui. Je vais bien. Bon, je vais aller leur dire que ça ne marche pas.

Elle se retourna brusquement. Évidemment qu'il n'allait pas l'embrasser. Et pourquoi ne pouvait-elle rien trouver d'amusant à dire, à défaut de suivre le fil de la conversation ? Pourquoi se comportait-elle comme une parfaite idiote ?

Elle le précéda dans l'escalier et traversa la salle à manger où elle parvint à éviter le coin pointu de la table. Il la suivait encore.

– Merci pour ton aide, dit-elle juste avant qu'ils n'entrent dans la cuisine. Je vais gérer le reste.

– Je viens avec toi.

– Tu es sûr ?

– Je ne vais pas te jeter en pâture aux lions, insista-t-il en souriant.

Elle se retourna, se mordilla la lèvre et poussa la porte battante. *Il n'a pas envie de me quitter*, pensa-t-elle.

Devant l'îlot de cuisine, comme sur une chaîne de montage, Bianca, Erica et Fee disposaient des bruschettas sur un plateau.

– Bien, te revoilà, cracha Bianca. Tout est prêt ?

– Pas vraiment, répondit Rory. On n'a pas réussi à lancer le film.

– Le disque ne fonctionne pas. J'en ai projeté un autre alors je sais que le problème vient de là.

Juste à cet instant, Lucy Rule fit son entrée. Elle avait passé une robe noire fluide et un collier sophistiqué en or et œil-de-tigre.

– Je crois que je viens d'entendre la sonnette, dit-elle. Vous avez entendu ?

– J'y vais, déclara Fee en s'essuyant les mains sur le petit tablier qu'elle avait attaché autour de sa taille.

Elle jeta un coup d'œil à Rory, comme pour l'avertir de quelque chose.

– Comment ça se passe, ici ? demanda Mme Rule en prenant une bruschetta pour inspecter les morceaux de tomate. Ça m'a l'air superbe. Peut-être un peu moins de garniture sur chaque tranche, Erica.

– Bien sûr, marmonna cette dernière.

– Il y a un problème avec le film, maman, dit Connor. On n'arrive pas à le faire marcher. Il va falloir que tu passes autre chose.

Mme Rule reposa la bruschetta. Rory se rappela son visage, le jour de leur rencontre, quand tous ses traits s'étaient détendus, lisses de toute expression.

– Tu en es sûr ?

– Oui. Rory et moi avons tout essayé.

Pour la première fois depuis son arrivée, Mme Rule posa les yeux sur Rory.

– Vous avez essayé tous les deux ?

– C'est ça, répondit Connor.

Rory hocha la tête.

– Tous les invités s'attendent à voir *La Lamentation de la geisha*, répliqua Mme Rule d'un ton irrité. Qu'est-ce que je vais faire ?

– Vous pouvez peut-être regarder un film à la demande ? suggéra Connor.

– Je ne veux pas regarder un film à la demande, le rembarra-t-elle. Les gens peuvent faire ça chez eux. Je veux regarder *La Lamentation de la geisha*.

– Eh bien ça ne marche pas, dit calmement Connor. Peux-tu en emprunter une autre copie ?

Rory reconnut quelque chose dans la voix du garçon. Le ton mesuré, prudent, qu'elle-même employait quand sa mère se montrait déraisonnable.

– Bianca ? Veuillez appeler Billy immédiatement et lui dire que le disque est défectueux et que je voudrais ce qu'il a de mieux, sur-le-champ.

– Bien sûr, répondit Bianca.

Elle prit le téléphone sans fil.

La tête baissée, Erica accrochait en silence des tranches de citron vert en forme de huit aux bords des verres de margarita.

– Rory retournera chez Billy pour récupérer autre chose, reprit Mme Rule.

Elle se lissa les cheveux et secoua la tête, comme si cela devenait trop trivial pour elle.

– Et Connor, peux-tu aider Bianca à apporter quelque chose à boire aux invités ?

Rory vit que le garçon s'apprêtait à répondre, mais en entendant des rires dans le hall, Mme Rule se dirigea vers la porte.

– Il faut que j'y aille, dit-elle avec chaleur, avant de leur adresser un signe de la main.

Rory jeta un coup d'œil à l'horloge. Elle avait presque oublié son rendez-vous avec Landon. Il était dix-huit heures quinze. Si elle se dépêchait de retourner chez Billy, elle serait peut-être prête à temps. Elle s'approcha de la porte.

– Hé! fit Connor en se précipitant derrière elle, le DVD à la main. Ne l'oublie pas.

L'espace d'un instant, elle fut encore frappée par cette impression qu'il y avait de l'électricité entre eux, qu'il se passait quelque chose.

– Merci. Et merci pour tout.

– Amuse-toi bien ce soir.

Il disparut dans la cuisine.

La nuit tombait déjà quand ils sortirent de la nationale, cahotèrent sur une route sinueuse en graviers qui semblait se diriger vers Lake Montauk et s'arrêtèrent devant une maison si petite et solitaire qu'on aurait presque pu la prendre pour une cabane abandonnée.

– Bon, c'est un peu plus petit que chez toi, dit Mike en se garant. Mais ça a tout autant de caractère.

– Avec combien de personnes vis-tu ici? demanda Isabel.

Elle considéra la porte grillagée de travers et la guirlande électrique de Noël installée un peu n'importe comment sur la véranda.

– Avec mes amis Pete et Esteban. Mais ils sont à Quogue ce soir.

Isabel descendit de voiture et suivit Mike sur l'allée en béton craquelé. Il n'y avait pas de jardin à proprement parler, seulement de la terre nue et un peu d'herbe qui faisait son apparition çà et là. Elle essaya de ne pas paraître trop curieuse. Deux fauteuils en bois montaient la garde sur la véranda, près d'une pile de publicités de supermarchés et d'enveloppes tombées de la fente de la boîte aux lettres bourrée à craquer.

– C'est quoi ce bruit ? demanda-t-elle.

– Des grenouilles, répondit-il, le cageot de fraises sous le bras. Dans le lac. Il se trouve juste de l'autre côté.

Elle le regarda gravir les marches écaillées de la véranda, poser le cageot en équilibre sur son bras et attraper une canette de bière sur la balustrade.

– Je vais juste ranger les fraises dans la cuisine, et ensuite on pourra s'en aller.

– Ou on peut rester.

Il lui lança une œillade, surpris.

– Vraiment ?

– Bien sûr.

Il ne l'avait toujours pas embrassée. Et avec un peu de chance, cet endroit ne serait pas aussi laid à l'intérieur.

– Je peux préparer des pâtes, dit-il. Tu aimes les spaghettis ?

– J'adore, répondit-elle en souriant.

Il déverrouilla la porte d'entrée et elle se sentit à nouveau nerveuse. Se rappelait-elle seulement comment embrasser quelqu'un qu'on aimait vraiment, vraiment beaucoup ?

Il ouvrit. Des lumières vives éclatèrent et l'aveuglèrent.

– SURPRISE ! s'écria un chœur de voix.

Elle regarda par-dessus l'épaule de Mike. Une vingtaine de personnes se tenaient coude à coude sous une banderole en accordéon qui disait JOYEUX ANNIVERSAIRE !

– C'est ton anniversaire ? lui demanda-t-elle.

Il ne parut pas l'entendre dans tout ce vacarme. Il posa les fraises et s'enfonça dans la foule, tapant dans des mains et criant des « Sans blague ! Sans blague ! » encore et encore.

Quelqu'un entonna « Joyeux anniversaire » et bientôt, toute la pièce chantait à tue-tête alors que Mike continuait à saluer tout le monde. Elle n'avait pas d'autre choix que de se joindre à eux.

Elle reconnaissait certains visages aperçus chez Buford, mais la plupart des gens lui étaient inconnus. Quant à la maison, elle était bel et bien miteuse, sans aucune élégance. Tous les meubles semblaient venir de chez Emmaüs : un sofa gris avec de grosses fleurs roses, une table basse ovale en merisier tout éraflée, un fauteuil inclinable avec une longue déchirure dans le siège en cuir synthétique. La télé était grande mais vieille d'une bonne dizaine d'années. Il y avait une tache dans un coin du tapis orange à longues mèches. Cependant, la maison n'était pas sale, et certaines petites touches lui plaisaient : un poster en noir et blanc de surfeurs où il était écrit « Montauk, 1965 » et un vase de fleurs jaunes sur la table ronde de la cuisine.

Mike revint vers elle et lui prit la main.

– Hé, je te présente mes colocataires, dit-il en l'entraînant vers un type avec des dreadlocks blondes éclaircies par le soleil et un tatouage sortant de sous ses manches, sur les deux bras. Voici Pete. Pete, voici Isabel.

– Salut, lança Pete en lui serrant la main. J'espère qu'on n'a pas gâché votre soirée romantique. C'est juste qu'on voulait fêter dans les règles de l'art l'entrée de Mike dans l'âge adulte, vu qu'on lui réclame toujours sa carte d'identité dans les bars.

– La ferme, s'exclama Mike en lui donnant un coup de poing sur le bras, joueur, avant de la faire pivoter. Et voici Esteban. Esteban, je te présente Isabel.

Plus petit, avec des cheveux dégradés et une cicatrice sur la joue, le garçon serra Isabel dans ses bras.

– Ne crois pas un mot de ce que te dit ce type, lança-t-il avec un grand sourire. C'est un vrai menteur.

– Hé ! protesta Mike.

Esteban lui donna une tape sur l'oreille et éclata de rire.

– Vous voulez quelque chose à boire ?

Mike la regarda.

– Tu veux quelque chose ?

– Je vais prendre un peu de champagne, répondit-elle.

– Pourquoi pas une bière, plutôt ?

– D'accord.

Esteban partit dans la cuisine et Mike l'attira à lui.

– Désolé. Je ne m'en doutais pas du tout. Ces types ne peuvent même pas payer le loyer. Je ne les aurais pas crus capables d'organiser un truc comme ça...

– Je devrais peut-être appeler un taxi et vous laisser profiter de votre fête, dit-elle.

– Non, ne pars pas. Allez.

Soudain, une fille aux cheveux châtains, vêtue d'un débardeur violet, se plaça entre eux et embrassa Mike sur la joue.

– Salut, bel inconnu !

– Leelee, comment ça va ? demanda-t-il avec un peu trop d'enthousiasme au goût d'Isabel.

– J'ai appris que tu avais enfin atteint l'âge adulte, alors je me suis dit que je ne pouvais pas manquer ça, déclara-t-elle d'une voix suave, avant de lui caresser l'épaule.

– Leelee, je te présente Isabel.

– Salut, dit celle-ci.

La fille lui fit un signe de la main et lui adressa un très bref sourire avant de se retourner vers Mike.

– Passe au Ripcurl un de ces jours. J'y travaille maintenant. Et il y aura des groupes vraiment cool la semaine prochaine.

– Euh, où est la salle de bains ? demanda Isabel.

– Par là-bas, première porte à gauche, expliqua Mike. Ça va ?

– Oui, ça va, répondit-elle avec un sourire forcé. Je reviens tout de suite.

Elle décocha un rictus hypocrite à Leelee.

– Ravie d'avoir fait ta connaissance.

Leelee lui accorda à peine un regard.

– Ouais.

Elle se fraya un chemin à travers la foule jusqu'au couloir et trouva la première porte à gauche. Elle alluma. Le désordre régnait. Des poils tapissaient le lavabo tandis que des rasoirs, des tubes de dentifrice et des flacons de crème à raser couronnés de mousse séchée se disputaient la place sur les étagères. Une combinaison de surf pendait au pommeau de douche et de l'eau pleine de sable en gouttait. Et il n'y avait plus de papier-toilette.

Elle baissa l'abattant recouvert de moquette et s'assit. Des magazines masculins et de surf étaient fourrés dans un casier par terre. Cet endroit était vraiment sale. Sa mère n'aurait pas toléré ça une minute. Mais c'était sans doute justement ce qui lui plaisait. Il s'agissait de la maison de Mike. Il n'y avait pas de parents pour lui dire quoi faire. Il n'y avait d'ailleurs pas de parents du tout à cette fête. C'était son endroit à lui. Personne ne l'obligerait à faire le ménage le lendemain matin. Elle ne pouvait même pas imaginer jouir d'une telle liberté. Elle n'était jamais sortie avec un garçon qui ne vivait pas chez ses parents ou à l'internat. C'était excitant mais aussi un peu déconcertant, comme de sortir d'un grand magasin par une porte latérale. Soudain, elle comprit pourquoi elle s'était sentie troublée tout à l'heure dans le salon, et presque tout l'après-midi. Elle éprouvait un sentiment tout nouveau pour elle. Elle se sentait jeune. Cette fille qui parlait à Mike (et, franchement, qui le draguait) lui convenait plus qu'elle. Leelee partageait sans doute elle aussi un logement minable avec quelques amis et avait sa propre cuisine, sa propre chambre où personne ne la surveillait. Et une voiture. Qu'elle avait légalement l'âge de conduire.

Elle regardait droit devant elle, les yeux rivés aux serviettes froissées et tachées sur le porte-serviettes, et elle commençait à déprimer. Elle avait besoin de se confier à quelqu'un. Elle ouvrit sa pochette et sortit son téléphone.

Ce rendez-vous est un désastre total, tapa-t-elle. *Et le tien ?*

Avec un peu de chance, Rory passait un meilleur moment qu'elle.

Rory appuya sur l'accélérateur, montant jusqu'à soixante-dix kilomètres-heure dans les virages de Further Lane. Quelque part dans son sac, la sonnerie de son téléphone lui indiqua qu'elle avait un texto, mais elle l'ignora. Le DVD de remplacement glissa sur le siège en cuir et heurta la portière. Elle ne savait toujours pas de quel film il s'agissait. Le majordome de Billy Withers l'avait posé dans sa main, une expression orageuse sur le visage, comme si elle lui avait gâché la soirée, et marmonné : « Voilà. » Cette fois, elle n'avait pas attendu qu'il lui claque la porte au nez ; elle avait couru jusqu'à la voiture.

Quand elle franchit le portail en fer, elle regarda l'horloge sur le tableau de bord. Dix-huit heures quarante-cinq. Elle remonta la longue allée en graviers à toute vitesse, gara le véhicule puis prit son téléphone et essaya d'appeler Landon. Elle tomba directement sur le répondeur. Elle l'imagina au volant, la musique trop forte pour entendre la sonnerie, ignorant tout du petit drame qui se jouait sur Lily Pond Lane. Elle raccrocha et jeta le téléphone dans son sac.

En bas, dans la salle de projection, elle glissa le disque dans la machine, appuya sur les mêmes boutons que Connor et fit les cent pas, gardant un œil sur l'écran à travers le trou carré dans le mur. *Fonctionne, je t'en prie*, pensa-t-elle. Sinon, on la renverrait chercher un autre DVD à Amagansett et son rendez-vous serait définitivement annulé. Elle entendait les invitées de Mme Rule dans la salle de séjour, au-dessus d'elle. Une femme riait bruyamment.

L'écran devint noir puis le générique apparut. Quel que soit le film qu'il lui avait donné, il marchait.

Juste à ce moment-là, la porte s'ouvrit et les invitées entrèrent petit à petit. Il s'agissait de femmes bien conservées de l'âge de Mme Rule, mais comme elle, elles semblaient toutes beaucoup plus jeunes, avec leurs cheveux aux mèches blond-roux, le visage dénué de rides. Toutes tenaient un verre de martini à moitié plein. L'une d'elles en renversa sur la moquette. Il n'y avait pas de trace de Connor, mais Mme Rule fermait la marche, bavardant avec une petite femme aux yeux sombres, vêtue de noir, que Rory reconnut. C'était une créatrice de mode mondialement célèbre.

– Rory! s'écria Mme Rule qui, le regard brillant, fiévreux, semblait passer un très bon moment. Tout est prêt?

– Ça marche, répondit la jeune fille. Je ne sais pas ce que c'est, mais ça marche.

– Oh! roucoula Mme Rule en regardant l'écran. C'est *La Lamentation de la geisha*.

– Il paraît que c'est absolument fabuleux, commenta la femme à côté d'elle.

– Bon, profitez-en bien, dit Rory.

– Oh, tu veux bien rester ici ? demanda Mme Rule. Juste pour t'assurer que nous n'aurons aucun problème ? Et si tu pouvais aussi nous descendre quelques en-cas, ce serait fantastique.

Avant que Rory puisse répondre, elle reprit sa conversation avec la créatrice et s'assit dans l'un des profonds fauteuils en daim. Rory chercha un moyen de rappeler à Mme Rule qu'elle avait quelque chose de prévu ce soir. Après tout, elle lui avait donné la permission de sortir. Mais soudain, elle prit conscience de quelque chose. Mme Rule n'avait pas oublié qu'elle avait des projets. Elle faisait seulement semblant d'avoir oublié.

Elle resta plantée là à regarder les deux femmes qui murmuraient, gloussaient et renversaient un peu plus de martini par terre, jusqu'à ce que Mme Rule lui fasse signe de monter à l'étage supérieur.

– Ramène des boissons, s'il te plaît.

Tant pis pour mon rendez-vous, pensa Rory alors qu'elle quittait la pièce.

– Hé, Isabel ?

Quelqu'un frappait doucement à la porte de la salle de bains.

– Isabel ?

Elle rangea le magazine de surf dans le casier. Elle avait perdu la notion du temps, plongée dans un article sur les vagues hivernales à Mavericks, dans le nord de la Californie, et maintenant, Mike devait croire qu'elle avait des troubles intestinaux. Elle se leva, ouvrit le robinet et s'aspergea le visage. Elle se regarda dans le miroir. On aurait dit qu'elle avait douze ans. L'idée de retourner là-bas et d'essayer de parler à ses amis l'emplissait de désespoir.

– Hé, dit-elle en ouvrant la porte.

– Hé.

Mike tenait une Corona à la main. De la musique forte et des rires s'échappaient du salon. La fête semblait s'être animée en son absence.

– Voici ta bière. Elle doit être un peu tiède maintenant.

– Merci.

Elle l'accepta, même si elle n'avait aucune envie de la boire.

– Est-ce que ça va ? demanda-t-il. Ça fait longtemps que tu es là-dedans.

– Oh, oui. Je lisais, c'est tout.

Il entra dans la pièce et ferma la porte.

– Alors tu préfères lire dans la salle de bains que faire la connaissance de mes amis ?

– En quelque sorte. C'est une grosse surprise, tout ça.

– Je ne te le fais pas dire, répliqua-t-il en souriant.

Il est tellement sexy, pensa-t-elle. Surtout quand il lui souriait de cette manière, comme s'il savait tout ce qui se passait dans sa tête. Elle se sentait encore plus embarrassée.

– Tu sais quoi ? Profite de la fête. Je vais juste appeler un taxi.

– C'est ridicule, dit-il.

– Non.

– Si. Tu ne peux pas m'en vouloir parce que mes amis m'ont organisé une fête surprise.

– Je ne t'en veux pas. Qui a dit que je t'en voulais ?

Il s'appuya contre la porte.

167

– Tu as l'habitude d'obtenir tout ce que tu désires, pas vrai ?

– C'est méchant.

– C'est juste une observation. Mais tu sais, si tu veux filer, vas-y.

Il croisa les bras sur sa poitrine et la regarda, un petit sourire au coin des lèvres.

– On se verra une autre fois, reprit-il.

Son regard était tellement intense qu'elle dut détourner les yeux.

– Tu sais, il faut vraiment que tu nettoies ça, dit-elle en désignant le lavabo.

– D'accord, répondit-il sans la quitter des yeux.

– Et tu sais, la moquette sur les toilettes, ce n'est plus vraiment à la mode.

Il passa un bras autour de sa taille et l'attira contre lui.

– D'accord, répéta-t-il.

– Et il faut vraiment nettoyer ce casier à magazines, ajouta-t-elle, presque incapable de respirer.

Elle sentait son torse à travers son mince T-shirt. Il lui lissa les cheveux du plat de la main, jusque dans son dos. Elle ferma les yeux.

Ses lèvres touchèrent doucement les siennes, hésitantes, légères comme des plumes. Alors, elle passa les bras autour de ses épaules pour se rapprocher de lui et elle sut qu'elle n'avait plus envie de partir.

Assise à la table de la cuisine, voûtée, Rory jouait du bout de sa fourchette avec un morceau de poulet frit. Mme Rule l'avait enfin libérée, mais elle n'avait même pas faim. Elle avait fait au moins vingt allers-retours dans l'escalier pour aller chercher des boissons, des mises en bouche et finalement, servis sur des plateaux individuels, des dîners composés de morue noire au miso, de poulet frit et de salade César qu'Erica avait préparés pour que Mme Rule et ses invitées puissent manger dans leurs fauteuils. Maintenant, elles prenaient le café avec de la tourte aux myrtilles et faisaient semblant d'enfin regarder le film, que Rory avait dû relancer depuis le début à plusieurs reprises. Il était vingt et une heures. Rory bâilla. Erica se tenait devant l'îlot, occupée à emballer les restes de morue et de poulet dans du film alimentaire avant de les placer avec soin dans des récipients en verre.

– Tu n'étais pas censée sortir? demanda-t-elle en refermant un couvercle en plastique.

– Si. J'ai dû annuler.

– C'était important?

Rory avala une bouchée de coleslaw.

– Pas vraiment. Il ne l'a pas très bien pris, cela dit.

– Tu avais rendez-vous avec un garçon?

– Oui, mais ce n'est pas grave. Il ne me plaisait pas tant que ça de toute façon.

Rory la regarda ranger les récipients dans le réfrigérateur puis commencer à nettoyer les plans de travail.

– Depuis combien de temps es-tu cuisinière? l'interrogea-t-elle.

– Environ dix ans. Mais ça ne fait que cinq ans que je suis cuisinière privée.

– Ça a l'air stressant.

– Oh, ça l'est. Ces gens veulent ce qu'ils veulent quand ils le veulent. Et c'est avec les gentils qu'il faut faire le plus attention, ajouta-t-elle en pointant le doigt en direction de la salle de projection. Juste un petit conseil : je n'ai rien dit.

Rory hocha la tête. Elle avait du mal à nommer le sentiment que Mme Rule lui avait inspiré toute la soirée. Cela lui rappelait un peu la fois où sa mère lui avait promis de l'amener au parc d'attractions pour son onzième anniversaire, rien que toutes les deux, mais qui à la dernière minute avait imposé son petit ami – un type aux cheveux hirsutes qui fumait comme un pompier et travaillait comme serveur au bar du coin – qu'elle n'avait pas arrêté d'embrasser en public, sans aucune décence. *Elle avait été manipulée.* C'était sans doute le mot juste. À partir de maintenant, elle se méfierait de Mme Rule.

La porte battante s'ouvrit en grinçant et Connor glissa la tête dans la cuisine.

– Comment ça s'est passé ? demanda-t-il.

Rory posa sa fourchette et tenta de dissimuler son étonnement.

– Bien. On a évité la crise.

– Mais tu n'es pas sortie.

Elle sourit.

– Non.

– Est-ce que je peux essayer de rattraper ta soirée ? Je suis dans la salle télé, si tu as envie de compagnie.

– Euh, OK.

Elle se leva.

– Prends ton repas avec toi. Tu as besoin de reprendre des forces, dit-il avec un sourire.

Rory regarda Erica, qui hocha la tête et articula silencieusement «Vas-y !» Elle s'empara de son assiette. Alors qu'elle le suivait dans le couloir, elle se sentit vulnérable. Après ce qui s'était passé ce soir, elle n'était pas sûre de pouvoir faire confiance à un membre de cette famille.

– Je sais que ma mère peut être très exigeante, dit-il. Désolé qu'elle ait gâché ta soirée.

– Oh, ce n'est rien. Elle ne l'a pas gâchée. Ce n'était pas grand-chose.

– Ce n'est pas la question. C'est juste qu'elle a l'habitude d'obtenir tout ce qu'elle désire. C'est pareil avec Isabel. Est-ce que ma sœur est gentille avec toi, au fait ?

– Oui, répondit Rory en souriant. Elle est gentille. Elle m'a emmenée à une fête hier soir.

Ils entrèrent dans la salle télé et s'assirent l'un à côté de l'autre sur le canapé. Rory posa son assiette en équilibre sur ses genoux et pria pour ne rien renverser.

– Dans ce cas, fais attention. Ma sœur peut être un peu folle. Ne te laisse pas aspirer dans le vortex. Tu peux me croire : ce n'est pas joli-joli.

Il pointa la télécommande sur un meuble et des enceintes dissimulées se mirent à passer du Van Morrison.

– Est-elle si folle que ça ? demanda Rory. Je n'ai pas eu cette impression. Enfin, sauf quand elle est au volant.

Connor ricana.

– Oui, rouler avec elle peut être une expérience assez intense. Mais pour le reste... (Il regarda au loin.) Je ne sais pas. Elle a toujours fait un peu n'importe quoi. Elle a toujours été difficile à contrôler. Et je crois que c'est parce qu'elle s'est toujours sentie à l'écart.

– Vraiment ? Pourquoi ?

Il haussa les épaules.

– Je n'en sais rien. Mais c'est le cas. Elle déteste Gregory et Sloane.

Il la regarda et se reprit.

– Désolé. Je ne devrais pas te raconter ça.

– Je ne le répéterai à personne.

L'espace d'un instant, le silence s'installa alors qu'ils se fixaient, puis des voix féminines et des claquements de talons leur parvinrent.

– Con-nor ! cria Mme Rule. Connor, tu es toujours là ? Mme Van der Cliff a quelque chose à te demander !

Connor lança un coup d'œil hésitant à Rory.

– Je suppose que tu dois y aller, lâcha-t-elle.

Il hocha la tête et se leva.

– Tu ferais mieux de retourner dans ta chambre, dit-il. Je vais créer une diversion.

Il sortit dans le vestibule et elle l'entendit parler avec les femmes. Elle attendit qu'ils s'approchent de la porte d'entrée, puis elle se faufila hors de la pièce avec son assiette.

Toc toc toc. Rory leva la tête de son oreiller. Elle avait rêvé que quelqu'un tapait sur son mur, et elle venait de se rendre compte que ce n'était pas du tout un rêve.

Toc toc toc.

Il y avait à nouveau quelqu'un à la fenêtre. Elle espérait seulement que ce n'était pas Mike.

Elle s'assit et alluma sa lampe. Quand ses yeux se furent habitués à la lumière vive, elle vit des cheveux blonds et de grands yeux bleus qui la regardaient à travers la vitre. Cette fois, c'était Isabel qui voulait entrer en douce.

– Hé !

Elle tapota encore sur le carreau. Heureusement, elle semblait seule. Rory repoussa ses couvertures et s'approcha de la fenêtre à pas de loup.

– Isabel ?

Elle souleva la vitre et fut assaillie par une puissante odeur de bière.

– Salut !

La jeune fille se hissa difficilement sur la fenêtre et s'effondra par terre.

– Ça va ? demanda Rory.

Elle s'accroupit et aida Isabel à s'asseoir.

– Ça va, répondit celle-ci, mais Rory voyait bien qu'elle était un peu soûle.

– Comment es-tu rentrée à la maison ?

– Des gens vraiment sympas m'ont ramenée. Des gens sympas et sobres.

– Bon, il faut que je te ramène dans ta chambre.

Rory passa un bras autour de la taille d'Isabel et l'aida à se relever. Elle ne pesait presque rien.

– Je suppose que tu as passé un bon moment ?

– Attends ! Comment c'était, avec Landon ? Vous êtes sortis ensemble ?

– Non, nous ne sommes pas sortis, répondit-elle en tirant Isabel vers la porte.

– Comment ça, vous n'êtes pas sortis ?

– Le rendez-vous a été annulé. Mais ce n'est pas grave, pas de quoi en faire un drame.

– Tu t'es dégonflée ?

– Non. Ta mère avait des choses à me faire faire.

– Je l'engueulerai pour toi, dit Isabel, qui titubait sur ses espadrilles compensées.

– Merci, mais ce n'est pas la peine.

Elles passèrent devant la chambre de Bianca aussi discrètement que possible, bien qu'Isabel ait réussi à se cogner contre un mur. Se faire prendre en train d'aider une Isabel éméchée pourrait être pire que de faire entrer un garçon dans sa chambre, pensa Rory. Quand elles parvinrent au premier étage, la jeune fille regarda le couloir sombre et endormi.

– Où est ta chambre ?

– Je vais me débrouiller, mais toi, toi, dit Isabel en pointant le doigt sur Rory, tout en trébuchant, tu es géniale. Tu le sais ?

Rory hocha la tête.

– Il t'a embrassée ce soir, pas vrai ?

Même dans le noir, le sourire d'Isabel était éblouissant.

– Oh oui.

– Bien. Bonne nuit.

Elle relâcha la jeune fille qui jaillit de ses bras, virevolta dans le couloir et fonça dans un mur.

– Euh, ça va ? demanda Rory, partagée entre le rire et l'inquiétude.

– Oh, oui, répondit Isabel en se redressant. Carrément. Bonne nuit.

Rory attendit qu'Isabel ouvre une porte et disparaisse. Puis elle descendit sur la pointe des pieds, un sourire aux lèvres. Quelqu'un avait enfin réussi à faire fondre la princesse des glaces. Isabel était complètement accro.

Chapitre 10

– Alors je me disais que le week-end prochain, quand mes parents iront voir ma sœur à Londres, je devrais tout envoyer promener et organiser une fête, annonça Thayer tandis qu'elles sortaient du restaurant avec leurs plateaux. Qu'est-ce que vous en pensez ? Ce serait cool, non ? Les gens viendraient.

– Ouais, répondit Isabel, essayant de garder son plateau en équilibre tout en attrapant des couverts enroulés dans une serviette près de la porte.

Sa tête lui faisait mal. Elle n'avait pas entendu un mot de ce que Thayer avait raconté pendant qu'elles faisaient la queue avant de commander, mais peu importait. Thayer aimait avoir un public silencieux et captif.

– Parce que je me disais que je pourrais inviter Andrew et comme ça, vu qu'on est souvent ensemble en ce moment, il pourrait se passer quelque chose. Au lieu d'attendre qu'il se réveille et qu'il m'invite.

– Hum, hum, dit Isabel, qui faillit trébucher sur un petit enfant.

– Est-ce que ça va? demanda Thayer. Tu as l'air un peu à l'ouest.

– Je suis fatiguée, c'est tout.

Thayer pencha la tête sur le côté et la dévisagea.

– Et tu as peut-être une petite gueule de bois?

Isabel la regarda.

– Tu es sortie hier soir? continua Thayer, avec un sourire gêné.

Elles avaient parlé d'aller voir un film, mais Isabel avait déclaré qu'elle ne pouvait pas.

– Non. Je te l'aurais dit.

– Peut-être pas, répliqua Thayer alors qu'elles allaient rejoindre Darwin, assise à une table, en train de lire *Chez les heureux du monde*.

Elles posèrent leurs plateaux sur la table.

– Hé, D! lança Thayer. Regarde, Isabel a la gueule de bois.

– Ah oui? répondit Darwin en relevant brièvement les yeux, avant de s'y replonger. Désolée. Je suis vraiment absorbée par ce livre.

– Je déteste les lectures de vacances, déclara Thayer en s'attaquant à sa salade composée. Trop barbant. Alors, où as-tu attrapé cette gueule de bois, et avec qui?

Isabel prit sa fourchette et un souvenir lui revint brusquement, lui coupant le souffle : Mike et elle s'embrassant dans la salle de bains, ses mains dans ses cheveux bruns, celles de Mike sur son corps, la serrant contre lui, l'asseyant sur le lavabo pour qu'elle puisse enrouler ses jambes autour de sa taille et puis, plus tard, sur son lit, allongée sous lui, sentant ses doigts remonter sur sa chemise, touchant les poils sur son torse... Elle chassa cette image.

– Personne que tu connais, répondit-elle doucement.

– Hum... ça se corse !

– Juste quelqu'un que j'ai rencontré.

– Quelqu'un ? répéta Thayer, les yeux sur son assiette. C'est un mot très vague...

– Tu ne le connais pas, OK ?

Thayer se contenta de manger sa salade en silence, mais Isabel savait qu'elle venait d'enfreindre le premier commandement de la meilleure amie de Thayer Quinlan : Tu Ne Garderas Rien Pour Toi.

– Il s'appelle Mike, lança-t-elle.

– Quel lycée ?

– Je t'ai dit que tu ne pouvais pas le connaître.

– Alors il ne va pas au lycée ? demanda Darwin en reposant son livre.

– Je crois qu'il va à Stony Brook.

– Il va à la fac ? s'écria Thayer, avant d'échanger un regard avec Darwin. D'où vient-il ?

Isabel sentit la colère qui commençait à monter en elle.

– Il est d'ici. De North Fork.

– Quoi ? fit Darwin, l'amusement et le choc se mêlant sur son visage.

Isabel baissa les yeux sur sa salade.

– Waouh, c'est une première ! s'exclama Darwin. Il doit être vraiment canon.

– Attends, laisse-moi récapituler, ajouta Thayer. Tu traînes avec une fille du New Jersey qui travaille pour toi et maintenant tu sors avec un autochtone. Qu'est-ce qui t'est arrivé ?

– C'est dégueulasse, cracha Isabel.

– Oh, je t'en prie, ne me dis pas que je suis horrible. J'essaie juste de comprendre ce qui se passe. C'est pour te venger de tes parents, ou un truc comme ça ?

– Quoi ? Bien sûr que non.

– Désolée, mais on dirait une autre de tes lubies débiles. Tu as le chic pour faire un doigt d'honneur à tout le monde.

– Merci pour ton soutien, T, lança Isabel.

Elle se leva et prit son sac, faisant racler sa chaise sur le béton.

– Où vas-tu ? demanda Darwin.

– Je n'ai plus faim.

Thayer ricana.

– Oh mon Dieu, Iz ! grommela-t-elle. Fais une colère, si tu veux. Peu importe.

Isabel se fraya un chemin entre les tables, se sentant rougir. Le battement dans sa tête s'était niché juste au-dessus de ses sourcils et se transformait rapidement en migraine. Elle détestait être aussi vulnérable devant ces filles. Elle leur en voulait d'avoir réussi à l'embarrasser. Il fallait qu'elle rentre chez elle. Elle sortit son téléphone et envoya un texto à Rory, se moquant bien qu'il soit interdit d'utiliser un téléphone portable sur le patio.

Tu peux venir me chercher au Georgica ?

Elle se dirigea vers la cabine de la famille, le seul réel endroit où elle pouvait se cacher ici. Les cabines du Georgica étaient une relique des débuts du club, quand les membres avaient besoin d'intimité pour enfiler leurs costumes de bain. Désormais, posséder l'une de ces étroites cabanes signifiait que vous faisiez partie de l'élite du club. À vrai dire, elles ne servaient pas à grand-chose, à part à quelques sessions de pelotage mémorables quand il y avait une grosse fête.

Elle s'approcha de la plaque annonçant LAWRENCE RULE et était presque à l'intérieur quand elle entendit un homme qui l'appelait.

– Isabel ? Isabel Rule ?

Elle se retourna et vit un couple qui venait vers elle. Ils paraissaient avoir l'âge de ses parents.

– Peter et Michelle Knox, dit l'homme, un sourire aux lèvres. Nous sommes des amis de tes parents. Nous possédions la maison sur James Lane.

Elle mit une main en visière pour se faire de l'ombre et les vit plus distinctement. Ils lui semblaient familiers. L'homme était beau, avec des yeux bleus juvéniles, un nez pointu, et des cheveux châtains coupés court qui viraient au gris au niveau des tempes. Mme Knox avait des cheveux bruns, une peau lumineuse et sans aucun doute la poitrine la plus ferme qu'Isabel avait jamais vue, du moins chez une femme d'une quarantaine d'années bien sonnées.

– Oh, bonjour. C'est un plaisir de vous revoir.

– Nous avons décidé de revenir cet été. Ça fait combien de temps ? demanda-t-il en se tournant vers sa femme. Dix ans ?

– Presque douze, répondit-elle en glissant un bras sous celui de son mari.

– Waouh, fit Isabel, ne sachant trop quoi dire. Ça fait longtemps.

– C'est sûr. Mais ça fait du bien de revenir. Cet endroit est merveilleux. J'adore ce qu'ils ont fait avec la piscine.

– Vous êtes toujours membres ? demanda Isabel avant de se rendre compte que c'était peut-être un peu malpoli.

– Oh, oui, répondit M. Knox. Tant qu'on continue de payer

les cotisations, le Georgica nous laisse rester membres aussi longtemps qu'on le souhaite.

– Chéri, tu vas être en retard pour ta partie de golf, lui rappela Mme Knox.

– Oh, d'accord, d'accord, dit-il, même si Isabel sentit à sa voix que cela lui importait peu. Enfin, c'est un plaisir de te revoir, Isabel. Krista et Holly, nos filles, arriveront dans quelques semaines. Il faudra que tu fasses leur connaissance.

– Bien sûr. Et je suis certaine que mes parents vous inviteront bientôt.

Les Knox échangèrent un regard gêné, et Isabel comprit qu'elle avait fait un impair.

– Bien, dit M. Knox, mal à l'aise. Prends soin de toi, Isabel. Au revoir.

Mme Knox lui adressa un sourire artificiel et ils traversèrent tous les deux le patio en direction du bâtiment principal.

Elle se demanda pourquoi ils étaient revenus. Si elle réussissait à fuir cet endroit pour de bon, elle ne reviendrait jamais. Mais certaines personnes ne pouvaient tout simplement pas s'éloigner, pensa-t-elle. Il y avait quelque chose dans l'ambiance glaciale du Georgica qui fonctionnait comme une addiction. Les gens ne se lassaient jamais de l'impression de ne pas être assez bien.

Elle entra dans la cabine et ferma la porte, inspirant l'odeur de lotion solaire à la noix de coco et de serviettes mouillées. Elle sortit son iPhone et l'alluma. Rory n'avait pas encore répondu, mais elle avait un texto. De Mike.

Quand puis-je te voir ?

Une ligne, cinq mots. La réponse à toutes ses questions.

Juillet

Chapitre 11

Apprivoiser la circulation, l'éviter, la contourner, l'anticiper, était devenu son job. Du moins, ça aurait été son job si elle avait été payée. Mais elle ne l'était pas. Et depuis le fiasco du soir du film, elle ne doutait plus qu'elle avait commis une grosse erreur en ne demandant pas un salaire minimum.

Passer tout ce temps en voiture commençait à lui peser. Les embouteillages étaient là le matin, l'après-midi, le soir. Ils étaient là quand elle allait à Southampton pour acheter une autre paire de pantoufles brodées pour Mme Rule (taille 38, couleur : taupe) ; l'après-midi, quand elle allait chercher des tomates anciennes à dix dollars le kilo sur l'étal de Scuttle Hole Road. Toute la journée, elle roulait à une allure d'escargot sur la Montauk Highway, et à la fin du mois de juin, elle connaissait tous les stands de fruits et de légumes, tous les vendeurs de bagels et de café, tous les studios de Pilates et les salons de beauté, de chaque côté de la nationale, dans les deux sens. Elle commençait même à connaître les petites routes. Les Rule possédaient une édition écornée du *Guide des raccourcis* qu'elle gardait tout le temps dans la voiture, et elle sut rapidement quand sortir de la nationale pour prendre une petite route cahoteuse qui la conduirait le long d'un vignoble ou d'un champ de pommes de terre, le vent s'engouffrant par la fenêtre ouverte.

Parfois, elle dépassait des groupes d'adolescentes qui marchaient dans la rue, à Bridgehampton, ou qui sortaient d'une boutique, des sacs de shopping à la main, riant et discutant, et elle pensait à Trish et Sophie. Au début, elles avaient échangé des mails tous les jours, mais elles ne s'en envoyaient plus qu'une fois par semaine. Elle se doutait qu'elles avaient déjà des millions de blagues qu'elle ne saisirait pas, puisqu'elles travaillaient toutes les deux au camping, et qu'elle ne pourrait jamais les partager avec elles. Mais elle ne pouvait pas non plus leur expliquer comment était cet endroit. Elles ne comprenaient toujours pas pourquoi elle n'était pas payée, ni pourquoi elle passait la majeure partie de ses journées à faire des allers-retours sur la même nationale. Rory se demandait comment se déroulerait son retour. Elle n'avait jamais passé tout un été sans ses amies, et elle sentait déjà que cette séparation aurait des répercussions durables.

Le soir, quand les Rule ne recevaient pas pour un dîner, un film, ou une partie de ping-pong, elle mangeait dans la cuisine avec Fee, Erica, Bianca, et parfois Steve.

Bianca ne parlait jamais. Elle apportait toujours un journal ou un magazine à table – *The New Yorker* et *Architectural Digest* comptaient parmi ses favoris – et elle les ignorait poliment.

De temps en temps, Fee interrogeait Rory sur sa mère, mais Rory lui répondait toujours la même chose : « Je n'en ai aucune idée. Je n'ai pas de nouvelles d'elle. Elle doit être dans sa bulle amoureuse. »

Fee secouait la tête et poussait un petit rire méprisant. « Heureusement que tu es ici », disait-elle.

Elle ne s'était pas retrouvée seule avec Connor depuis le soir du film. De temps en temps, il descendait dans la cuisine pour demander quelque chose à Erica, et Rory s'autorisait à lui lancer un très rapide coup d'œil, surtout si Steve était dans la pièce. Mais ils ne se croisaient jamais. En général, il était déjà parti quand elle se levait le matin et après le travail, il faisait des longueurs dans la piscine. Parfois, le soir, elle entendait son Audi dans l'allée en graviers, et ce n'était qu'au prix d'un gros effort qu'elle se retenait de courir à la fenêtre pour le regarder entrer dans la maison. Elle se disait qu'elle devait avoir imaginé ce jeu de séduction entre eux.

Et quand elle n'était pas assise dans les embouteillages, elle donnait des leçons de conduite à Isabel.

– Alors, qu'avez-vous prévu pour la fête nationale, Mike et toi ? demanda-t-elle un jour alors qu'Isabel conduisait sur les petites routes de Sagaponack.

Au bout de deux semaines, Rory l'avait convaincue de rester sur le côté droit de la route, mais de temps en temps la voiture dérivait au centre.

– Je ne sais pas, répondit Isabel, qui tripotait l'iPod branché au tableau de bord. Il y a toujours une grosse fête au Georgica, mais ce n'est pas vraiment une option. Du moins, pas avec Mike.

– Pourquoi ne pourrais-tu pas l'emmener ?

Isabel lui lança un regard incrédule.

– Tu crois que je devrais inviter Mike au Georgica ?

– Peut-être que si ces filles le voyaient, elles se rendraient compte qu'il est vraiment cool.

Isabel lui avait raconté sa dispute avec Thayer et Darwin au sujet de Mike. Ayant eu un aperçu de leur côté déplaisant, elle n'avait eu aucun mal à la croire.

– Euh, non, rétorqua Isabel en enclenchant les essuie-glaces au lieu du clignotant. Tu les as rencontrées.

Rory baissa la visière pour se protéger du soleil couchant.

– Alors pourquoi ne pas l'inviter à la maison, pour que vous soyez chez toi, pour une fois? Il faudra bien qu'il rencontre tes amis et tes parents un jour ou l'autre, tu ne crois pas?

– Tu es défoncée ou quoi? Tu veux que je dise à mes parents que je sors avec un mec qui travaille sur un stand de fruits et légumes?

– Eh bien, oui. À vrai dire, j'ai l'impression que tu te ferais un plaisir de leur annoncer un truc pareil.

– La dernière chose que je souhaite, c'est que mes parents se mêlent de ma vie amoureuse. Ils voudraient la contrôler. Et ils ne l'accepteraient jamais. Ils ont peut-être l'air ouverts, mais ils ne le sont pas. Tout le monde doit rester à sa place, tu vois?

Rory avait en effet soupçonné cela chez les Rule, et l'entendre de la bouche d'Isabel le confirmait. L'idée que leur fils sorte avec une fille comme Rory leur ferait sans doute horreur. Cela dit, ce n'était pas à l'ordre du jour, se rappela-t-elle.

– Et lui, il n'a pas envie de faire la connaissance de tes amis et de ta famille?

Isabel haussa les épaules.

– Je ne sais pas. On ne parle pas de ça.

– Ah bon ?

– Non. J'aime comment les choses se passent en ce moment. Tout le monde pense que je vais chez Thayer, je sors, je reviens, tu me laisses entrer par ta chambre, c'est parfait.

Elle sourit et tourna brusquement à gauche avant qu'elles n'arrivent sur la plage.

– Et Landon ? Il t'a appelée ?

– Non.

– Mais c'est quoi, son problème ? Juste parce que tu as dû annuler ? Il se prend pour qui ? Zac Efron ? demanda Isabel en appuyant sur l'accélérateur. Tu devrais l'appeler.

– Alors là, non.

– Pourquoi ?

– Parce que je n'ai pas vraiment envie de sortir avec lui.

– Tu dois surmonter cette peur des mecs. Ce n'est pas sain.

– Je n'ai pas peur des mecs.

– Je t'en prie. Bien sûr que si.

– Peut-être que j'aime bien quelqu'un d'autre, s'entendit-elle répondre.

Isabel tourna brusquement la tête.

– Qui ? demanda-t-elle alors que Rory se rendait compte de ce qu'elle avait dit.

– Personne. Tu ne le connais pas.

– Je connais tout le monde. Qui est-ce ? Où l'as-tu rencontré ?

– Ce n'est personne, insista Rory, qui priait pour ne pas rougir.

Si Isabel soupçonnait qu'elle parlait de Connor, Rory ne pourrait pas garder son secret bien longtemps.

– Pourquoi es-tu aussi bizarre ? Dis-le-moi.

– Ce n'est personne, sérieusement. J'ai simplement dit ça pour que tu me lâches. C'est tout. Il n'y a personne.

Isabel plissa les yeux, comme si elle ne la croyait pas.

– Reste du côté droit ! cria Rory.

Isabel fit une embardée pour repasser de l'autre côté de la ligne jaune.

– Oh, attends, dit-elle en regardant par la fenêtre de Rory. C'est là que sera notre nouvelle maison.

– Tout ce terrain ?

– Uniquement une partie. Tu te rends compte qu'un seul type possède tout ça, et qu'il ne veut vendre à personne ? Quel dingue !

– Certains se moquent de l'argent.

– Alors si tu étais assise sur un truc valant vingt millions de dollars, tu ne le vendrais pas ?

– Peut-être pas.

– Oh, allez. Sérieusement ?

– Certaines choses sont plus importantes que des millions et des millions de dollars.

– Waouh ! s'exclama Isabel en levant les yeux au ciel. Je ne manquerai pas de répéter ça à mon père.

Son téléphone sonna et elle baissa les yeux.

– S'il te plaît, gare-toi, dit Rory.

Isabel s'arrêta sur le bas-côté de la route et lut son message.

– Une seconde. Ma mère vient de m'envoyer un texto. Connor est chez le concessionnaire Audi à Southampton. Il faut qu'on aille le chercher.

Rory sentit une décharge électrique la traverser.

– Euh... OK.

– On ferait mieux d'échanger nos places, ajouta Isabel en défaisant sa ceinture de sécurité. Il va flipper s'il me voit conduire sur la nationale.

Rory prit le volant et tenta de se concentrer sur la route. Elle ne savait pas trop ce qui la rendait la plus nerveuse : l'idée d'avoir Connor assis à côté d'elle sur le siège passager, ou celle qu'Isabel devine ses sentiments pour son frère.

Quand elles se garèrent devant le concessionnaire, Connor se tenait devant les portes, les mains dans les poches de son jean. *Mon Dieu, il est tellement mignon*, pensa Rory. *Tellement, tellement mignon.* Elle le regarda s'approcher de la voiture, le cœur battant la chamade. *Monte à l'avant*, pria-t-elle en le dévisageant. *S'il te plaît, s'il te plaît, s'il te plaît, monte à l'avant.*

Il ouvrit la portière.

– Je vais aller derrière, dit-il.

Dans le rétroviseur, Rory l'observa se glisser sur le siège arrière. Il était presque trop gentil.

– Qu'est-ce qu'elle a, ta voiture ? interrogea Isabel.

– Il faut changer les pneus et remplacer les freins. Le type dit que ça prendra au moins une journée.

– Ça craint.

Rory repartit, essayant de se concentrer sur sa conduite. Elle sentait que Connor la regardait.

– Alors, Rory, comment ça va ? demanda-t-il.

– Super, gazouilla-t-elle en croisant ses yeux bleus dans le rétroviseur. Comment se passent les cours ?

– Super. C'est marrant. Vous vous amusez bien ?

– On essaie de lui trouver un petit ami, intervint Isabel.

Rory agrippa le volant, si fort qu'elle faillit oublier de prendre la nationale.

– Oh. Cool.

Isabel donna un coup de coude à Rory.

– Je n'arrête pas de lui dire qu'il lui faut une amourette d'été. Mais elle ne veut pas m'écouter.

Le cœur de Rory battait à tout rompre. *Tais-toi, Isabel*, pensait-elle. *Ferme-la.*

– Oui, je vois, répondit mollement Connor. Et toi, Iz ? Quelque chose me dit que tu as un nouveau copain.

– Peut-être. Il s'appelle Mike. Il vit à Montauk.

– Quel âge ?

– Vingt et un ans.

– Il est trop vieux pour toi.

– Oh, je t'en prie.

– Non, je t'assure. Papa serait furieux.

– Papa n'en saura rien, répliqua-t-elle d'un ton irrité. Et tu as intérêt à ne rien lui dire. Je suis sérieuse, ajouta-t-elle en se retournant dans son siège. Ne lui en parle pas.

– Tu n'as pas besoin de me le dire.

– Et toi ? demanda Isabel, taquine. Tu es toujours...

– Iz, quand il y aura du nouveau, tu seras au courant, la coupa-t-il.

Rory regarda dans le rétroviseur. Elle n'avait jamais vu Connor aussi agacé. *Alors Isabel lui tape sur les nerfs, à lui aussi. Encore une chose que nous avons en commun.*

– Maman veut organiser une fête surprise pour papa, lança-t-il. Tu es au courant ?

– Papa déteste les surprises.

– C'est ce que je lui ai dit, mais tu la connais. Elle est prête à tout pour une fête.

Rory conduisait calmement, essayant de se remettre de l'un des moments les plus gênants qu'elle ait jamais vécus. Apparemment, Connor s'était senti tout aussi mal à l'aise. Elle se demandait de quoi parlait Isabel quand elle avait pris des nouvelles, mais elle fut bientôt absorbée par leur conversation sur la fête d'anniversaire de leur père.

– Oh, j'ai croisé les Knox il y a quelques jours, annonça Isabel. Tu te souviens d'eux? Ils sont rentrés de Californie.

Rory croisa à nouveau le regard de Connor dans le rétroviseur.

– Euh, je crois, répondit-il sans la quitter des yeux. Je me souviens juste que papa et maman ne leur parlent plus.

– Alors c'est pour ça qu'ils ont été aussi bizarres quand je leur ai demandé s'ils allaient passer à la maison, dit Isabel en regardant par la fenêtre. Au temps pour moi.

Quand ils arrivèrent, Rory prit tout son temps pour éteindre le moteur, afin de laisser Connor sortir et entrer dans la maison. Mais quand elle descendit de voiture, Isabel et lui discutaient toujours dans l'allée en graviers, et il lui lança un regard interrogateur tandis qu'elle fermait sa portière. Presque comme s'il voulait lui parler. Mais alors, elle se souvint de ce qu'avait dit Isabel sur la nécessité de lui trouver un petit ami, et elle se sentit incapable de croiser son regard. Elle les accompagna jusqu'à la maison, les yeux baissés.

– À plus, lança-t-elle quand ils pénétrèrent dans le hall.

– Qu'est-ce que tu vas faire? demanda Isabel. Tu veux regarder la télé avec nous?

– En fait, je crois que je suis fatiguée.

Elle n'arrivait pas à regarder Connor.

– Bon, merci pour la leçon de conduite.

– Pas de problème.

Elle jeta un coup d'œil à Connor, qui semblait sur le point de dire quelque chose, mais elle se détourna et se précipita dans sa chambre.

Elle enfouit son visage dans la pile d'oreillers sur son lit.

Il me prend pour une fille obsédée par les garçons.

Il croit que j'ai besoin d'aide pour me trouver un copain.

Il croit que j'ai quelqu'un d'autre que lui en vue.

Plus elle y pensait, plus elle appuyait son visage contre les oreillers, le cœur serré. Peut-être ferait-elle mieux de dire la vérité à Isabel ; comme ça, s'ils se retrouvaient tous les trois, elle n'aurait pas à supporter ça.

Mais son petit doigt lui soufflait que ce serait bien pire. La seule chose qu'il lui restait à faire, c'était éviter Connor Rule ces prochains jours. Et prier pour qu'il oublie toute cette conversation.

Chapitre 12

Cette nuit-là, elle fut réveillée par un petit coup ferme à sa fenêtre. Elle bâilla et alluma. Isabel lui fit coucou, tout excitée, et l'irritation qui subsistait après ce qu'elle avait dit dans la voiture disparut. Rory se glissa hors du lit et s'approcha de la fenêtre.

Isabel entra dans la chambre, accompagnée d'effluves de bière et de déodorant Axe.

– Je t'ai réveillée ? Désolée.

– Ce n'est pas grave, dit Rory en refermant la fenêtre.

Isabel posa ses chaussures et s'allongea par terre pour discuter, comme elle le faisait désormais quand elle se faufilait dans la chambre de Rory.

– Alors, comment s'est passée ta soirée ? demanda-t-elle en bâillant bruyamment dans son poing.

– Comme d'habitude. Tranquille. J'ai joué au Trivial Pursuit avec Erica et Fee.

– Ça m'a l'air horrible, grommela Isabel. Tu devrais sortir avec Mike, moi et ses amis, un de ces jours. Ils te plairaient.

Rory grimpa dans son lit et se glissa sous les couvertures.

– Il t'a encore fait rentrer dans un bar ?

– Non, on a juste fait un barbecue chez lui avec des amis.
C'était sympa.

– Bon. Alors ça se passe bien ?

Isabel posa la main sur sa poitrine dans un geste théâtral.

– Oh mon Dieu, non ! soupira-t-elle. Ça ne se passe pas bien.
Il me plaît trop.

– Et alors ? demanda Rory en posant la tête sur la paume
de sa main.

Isabel se redressa sur ses coudes.

– Ça craint. J'essaie de la jouer cool, d'être mystérieuse,
comme je l'étais autrefois. Mais ça ne sert à rien. Je suis trop
accro. Et ensuite j'imagine qu'il ne m'enverra plus jamais de
texto, ou qu'il va juste disparaître. Qu'il va partir un jour,
que je n'entendrai plus jamais parler de lui, et j'ai l'impression que je vais avoir une crise cardiaque.

– Tu penses qu'il pourrait faire une chose pareille ?

Rory repensa à Mike quand il était sorti de la maison ce
premier jour, la démarche lente, sexy et dangereux. Elle espérait pour le bien d'Isabel que sa première impression n'avait
pas été juste.

– Non, répondit Isabel après une hésitation. Je ne crois pas
qu'il pourrait se volatiliser. Mais j'y pense, parfois. C'est
comme si j'avais tellement peur de le perdre que je ne pouvais
même pas passer un bon moment avec lui. Et quand on n'est
que tous les deux, j'ai le sentiment que quelque chose
s'empare de moi et je perds le contrôle. Je ne peux plus m'arrêter. (Elle regarda Rory droit dans les yeux.) Ne t'inquiète pas.
Je n'ai pas couché avec lui.

– Je ne pensais pas à ça.

– Je ne compte pas rester vierge jusqu'à la fin de mes jours, c'est juste que je n'ai jamais assez aimé quelqu'un pour aller jusqu'au bout. Mais avec ce mec, je dois littéralement me forcer à m'arrêter, tu vois? J'ai envie de le faire avec lui. Tu trouves que je suis une fille facile?

– Non. Bien sûr que non.

– Pourtant tu es Mademoiselle Je N'ai Jamais Rien Fait.

– Tu n'es pas une fille facile. C'est normal. Tu es attirée par lui.

– Tellement, dit Isabel en se rallongeant par terre. Mais le truc bizarre, c'est que je ne sais vraiment pas grand-chose sur lui. Enfin, je connais son nom de famille, je sais qu'il travaille pour son père, qu'il va à Stony Brook, et je sais des petites choses, par exemple qu'il aime beaucoup le reggae et qu'il déteste les champignons, des trucs comme ça, mais je ne le connais pas vraiment. Et pourtant, j'envisage de coucher avec lui, ce que je n'envisagerais même pas avec un type dont je saurais tout. C'est bizarre, non?

– Pas forcément.

Isabel bâilla de nouveau.

– Je crois que je suis en train de tomber amoureuse.

Rory posa la tête sur son oreiller. Elle n'arrivait même pas à imaginer ce que cela faisait, d'être vraiment amoureuse. Du moins de quelqu'un qui ressentait possiblement la même chose.

– Et toi? demanda Isabel. Il doit bien y avoir quelqu'un avec qui tu pourrais sortir par ici. Laisse-moi réfléchir.

Connor, pria Rory, espérant que ce prénom sorte de la bouche de la jeune fille. *Pense à Connor.*

– Attends, j'ai trouvé! s'exclama Isabel en s'asseyant.

Pourquoi pas l'un des copains de Mike ? Il a plein de potes surfeurs. Et ils sont célibataires !

– Ce n'est pas la peine. Et il faudrait peut-être qu'on dorme. Isabel se leva.

– Merci de m'avoir écoutée. Je ne peux pas vraiment parler de ça à mes amies. Au cas où tu ne l'aurais pas deviné, ajouta-t-elle en souriant.

– Pas de problème.

– Bonne nuit, alors.

– Bonne nuit.

Rory la regarda s'éloigner dans le hall sur la pointe des pieds, puis monter l'escalier de service. Elle ferma la porte et retourna au lit. Elle aurait eu du mal à le croire quelques semaines plus tôt, mais il semblait bien qu'Isabel Rule et elle devenaient amies. Pourtant, si cela avait vraiment été le cas, n'aurait-elle pas dû pouvoir lui dire que son frère lui plaisait ? Ou ce genre de choses était-il toujours bizarre entre amies ?

Le lendemain matin, elle se réveilla avec des fourmis dans les jambes, comme si elle avait besoin de piquer un sprint. La matinée était grise et fraîche et elle sentait l'odeur d'une averse récente. C'était le 4 juillet, le jour de la fête nationale. Si elle avait été chez elle, elle serait allée à un barbecue dans la maison de famille de Trish, puis elle et ses amies seraient allées voir les feux d'artifice au Lac Hopatcong. Une vague de tristesse la submergea. Elle appellerait Sophie ou Trish aujourd'hui pour leur passer le bonjour. Peut-être leur manquait-elle vraiment.

Elle se leva et enfila un bas de survêtement et des baskets dans l'obscurité, puis une veste. Elle ne doutait pas d'avoir la plage pour elle toute seule.

Trixie attendait juste devant sa porte.

– OK, on y va, murmura-t-elle, et elles sortirent toutes les deux par la porte de derrière.

De la vapeur s'élevait des deux piscines alors qu'elle traversait le patio en direction du drapeau américain. Des dunes, l'océan paraissait marron, avec une barbe d'écume. Elle ramassa un petit bâton. Trixie bondit vers le sable, trop excitée pour patienter.

Sur la plage vide, Rory se mit à courir.

– Allez, ma jolie, va chercher ! hurla-t-elle en lançant le bout de bois flotté vers l'eau.

Trixie fonça aussi vite que le lui permettaient ses petites pattes et referma les dents sur le bâton. Rory courait le long de l'eau, faisant des feintes à droite et à gauche, laissant Trixie la pourchasser, le bâton dans la gueule.

Alors, elle aperçut un joggeur avec son chien. Même s'ils étaient assez loin, à mi-distance de Main Beach, elle voyait bien que le chien était gros, musclé et sombre, et que son maître ne le tenait pas en laisse. Ses mâchoires étaient refermées sur un objet que l'homme essayait de lui arracher, et chaque fois qu'il se rapprochait, le chien repartait en courant, le taquinant.

Trixie laissa tomber le bâton aux pieds de Rory, impatiente. La jeune fille le lança encore plusieurs fois sans s'arrêter de courir, laissant Trixie se mouiller et se maculer de sable. Ses poumons la brûlaient et de la sueur bordait ses sourcils. À un moment donné, elle sentit que de l'eau froide recouvrait sa basket et lui mouillait le pied.

– Viens, ma jolie, cria-t-elle à Trixie, qui cherchait son

bâton dans l'eau peu profonde. Il est l'heure de rentrer à la maison !

Trixie releva les yeux, le bâton dans la gueule, mais le léger bruit d'un collier qui tintait attira son attention. En un éclair, elle relâcha sa prise et partit à toute vitesse, droit sur le joggeur et son chien.

– Trixie ! appela-t-elle. Trixie !

Trixie continuait de foncer, si vite que Rory n'avait aucun espoir de la rattraper. Le chien noir se mit à courir vers la petite chienne, laissant son maître loin derrière lui. *Ce n'est peut-être pas grave*, pensa Rory. *Il n'y a peut-être aucun souci à se faire.* Mais l'adrénaline qui circulait dans son corps lui disait le contraire.

– Trixie ! Reviens ici tout de suite ! hurla-t-elle à nouveau, suppliant ses jambes d'aller plus vite.

Mais il était trop tard. Dès que le gros chien fut suffisamment proche, il plongea vers l'avant et fit claquer ses crocs, manquant de peu Trixie qui bondit en arrière. Elle dansait tout autour de lui, essayant de jouer, mais Rory voyait bien que l'autre chien n'avait aucunement l'intention de jouer. Il plongea à nouveau et referma la mâchoire.

– Trixie !

Elle la prit dans ses bras juste avant que le chien ne la touche.

– Aïe ! cria-t-elle en sentant un élancement.

Elle vit alors des marques de morsure sur le dos de sa main.

Le chien se jeta à nouveau sur elle, babines retroussées, juste au moment où quelqu'un arrivait en courant et se plaçait entre eux, faisant un bouclier de son corps.

– Hé ! cria Connor. Va-t'en ! Va-t'en !

Le chien tenta de le mordre, mais Connor le repoussa d'une main sur le torse.

– Va-t'en! lança-t-il avec fermeté.

Puis il poussa un grognement à vous glacer le sang. Aussitôt, le chien s'accroupit avec obéissance, puis posa la tête et les pattes avant dans le sable.

– Pas bouger! s'écria Connor, avant de se tourner vers le joggeur, haletant. Vous n'avez pas de laisse?

Le joggeur attrapa le chien par son collier. C'était un homme trapu dont la capuche encadrait un visage aux grands yeux verts interloqués.

– Je pensais qu'il n'en avait pas besoin, répondit-il.

– Les chiens doivent être tenus en laisse ici, mon vieux, répliqua Connor, avant de se tourner vers elle. Ça va? Tu es blessée?

Elle baissa les yeux et vit qu'un peu de sang coulait des marques de morsure.

– Ce n'est rien.

– Votre chien l'a mordue! s'enflamma Connor. Je pourrais appeler la police. Je devrais appeler la police.

– Il a eu son vaccin contre la rage il y a quelques mois, dit le joggeur, montrant la plaque sur le collier. Désolé. Il est juste un peu trop sur la défensive.

– Peu importe, ne revenez pas ici sans laisse.

C'était étrange d'entendre Connor parler aussi brusquement à quelqu'un, mais en même temps, c'était excitant.

Il retira le bras protecteur qu'il avait passé autour de sa taille.

– On va aller nettoyer ça, d'accord? (Il regarda Trixie.) Ça va?

La chienne lécha joyeusement la main de Connor, comme s'il ne s'était rien passé.

Devant l'abri à côté de la piscine, il rinça sa main avec de l'eau fraîche sortant du tuyau puis l'enveloppa dans une serviette molletonnée.

– Mais elle est blanche, protesta Rory. Je vais mettre du sang partout.

– Ne t'inquiète pas pour ça, dit-il doucement.

Il sécha ensuite Trixie avec une autre serviette, enlevant le sable et envoyant voler des poils tout autour d'eux.

– Je crois qu'il y a une trousse de premiers secours là-dedans, reprit-il. Ne bouge pas.

Il disparut un moment dans l'abri puis revint avec une petite boîte. Il s'assit à côté d'elle sur une chaise longue.

– C'était très impressionnant, lança-t-elle. Je n'ai jamais entendu personne grogner comme ça. Félicitations.

Il ouvrit la boîte et déballa un carré de gaze.

– Ce n'est pas très dur. Il faut juste y croire. Les chiens comprennent quand on ne plaisante pas.

– En tout cas, j'ai failli m'aplatir dans le sable, le taquina-t-elle.

Il rit.

– C'est bon à savoir.

Il versa un peu de liquide clair sur la gaze et se mit à tamponner la plaie.

– Je commence à me faire du souci, reprit-il.

– Pourquoi ?

– Entre ma folle de mère, ma folle de sœur, et maintenant ça, je ne serais pas surpris que tu aies envie de rentrer chez toi.

Il arrêta de nettoyer sa blessure et la regarda dans les yeux.

– C'est le cas?

– Non, je ne veux pas rentrer chez moi.

– Alors tu t'amuses ici?

Il semblait dubitatif.

– Oui. Absolument. J'adore me faire mordre par des chiens, c'est un de mes hobbies.

Il sourit et scotcha un carré de gaze sur la plaie.

– Bon, tant que tu ne t'en vas pas.

Il posa les yeux sur elle et rougit.

Son cœur fit un salto arrière.

– Enfin, l'important, c'est que tu passes de bons moments, ajouta-t-il rapidement. Et ce soir, ça devrait être marrant. Tu sais, le feu d'artifice, tout ça.

– Où allez-vous le voir?

– Au club. Mais la vue est aussi belle ici sur la plage. Presque plus belle.

Elle se rendit compte qu'il lui tenait toujours la main, n'étant manifestement pas pressé de la relâcher, et qu'il la regardait droit dans les yeux. Des mots lui vinrent aux lèvres puis disparurent. Elle lui plaisait. Elle en était certaine désormais. Alors, elle entendit un grincement et la porte de derrière s'ouvrit. Steve sortit sur le patio. Rory lâcha la main de Connor.

– Bon, merci, dit-elle, gênée.

– Remets-toi bien, Rory, répondit-il en se levant.

Il toucha sa main bandée et un frisson parcourut tout son bras.

– À plus tard, lança-t-il.

– Oui. Viens, Trixie.

Elle se dirigea vers la maison, où Steve semblait l'attendre.

– Salut, dit-elle.

– Que se passe-t-il ? demanda-t-il d'une voix plus plate, plus blanche que d'habitude. Qu'est-il arrivé à ta main ?

– Je me suis fait mordre par un chien sur la plage. Connor m'a aidée à nettoyer la plaie.

– Fais attention. Je ne voudrais pas que tu souffres.

– Je crois que c'est un peu tard pour ça.

– Je ne parle pas de la morsure. Je parle de Connor et toi. Je sais que ça ne me regarde pas, mais c'est une situation bizarre.

– Ah bon ?

– Peut-être pas pour vous, mais pour tous les autres. Et tu travailles ici, je te rappelle.

– Je ne vois pas de quoi tu parles, répliqua-t-elle.

Elle commençait à être en colère.

– Tu peux me croire. J'ai déjà eu des histoires de ce genre. C'est peut-être différent pour un garçon, mais...

– Il ne s'est rien passé.

– Je sais. C'est justement pour ça que j'aborde le sujet maintenant. Ne fais rien que tu pourrais regretter. Tu es dans une position de vulnérabilité, pas lui. C'est sa maison, pas la tienne.

Rory recula, fuyant son regard sévère.

– Waouh. Merci pour ton soutien, Steve.

– Rory...

– Laisse tomber.

Elle s'éloigna. Elle avait l'impression qu'il l'avait giflée. Steve l'avait taquinée au sujet de Connor. Il avait été de son côté. Et maintenant, il lui disait qu'elle allait souffrir. Ce n'était pas juste. Et au fond d'elle, elle avait envie que Steve pense qu'elle était assez bien pour Connor Rule. Il fallait bien que quelqu'un le pense.

Chapitre 13

– Coucou, murmura-t-elle à son oreille, alors que la barbe naissante sur sa mâchoire lui râpait le nez.

Le levier de vitesse s'enfonçait dans sa hanche. Elle toucha les cheveux humides à l'arrière de sa tête et les entortilla autour de ses doigts.

– Tu sens bon, dit-elle en lui embrassant légèrement la joue.

– Tu sens encore meilleur, chuchota-t-il.

Elle fit descendre ses lèvres le long de son visage, inspirant l'odeur de son shampoing et de l'eau salée, jusqu'à ce qu'il relève le menton et pose enfin ses lèvres douces et pulpeuses sur les siennes...

Derrière eux, une voiture klaxonna.

– Bouge! hurla le conducteur en sortant la tête par la fenêtre. Tu vas rester planté là toute la journée?

– Le 4 Juillet, soupira Mike. Ça fait ressortir le meilleur des gens.

Il quitta le parking de Main Beach.

– Stupides vacanciers, lâcha-t-il avant de lui sourire. Sans vouloir te vexer.

– Pas de souci, dit-elle sur un ton ironique.

Elle lui prit la main et la serra.

Elle commençait à aimer le trajet d'East Hampton à Montauk. Mike branchait son iPod et mettait Jane's Addiction, et elle regardait par la fenêtre les boutiques et étals de légumes pittoresques d'Amagansett, puis les petits restaurants de fruits de mer aux couleurs vives, avec leurs panneaux datant des années cinquante, et enfin les parcs naturels luxuriants de part et d'autre de la route. À chaque kilomètre parcouru vers l'est, le Georgica, ses parents, Thayer et Darwin s'éloignaient davantage.

Sauf qu'il lui était de plus en plus difficile de mentir. Jusqu'à présent, sa mère avait été trop occupée par ses parties de paddle-tennis pour remarquer quand Isabel n'était pas au club. Mais ce matin, elle avait dû inventer une histoire pour échapper au feu d'artifice au Georgica.

– Les Bayliff, avait-elle dit à sa mère, à la table du petit déjeuner. Tu sais, Melissa Bayliff, dont les parents ont une maison à Montauk ? Ils organisent une fête.

– Je croyais que tu ne la voyais plus, avait rétorqué sa mère en touillant son café.

– On a repris contact. Elle m'a invitée.

À côté d'elle, Connor mangeait ses œufs brouillés en silence.

– Serez-vous surveillés ? avait demandé son père.

– Ce sera chez eux.

– Ce n'est pas la même chose.

– Oui, on sera surveillés. Ce sont ses parents qui organisent la fête.

– Tu as leur numéro ?

Isabel avait failli éclater de rire.

– Sérieusement ? Tu vas les appeler ? Tu crois que j'ai quel âge ?

Même sa mère avait paru surprise.

– Larry, je ne pense pas que ce soit nécessaire.

– Comme tu voudras, avait-il dit d'une voix sarcastique avant de quitter la table en sifflotant.

– Il est de bonne humeur, avait commenté Connor.

Sa mère avait ouvert un de ses flacons de compléments alimentaires.

– Il est juste en colère contre moi à cause de cette histoire de maison. Isabel, va à cette fête, mais fais attention en rentrant. Il y aura beaucoup de conducteurs ivres sur la route. Peut-être que Rory pourrait t'accompagner et prendre la Prius ?

– Ou peut-être qu'elle pourrait venir au Georgica avec nous, avait suggéré Connor.

Mme Rule avait reposé le flacon.

– Pourquoi ferait-elle une chose pareille ?

– Eh bien, parce qu'on y va tous. Je me suis dit que ce serait gentil de l'inviter.

Isabel s'était rendu compte que c'était le moment de partir. Elle ne voulait pas devoir demander à Rory de l'accompagner à une soirée qui n'existait pas.

– Je peux sortir de table ? avait-elle lancé en se levant.

– Oui, avait répondu sa mère.

Elle l'avait ensuite entendue expliquer à Connor que Rory serait bien plus contente d'aller à Sag Harbor avec le reste du personnel. Elle avait levé les yeux au ciel : au fond, sa mère était tellement hypocrite. Ça ne la dérangeait pas d'accueillir

205

chez elle une fille qui allait chercher ses vêtements chez le teinturier, mais elle ne la laisserait jamais faire partie de la famille.

Assise à côté de Mike dans les embouteillages, en route pour l'extrémité de Long Island, elle se dit qu'elle l'avait échappé belle.

– Qu'est-ce que tu voudras faire ? demanda-t-il. Surfer ou traîner ?

Elle savait ce qu'il entendait par traîner. Ils l'avaient beaucoup fait ces temps-ci. *Peut-être un peu trop*, pensa-t-elle. Il allait falloir qu'elle ralentisse un peu, même si elle n'y arrivait jamais. Ils finissaient toujours par se retrouver chez lui ; ils buvaient un soda ou grignotaient quelque chose, et puis ils allaient dans sa chambre. Alors elle s'allongeait sur le lit grinçant au fin dessus-de-lit bordeaux, et il allumait le ventilateur qui ne dissipait pas l'humidité du lac s'infiltrant dans la pièce. Et rapidement, une passion délirante s'emparait d'eux et les choses échappaient à tout contrôle, jusqu'à ce que des heures aient passé, qu'il fasse sombre dehors et que ses cheveux et sa peau soient trempés de sueur. Alors, elle savait qu'elle devait partir.

– Allons à la plage, dit-elle.

C'était plus sûr. Il faudrait quand même qu'ils passent chez lui pour qu'elle récupère sa combinaison, mais elle devinait qu'il resterait dans la voiture.

– Cool, répondit-il. Et ensuite, on pourrait retrouver Gordy et les autres. Ils vont voir le feu d'artifice au Ripcurl.

Elle avait rencontré Gordy lors de la fête chez Mike. Ils étaient allés au lycée ensemble. Il était bruyant, tatoué et avait le visage buriné. Il lui avait instantanément déplu.

– OK. Est-ce que je pourrai entrer ?

– Leelee y travaille. Elle s'arrangera pour qu'on ne te demande pas ta carte d'identité.

Elle se rappelait toujours la façon dont Leelee avait regardé Mike ce premier soir, quelques semaines auparavant, comme s'il était le numéro 1 sur la liste de ses proies.

– Tu es sûr ? Je pensais que tu détestais ce genre d'endroits.

– Si c'est nul, on ne sera pas obligés de rester. Soit on va là-bas, soit on va au phare, où ce sera encore pire. (Il se tourna vers elle.) Tu es tellement belle.

– Menteur, dit-elle avant de l'embrasser.

Il n'y avait presque plus de vagues quand ils arrivèrent à Ditch Plains, mais il restait encore assez de houle pour qu'ils puissent surfer un peu. Elle se sentait de plus en plus à l'aise sur sa planche devant Mike, même si elle avait toujours du mal à se concentrer sur les vagues. Ils surfèrent jusqu'à ce que la lumière devienne dorée et lorsqu'ils retournèrent à la voiture, elle se sentait épuisée et heureuse comme elle ne l'avait pas été depuis son enfance.

Elle posa son bikini dans la voiture et enfila une robe tunique. Elle avait oublié de prendre un peigne, mais elle espérait que, grâce au sel, ses cheveux onduleraient joliment en séchant.

Ils traversèrent la ville puis prirent la direction de Lake Montauk et tournèrent dans une allée qui menait à un bâtiment bas et blanc à bardeaux.

– Regarde la file pour entrer, dit Mike.

Il désignait les gens qui attendaient le long de la véranda et sur l'escalier, jusque dans l'allée. Des véhicules luxueux y étaient arrêtés, le moteur en marche.

– C'est déjà plein d'abrutis, ajouta-t-il.

Un voiturier vêtu d'un short de surf et d'une chemise hawaïenne vint prendre leur véhicule.

– Bienvenue au Ripcurl, déclara-t-il à Mike en lui tendant un ticket. Aloha.

– Aloha, répondit Mike, avant de se tourner vers elle. Si ça craint, on s'en ira.

– Bonne idée, dit-elle.

Ils passèrent devant la file d'attente.

– Salut, nous sommes des amis de Leelee, annonça Mike au videur, qui ouvrit la porte sans un mot. Aloha, répéta-t-il, et Isabel ne put s'empêcher de rire.

À l'intérieur, le décor était à la fois rétro et chic : tables taillées dans du bois flotté, causeuses roses et canapés aux cadres de rotin, murs en brique blanchis à la chaux, photographies en noir et blanc de surfeurs des années soixante. Les clients semblaient approcher de la trentaine et avoir une bonne situation. C'était des gens qui travaillaient à New York, gagnaient de l'argent et voulaient avoir l'impression d'être dans un club d'un quartier branché de là-bas quand ils venaient ici, ce qu'Isabel trouvait absurde. Ce n'était pas le genre de personnes qu'elle fréquentait. Et elle savait que Mike non plus.

– Hé, tu es venu !

Leelee s'approchait d'eux, vêtue d'un minishort et d'une chemise blanche nouée à la taille. Elle tenait un plateau en équilibre sur une main et embrassa Mike sur la joue.

– C'est cool, ici, mentit Mike en passant un bras autour des épaules d'Isabel. Tu te souviens d'Isabel ?

– Oh, oui.

Elle lui adressa un sourire si subtil qu'il en devenait presque inexistant.

– Salut, dit Isabel.

– Gordy et les autres sont par là-bas, lança Leelee. Assure-toi qu'ils ne se bourrent pas trop la gueule, OK ? J'aimerais bien garder mon job.

Isabel aperçut Gordy entouré de sa cour, installée sur deux canapés. Elle n'avait jamais vu les filles qui l'accompagnaient. Elles étaient assises à un bout de canapé, plongées dans leur conversation, sirotant ce qui ressemblait à des daïquiris à la fraise. Elle leur donnait une petite vingtaine d'années. *Super, c'est encore moi la plus jeune*, pensa-t-elle.

– Qu'est-ce que je peux vous servir ? demanda Leelee.

– Je vais prendre une bière, dit Mike. Isabel, tu veux une bière ?

Elle hocha la tête.

– Deux, alors.

– Est-ce qu'elle a une carte d'identité ? interrogea Leelee en la pointant du doigt.

Mike regarda Isabel, ne sachant quoi répondre.

– Non, souffla celle-ci.

– Dans ce cas, désolée, dit Leelee d'un ton plat. Je ne peux pas. Plusieurs clubs ont été condamnés pour avoir servi de l'alcool à des mineurs.

Il y eut un silence gênant. Isabel avait envie de demander à Leelee si elle aurait refusé de servir Mike quelques semaines plus tôt, quand il n'avait encore que vingt ans, mais elle laissa tomber.

– Je prendrai juste de l'eau, alors.

– Ça arrive tout de suite, lança Leelee avec un sourire glacial, avant de s'éloigner.

Isabel était trop embarrassée pour faire autre chose que regarder la foule.

– Cet endroit n'est pas mal, dit-elle vaguement.

– On ne va pas rester longtemps. Désolé qu'ils soient aussi coincés par rapport à la bière.

– Ce n'est rien.

– Allons dire bonjour à Gordy. On ne va pas s'attarder.

À en juger par le nombre de bouteilles de bière sur la table, Gordy et ses amis faisaient la fête depuis un bon moment.

– Hé, Gordy, quoi de neuf? lança Mike.

– Castelloni! s'écria-t-il. Tu es venu! Ça roule, mec?

Isabel sortit son plus beau sourire hypocrite. Gordy était vraiment naze.

– Tout va bien, mon pote. Tu te souviens d'Isabel? demanda Mike en posant la main dans son dos.

– Oh, ouais, salut. Asseyez-vous. Hé, poussez-vous pour faire de la place à Mike.

Mike s'assit à côté de Gordy, Isabel entre Mike et les filles. Celle sur sa droite avait des cheveux blond platine, avec une coupe à la Farrah Fawcett remise au goût du jour, des mèches tombant en vagues de chaque côté de son visage ; c'était manifestement la meneuse. Les deux autres, brunes, étaient pendues à ses lèvres. L'une d'elles avait un anneau dans le nez. Elles lui jetèrent un bref coup d'œil puis se remirent à parler.

– Non mais tu as vu cet endroit? demanda Gordy en se tournant vers Mike. Des Corona à dix dollars !

– Admets-le, G. Tu adores ce genre de bars.

– Tu m'as démasqué. J'ai vraiment besoin de dépenser vingt dollars pour un burger pour avoir l'impression d'être un homme.

Leelee réapparut et posa sur la table, juste devant Mike, ce qui ressemblait à un milk-shake couronné d'une ombrelle.

– La spécialité de la maison, annonça-t-elle. La Lave Brûlante. Cadeau de Leelee.

Elle lui fit un clin d'œil.

– Merci, dit Mike.

– Et voilà pour toi, déclara-t-elle en déposant un verre rempli d'un liquide clair et gazeux et de glace, un 7 Up.

– Je n'ai pas demandé ça. J'ai demandé de l'eau, répliqua Isabel, consciente que tout le monde la regardait.

– Tu ne bois pas ce soir? l'interrogea Gordy.

– Elle ne peut pas, rétorqua sèchement Leelee. Mineure. Désolée. Je vais t'apporter de l'eau.

Isabel bouillonnait en silence alors que Gordy parlait à Mike d'un ancien camarade de lycée qu'il avait croisé récemment. Elle était certaine que Leelee l'avait fait exprès. Peut-être avait-elle vraiment un faible pour Mike. En tout cas, elle n'allait pas la laisser gagner. Sûrement pas.

Soudain, Farrah Fawcett se pencha vers elle.

– Hé, quel âge as-tu?

Mentir ne servait à rien.

– Dix-sept ans.

– Et vous vous êtes rencontrés comment, toi et Mike?

– Dans l'eau. Il faisait du surf devant mon club.

– Oh, mais attends, on a entendu parler de toi! lança la brune avec le piercing dans le nez. Tu vis à New York, c'est ça?

– Oui.

– Mais on ne savait pas que tu étais au lycée.

– Eh bien si.

– Désolée, reprit Farrah Fawcett, c'est juste... Vu les filles avec qui Mike sort d'habitude... Il fréquente toujours des filles plus âgées. Sa dernière copine devait avoir vingt-cinq ans.

Son ventre se serra.

– Ah, oui, Nicolette, renchérit Anneau Nasal. Je crois que je l'ai vue dans une pub Ralph Lauren.

– Quoi ? demanda Isabel.

– Elle était mannequin, expliqua Farrah, nonchalamment. Ils sont sortis ensemble très longtemps. Une relation très tumultueuse.

– Oui, j'ai entendu dire que c'était vraiment torride entre eux, ajouta Anneau Nasal.

Alors que le mot « torride » flottait dans l'air, Leelee revint et posa un verre d'eau devant elle.

– Autre chose ? demanda-t-elle d'une voix autoritaire.

Isabel secoua la tête. Son cœur battait à tout rompre.

Leelee partit comme un ouragan.

Isabel avait besoin d'air.

– Je reviens tout de suite, dit-elle.

Elle se fraya un chemin à travers la foule. Elle avait l'impression qu'on venait de la frapper. Tout ce temps, elle avait soupçonné Mike de la comparer aux filles qui pouvaient sortir toute la nuit et commander une bière dans les bars. Mais être comparée à une fille payée pour être belle, voyager dans le monde entier et avoir sa photo dans les magazines, et qui pouvait lui offrir une relation « torride »... Elle ne s'était jamais sentie aussi rabaissée.

Elle trouva les toilettes et s'enferma dans un box. À l'extérieur, des filles bavardaient joyeusement devant les lavabos, parlant des garçons avec qui elles étaient ou avec qui elles voulaient être. Des filles plus âgées, qui ne comprendraient pas ce qu'elle ressentait. Des filles qui vivaient seules. Des filles pour qui le sexe faisait partie intégrante d'une relation amoureuse. Peut-être que le sexe ce n'était pas grand-chose, tout compte fait. Peut-être que si elle couchait avec Mike, elle verrait qu'il n'y avait pas de quoi s'inquiéter ni se prendre la tête. C'était sans doute comme passer son permis de conduire, quelque chose qui paraissait énorme au premier abord, mais qui deviendrait aussi routinier et banal que tout le reste.

Rory lui manquait. Elle appréciait son côté équilibré, son immunité aux affres qu'Isabel avait toujours connues. Rory lui remonterait le moral. Que faisait-elle ce soir ? Elle ne s'en souvenait pas. Maintenant, elle regrettait de ne pas l'avoir invitée. Elle sortit son téléphone de sa poche, mais il n'y avait pas de réseau. Il fallait qu'elle aille l'appeler dehors.

Lorsque les autres filles sortirent, elle déverrouilla la porte et l'ouvrit. Dans le miroir, elle découvrit que ses cheveux avaient séché en douces ondulations naturelles et que le soleil avait légèrement coloré son visage. Mais tout ce qu'elle voyait, c'était cette fille avec qui Mike était sorti – qui qu'elle soit, quelle que soit son apparence –, allongée dans un champ, vêtue d'une robe de bal noire et de bottes en caoutchouc, superbe, hors d'atteinte et plus belle qu'Isabel ne le serait jamais.

Quand elle revint dans la salle, Mike discutait avec une autre serveuse, sans doute une amie de Leelee.

– Hé, bébé, dit-il. Tu vas bien ?

– Ça va.

Il se tenait près de cette fille. Trop près.

– En fait, je ne me sens pas très bien. Je crois que j'aimerais y aller.

Sans attendre de réponse, elle sortit et dépassa la file d'attente le long de la véranda, que les videurs tentaient toujours de contrôler. L'air était lourd et humide alors qu'elle s'enfonçait dans l'obscurité grandissante et un chœur de grenouilles-taureaux coassait depuis la profondeur des fourrés.

Elle entendit Mike qui marchait derrière elle.

– Isabel ? Qu'est-ce qu'il y a ?

Elle fit volte-face.

– Pourquoi ne m'as-tu pas parlé de ton ex ? demanda-t-elle, à peine capable de le regarder.

– Quoi ?

– Le mannequin Ralph Lauren. Qui a vingt-cinq ans. Ou qui avait vingt-cinq ans. Elle a quel âge, maintenant ? Trente ans ?

– Pourquoi es-tu aussi en colère ? Je ne t'interroge pas sur tes anciens petits copains.

– Pourquoi ne m'as-tu pas parlé d'elle ?

Il fit un pas vers elle.

– Pourquoi est-ce aussi important ?

– Parce que j'aimerais le savoir.

– Très bien, oui, je suis sorti avec une fille qui est mannequin et qui a vingt-cinq ans. Et oui, j'ai eu des petites copines plus âgées. Qu'est-ce que ça peut bien faire ?

– Ça me fait quelque chose, à moi ! cria-t-elle. Si tout ce que tu veux, c'est sortir avec des top models, alors qu'est-ce que tu fabriques avec moi ? Qu'est-ce que tu retires de tout ça ?

Il recula.

– Tu te comportes un peu comme une folle, tu sais ?

– Je veux simplement savoir ce que tu fais avec une fille à qui on demande sa carte d'identité, qui ne peut pas conduire et qui doit être rentrée chez elle à minuit. Alors que tu pourrais partir à Paris ou je ne sais où avec un top model. C'est juste histoire de séduire la fille riche de Lily Pond Lane ? C'est ça ?

Il eut un mouvement de recul, comme si elle avait levé la main pour le frapper. À son expression, elle comprit qu'elle était allée trop loin.

– Peut-être qu'on devrait arrêter, dit-il finalement.

– Quoi ?

– Je ne veux pas sortir avec une personne qui ne sait pas pourquoi je suis avec elle. Ou qui pense que tout ce qui m'intéresse, c'est quelqu'un qui peut commander de l'alcool.

Il se détourna et repartit vers le bâtiment.

– Hé, je suis désolée, lança-t-elle en lui emboîtant le pas, avant de lui prendre la main. J'ai flippé, c'est tout. Ne pars pas, d'accord ?

Il continuait de marcher, refusant de croiser son regard. Les feuilles bruissaient dans la brise. Elle se planta devant lui.

– Hé, je suis désolée. C'est juste... Je n'ai pas l'habitude de ressentir ça.

Il regardait les graviers et, finalement, il pressa sa main. Puis il l'attira contre lui et l'étreignit sans rien dire.

Elle enfouit le visage contre son épaule et posa la main sur sa nuque.

– Rentrons à la maison, reprit-elle sur un ton qui en disait long. Tout de suite. J'ai besoin de toi.

Elle espérait qu'il comprendrait ce qu'elle entendait par là.

– Tu es sûre ? demanda-t-il, pétrissant son épaule d'une main. Je ne veux pas que tu fasses quelque chose dont tu n'as pas envie.

Elle leva la tête. Ces yeux limpides semblaient plonger tout au fond d'elle. Et elle se rendit compte qu'elle ne pouvait rien contre eux. Cela ne servait plus à rien de résister.

– J'en suis sûre. Allons-y.

Chapitre 14

Rory regarda le téléphone dans sa main, puis l'horloge. Il faisait nuit noire et, par la fenêtre ouverte, elle entendait le chant agité des grillons. Elle ne pouvait pas repousser ce moment plus longtemps. Trois semaines avaient passé, c'était un jour férié, et si elle ne faisait rien, le silence entre sa mère et elle deviendrait très réel. Comme d'habitude, ce serait à elle de faire le premier pas. À la maison, cela revenait à aller frapper trois fois à sa porte et à s'excuser derrière. Mais ce coup-ci, elle allait devoir l'appeler. Elle appuya le téléphone contre son oreille. Il y eut plusieurs sonneries. Au moins, la ligne n'avait pas été coupée ; elle était soulagée.

– Ouais ! répondit une voix masculine.

C'était Bryan. On aurait dit qu'il était pris dans une fusillade. Elle comprit qu'il jouait à un jeu vidéo. Elle se força à prendre un ton plein d'entrain.

– Salut, Bryan ! Ma mère est là ?

– Attends une seconde, lâcha-t-il alors qu'une explosion particulièrement forte retentissait derrière lui.

Elle entendit ensuite le téléphone sans fil qui tombait sur la moquette.

– Lana ? Téléphone !

Il y eut un bruit de grattement, puis quelqu'un décrocha l'autre poste.

– Raccroche ! hurla sa mère.

Bryan obtempéra.

– Bonjour, chérie ! lança-t-elle d'une voix aussi chaleureuse et suave que du caramel chaud. Tu m'appelles enfin ! J'ai beaucoup pensé à toi. Comment va ma petite fille ?

La chaleur et l'enthousiasme de sa mère ne pouvaient signifier que deux choses : elle avait bu deux verres de chardonnay et Bryan avait emménagé à la maison.

– Je vais bien. Je me suis dit que j'allais t'appeler, comme ça fait un moment qu'on ne s'est pas parlé. Tout va bien ?

– Tout va parfaitement bien. Vraiment. On s'amuse tellement ensemble, Bryan et moi. Je t'assure. Tu l'adorerais. Comment ça se passe là-bas ?

– Très bien. Fee te passe le bonjour.

– OK. Et chérie, Bryan est super. Il m'aide à la maison, il a réparé les toilettes pour que la chasse ne coule plus tout le temps, et il est tellement attentionné ! Il m'offre des fleurs... On passe des moments excellents !

– C'est super, dit Rory, que le bavardage adolescent de sa mère faisait grimacer intérieurement. Je suis contente pour toi.

– Tu verras, à ton retour. Je pense que tu seras vraiment contente de l'avoir à la maison.

– Alors il s'est installé chez nous ?

– Oui, il avait des problèmes avec ses colocataires. Mais c'est merveilleux. Et maintenant, il faut qu'on y aille. Stacey organise une fête au lac. Qu'est-ce que tu vas faire ce soir ?

– Rien. Fee et d'autres membres du personnel ont décidé d'aller voir le feu d'artifice à Sag Harbor, mais je suis un peu fatiguée. Je crois que je vais rester à la maison et avancer dans mes lectures d'été.

– Je reconnais bien ma fille ! Rester à la maison le jour de la fête nationale...

Rory ne dit rien.

– On se rappelle bientôt, chérie.

– Au revoir, maman.

Elle raccrocha et posa le téléphone sur la table de nuit, sur la couverture plissée de *La Conjuration des imbéciles*, qu'elle était censée lire pour son cours d'anglais. *Comme c'est approprié*, songea-t-elle. Le titre idéal pour sa mère et Bryan.

Elle soupira et posa la tête sur le dessus-de-lit doux et blanc. Au moins, c'était terminé. Elle pouvait penser à Connor.

Elle tira les bords de son bandage et sourit. L'épisode avec le chien fou lui semblait s'être passé un an plus tôt. Était-ce vraiment ce matin qu'il s'était assis à côté d'elle sur la chaise longue, au bord de la piscine, pour la soigner ? Était-il vraiment possible qu'il lui ait tenu la main pendant plusieurs minutes d'affilée ? Qu'il ait eu peur qu'elle veuille rentrer chez elle ?

Elle se tourna sur le dos et regarda le ventilateur, souriant à ce souvenir. Mais alors, elle se rappela la désapprobation sur le visage de Steve. Elle savait bien qu'il ne voulait pas jouer le rabat-joie. Pour qu'il lui fasse la leçon comme ça, il fallait au moins qu'il pense avoir raison. Connor Rule était hors d'atteinte. Même s'il ressentait la même chose pour elle, ce dont elle n'était pas sûre, il ne pourrait rien se passer entre eux. Sortir avec Connor serait une mauvaise idée. Et finalement, on payait toujours pour ses mauvaises idées. Il suffisait de regarder sa mère. Elle avait décidé de ne pas se marier quand elle était tombée enceinte et d'être une mère bohème, nature. La première des nombreuses mauvaises décisions de Lana McShane.

Elle bâilla et remonta la couette. Juste au moment où elle commençait à glisser dans le sommeil, elle entendit un bruit familier. Une voiture dans l'allée.

Elle regarda l'horloge. Vingt heures trente. Quelqu'un rentrait tôt, très tôt. La voiture se gara en marche arrière. Le ronronnement du moteur ressemblait à celui de l'Audi de Connor. Le cœur battant la chamade, elle se leva, s'approcha de la fenêtre et regarda discrètement entre les rideaux.

L'Audi métallisée était là, tous phares éteints. Elle recula d'un bond en entendant des bruits de pas. Connor. Il était seul. Et maintenant, il n'y avait qu'eux deux dans la maison.

Elle avait envie de sauter sur place tant elle était excitée, mais elle se força à rester tranquille. Elle distingua la porte de derrière, des pas dans le couloir, puis dans la cuisine. Elle souffla. *C'est maintenant ou jamais*, pensa-t-elle. Elle enfila ses tongs. Il fallait qu'il sache qu'elle était là. Elle allait faire semblant d'aller se préparer un en-cas. Et s'il ne voulait pas passer du temps avec elle, elle ferait une sortie discrète.

Alors qu'elle marchait à pas feutrés dans le couloir, elle l'entendait ouvrir et refermer des placards et des tiroirs, défaire des emballages en plastique. Quand elle arriva devant la porte battante, elle la poussa de quelques centimètres seulement.

– Salut, dit-elle. Tu es rentré tôt.

Il leva les yeux de l'assortiment de viandes froides qu'il

avait placé sur le comptoir. Le sourire qu'il lui adressa fit battre son cœur encore plus vite.

– Salut. Qu'est-ce que tu fais là ? C'est le 4 Juillet.

– J'avais envie de rester à la maison, c'est tout.

– Cool, lança-t-il, laissant son sourire s'épanouir. Entre. Tu veux que je te fasse un sandwich ?

– Oh, non merci. Je venais juste chercher un cookie aux pépites de chocolat.

Elle avait l'impression de flotter. Elle avait rêvé de ce moment toute la journée. Et maintenant, cela arrivait vraiment.

– Comment va ta main ?

– Bien. Bandée par un professionnel.

– Super. Ça te fait mal ?

Elle secoua la tête.

– Ce n'était pas grand-chose, je crois. Qu'est-ce que tu fais à la maison ? Je pensais qu'il y avait une grosse fête au club.

– En effet, mais je suis parti, dit-il en déposant de la dinde sur une tranche de pain. Le Georgica, ce n'est vraiment pas mon truc.

– Vous y allez depuis toujours, non ?

– Nous avons arrêté d'y aller pendant quelques années. Nous passions le 4 Juillet ici, sur la plage. On invitait des amis et tout le monde apportait des couvertures. C'était bien plus drôle. Maintenant, c'est de l'amusement forcé. Les gens sont tellement coincés, là-bas. Ou peut-être ne suis-je tout simplement pas d'humeur à faire la fête ce soir.

Elle rit.

– Je vois ce que tu veux dire. Je viens juste de parler avec ma mère au téléphone. On a discuté cinq minutes et la dernière chose dont j'ai envie, c'est de fêter quoi que ce soit.

– Je te comprends.

– Pourtant vous semblez très bien vous entendre, ta mère et toi.

– On a déjà une rebelle dans la famille, je n'ai pas le choix, dit-il avec un sourire contrit.

– Alors tu es le bon fils.

– En quelque sorte. C'est plus facile comme ça. Et toi ?

– Ma mère s'est remise avec son copain, alors elle ne m'en veut plus d'être venue ici.

– Tant mieux. Il t'a sans doute fallu du courage.

– Oui et non. Si j'étais restée dans le New Jersey, je serais devenue folle. Je crois que c'est juste mon instinct de survie qui a parlé.

Il rit. Juste à ce moment-là, elle entendit une grosse détonation, suivie d'un crépitement caractéristique.

– C'est le feu d'artifice ?

Connor reposa son couteau.

– Ça commence. Tu veux qu'on aille le regarder sur la plage ?

Elle déglutit nerveusement.

– Oui. Attends une seconde. Il faut que j'aille chercher un pull.

Elle courut jusqu'à sa chambre. À genoux, elle chercha ses baskets sous son lit, finit par les trouver et les enfila. *Reste calme*, se dit-elle en faisant ses lacets. *Ne te mets pas dans tous tes états. Il est amical, c'est tout.*

Un gros pull dans les bras, elle fonça dans le couloir. Connor tenait une couverture.

– Tu es prête ? demanda-t-il.

Ne regarde pas la couverture, pensa Rory. *Ne la regarde pas.*

– Oui.

Le ciel nocturne crépitait dans une explosion de lumières rouges lorsqu'ils sortirent sur le patio. Une fusée prit la forme d'un saule pleureur puis glissa dans le ciel.

– Waouh ! fit-elle. C'est un bon point de vue.

– C'est encore mieux sur la plage. Viens.

Il lui prit la main et l'entraîna vers les planches de bois qui y menaient.

Quand ils parvinrent tout en bas, un gros soupir et un sifflement résonnaient dans l'air. Elle leva les yeux et vit s'envoler dans toutes les directions des roquettes violettes et dorées. Connor avait raison. On aurait dit que ce spectacle n'avait lieu que pour eux. Ils se dirigèrent vers l'est sur la plage déserte, jusqu'à ce qu'il n'y ait plus rien derrière eux, qu'une dune couverte d'herbe.

Il étendit la couverture sur le sable.

– Fais comme ça, dit-il en s'y allongeant sur le dos pour pouvoir contempler les étoiles.

Elle l'imita. Leurs épaules se touchaient, mais elle essayait de ne pas y penser. Au-dessus d'eux, les explosions s'enchaînaient dans un kaléidoscope de couleurs vives.

– C'est incroyable, murmura-t-elle.

Les lumières pétillaient et flamboyaient, prenant différentes formes.

Il va m'embrasser, pensa-t-elle. *Avant qu'on rentre à la maison, il va m'embrasser.* Elle n'arrivait presque pas à le croire. Elle revoyait le visage préoccupé de Steve, repensait à ce qu'il avait dit. Peut-être fallait-il qu'elle s'inquiète. Peut-être était-ce une mauvaise idée. Mais étendue là, elle sentait la chaleur de son corps, si proche d'elle, et elle savait qu'elle était exactement là où elle avait envie d'être.

Quand il ne resta plus que l'écho des explosions et l'odeur âcre de la fumée dérivant au-dessus de l'eau, ils s'assirent. Elle épousseta le sable sur ses jambes. Elle se sentait soudain tellement nerveuse qu'elle tremblait.

– Tu as froid ? demanda-t-il.

Il passa un bras sur ses épaules.

– Un peu.

Elle se pencha vers lui, il se pencha vers elle. En face d'eux, l'océan argenté bouillonnait doucement sous la lune, presque complice de ce qui allait se passer. Il inclina son visage vers le sien, lentement, et elle fit la même chose.

Laisse-toi faire, pensa-t-elle. *Pour une fois, laisse-toi faire.*

Avec douceur, elle lui prit la main et glissa ses doigts entre les siens. Tandis qu'ils fermaient les yeux et que leurs lèvres se touchaient, des milliers d'objections lui traversèrent l'esprit. Mais alors, elles se dissipèrent, comme des feux d'artifice après l'explosion.

Chapitre 15

Isabel ouvrit les yeux. Une lumière grise et vive brillait sur les bords de ses stores occultants. Elle enfouit sa tête sous son édredon, écoutant le doux ronronnement du ventilateur au plafond et les oiseaux qui gazouillaient dehors, dans les ormes. C'était un samedi matin comme n'importe quel autre, et tout allait bien, excepté l'enchaînement de pensées dans son cerveau endormi, qui lui coupa le souffle : hier soir ; Mike ; sexe.

Elle roula sur le côté et remonta ses genoux contre sa poitrine. Physiquement, elle se sentait comme d'habitude. Tous ses membres étaient à leur place, elle ne se sentait pas malade, ni nauséeuse. Et pourtant, tout au fond d'elle, quelque chose semblait changé. Elle repoussa les couvertures et se redressa sur un bras. Cette impression était-elle positive ou négative ? Elle n'en savait rien. Pas encore. Il faudrait qu'elle repense à tous les détails de cette soirée, plus tard, quand elle serait mieux réveillée. Pour l'instant, tout ce dont elle se souvenait, c'était de la douceur et de la gentillesse de Mike, qui s'était assuré à chaque étape qu'elle se sentait bien. « Dis-moi si tu veux arrêter », avait-il répété.

Elle avait secoué la tête. Non. Elle n'avait pas voulu arrêter et, même si c'était effrayant, cela l'avait soulagée de continuer. Ensuite, il y avait eu le moment qui faisait mal et qui, franchement, n'était pas très agréable, mais dans l'ensemble, ça s'était plutôt bien passé. Plus que ça : ça avait été merveilleux. Après, il l'avait serrée dans ses bras et avait joué avec ses cheveux en lui disant qu'elle était magnifique. Elle avait inspiré son odeur, fermé les yeux et écouté les battements de son cœur et finalement, elle s'était endormie. Elle s'était réveillée en sursaut, quelques heures plus tard, et lui avait tapoté le bras pour qu'il se réveille lui aussi. Sur le trajet du retour, ils n'avaient pas parlé, ils s'étaient seulement tenu la main. Il s'était arrêté devant le portail, fantomatique à la lueur des lampadaires.

– Ça va ? avait-il demandé.

– Oui.

– Je voudrais que tu restes.

– Je sais.

Elle s'était penchée vers lui et ils s'étaient embrassés. Ensuite, elle s'était dégagée à contrecœur et avait couru jusqu'à la maison. L'aube pointait déjà et un ciel rose et violet apparaissait derrière les branches des arbres. À son grand soulagement, quelqu'un avait laissé la porte de derrière ouverte. Elle était entrée, avait échangé un hochement de tête avec une Trixie tout endormie, monté l'escalier et elle s'était glissée au lit.

Pourtant, quand elle repensait à cette soirée, elle avait l'impression que quelque chose clochait. Le problème, c'est qu'elle ne savait pas quoi. Après leur départ du Ripcurl, tout avait été parfait. Mike avait allumé plusieurs grosses bougies qu'il avait trouvées dans la cuisine puis avait mis de la musique douce. Il n'avait presque jamais détaché son regard du sien. Cela avait été parfait. Et pourtant, une impression de manque la tenaillait toujours. Lorsqu'elle se leva et entra dans la douche, elle comprit de quoi il s'agissait.

Il ne t'a pas dit qu'il t'aimait.

Elle versa un peu de shampoing au creux de sa main et se massa les cheveux. Son esprit tournait en rond, comme un manège. N'était-ce pas ce qu'il aurait dû dire ? N'était-ce pas ce que quelqu'un d'autre, Aston March, par exemple, aurait dit après leur première fois ? Ce qu'aurait dit un garçon amoureux après un moment aussi intime ?

Elle coupa l'eau et attrapa une serviette. *Arrête*, s'ordonna-t-elle. *Ne fais pas ça. Tu n'es pas le genre de filles qui flippe à cause d'un garçon.*

Mais il n'en fallait pas plus pour détruire son impression positive de la nuit précédente et la remplacer par de la crainte et de l'anxiété. Elle avait ouvert la porte à une toute petite interrogation et maintenant, elle allait devoir combattre tout un essaim de questionnements dans son cerveau.

Elle entra dans son dressing et alluma. Autrefois, les vêtements avaient toujours réussi à la distraire. Elle enfila un jean moulant et un haut trapèze à rayures. Mais cette pensée ne la quittait pas.

Il n'a pas dit qu'il t'aimait.

Elle courut jusqu'à son sac, qu'elle avait laissé tomber sur le sol de sa chambre, et fouilla à l'intérieur, à la recherche de son téléphone portable. *Tu es ridicule*, pensa-t-elle. *Tu es Isabel Rule. Bien sûr qu'il t'aime. Qu'est-ce que ça peut faire s'il ne l'a pas dit ?*

Elle alluma son portable. Il lui avait envoyé un message pendant qu'elle était sous la douche.

Tu m'as manqué au réveil. M.

Ce n'était pas une déclaration d'amour, mais cela suffisait. Elle pressa le téléphone contre sa poitrine en soupirant. Tout allait bien se passer. Évidemment.

Rory était assise au bord de son lit, tout habillée, et elle regardait droit devant elle, tapant frénétiquement du pied sur sa cheville. Ce qui s'était passé la veille avait été une erreur. Elle le savait maintenant. Elle l'avait su dès le moment où elle avait ouvert les yeux, senti le café dans la cuisine et entendu le jet des arroseurs sur la pelouse. Même si cette expérience avait été sans le moindre doute la plus romantique de sa vie. À son retour, elle s'était étendue sur son lit et avait fixé le plafond sans ciller pendant au moins une heure, trop excitée et grisée pour ne serait-ce qu'envisager de dormir. Pourtant, ça ne se faisait pas. Cela allait sans doute à l'encontre de toutes les règles du bon employé. Bien qu'elle ne soit pas vraiment une employée, au sens technique du terme, elle s'en rapprochait. Elle avait commis une erreur de jugement momentanée et elle devrait lui dire que cela ne pourrait plus jamais se produire. Elle n'était pas là pour tomber amoureuse. Elle était Rory, une fille intelligente, disciplinée, qui ne mettrait pas en péril un job d'été pour une vulgaire amourette qui ne mènerait nulle part.

Parce que, en vérité, ils n'avaient aucun avenir. Il s'agissait de Connor Rule, le nageur vedette de l'USC, destiné à une vie de privilèges, à son propre fonds spéculatif et à une femme superbe et maigre de sang noble. Alors qu'elle, Rory McShane de Kittatinny High, était destinée à une université publique et une ascension longue et ardue vers ce qu'elle déciderait de devenir.

Pourtant, pensa-t-elle, son pied s'immobilisant, ce moment avait été merveilleux. Ses lèvres, ses doigts, son odeur... Elle aurait pu rester dehors avec lui toute la nuit. Quand elle avait fini par s'écarter et suggérer qu'ils rentrent avant que quelqu'un revienne à la maison, elle l'avait vécu comme un acte de discipline monumental.

– Dans une seconde, avait-il répondu en se penchant vers elle.

– Non, tout de suite.

Elle s'était levée, les jambes flageolantes, tout ankylosées, et l'avait aidé à secouer la couverture. Elle aurait voulu se secouer, elle aussi. Ils n'avaient fait que s'embrasser, mais elle avait du sable partout : dans les cheveux, sur la nuque, dans ses chaussures, et même dans ses manches. Ils avaient marché sur la plage tranquille et, en bas des dunes, il l'avait attirée à nouveau contre lui.

– Ça fait longtemps que j'avais envie de faire ça, avait-il dit. Depuis ce premier jour, au bord de la piscine.

– Quand j'ai détruit ton téléphone ?

– Ouaip.

Ils s'étaient embrassés pendant un temps fou, s'agrippant l'un à l'autre dans le vent frais, puis il lui avait pris la main pour l'entraîner sur les planches en bois.

Ils étaient entrés dans la maison, toujours vide, et Rory n'avait pu s'empêcher de penser qu'elle s'y sentait enfin à sa place. Il l'avait suivie jusqu'à sa porte.

– Tu n'entres pas, avait-elle déclaré.

Il avait souri et l'avait embrassée.

– D'accord, avait-il répondu, sa main s'attardant sur son épaule. Je serai juste au-dessus, en train de penser à toi.

– Bonne nuit.

Elle s'était dégagée de ses bras. Il avait continué de la regarder avec les mêmes yeux pleins de désir.

– Bonne nuit.

Elle était entrée et avait refermé la porte. Pendant qu'elle se douchait pour se débarrasser du sable et qu'elle se préparait pour la nuit, elle avait passé en revue tout ce qu'il lui avait confié. Dire qu'il avait voulu l'embrasser dès ce premier jour au bord de la piscine ! Ce n'était pas possible. Elle avait enfilé son pyjama et s'était mise au lit, plus heureuse qu'elle ne l'avait été de toute sa vie.

Puis sa tête avait touché l'oreiller et la réalité l'avait frappée de plein fouet.

Et maintenant, dix heures plus tard, elle savait qu'elle avait fait une erreur. Si elle le voyait et qu'il semblait ne pas vouloir faire comme s'il ne s'était rien passé, elle lui annoncerait simplement que cela ne se reproduirait pas. C'était toujours moins douloureux d'arracher un pansement d'un coup sec que petit à petit.

Dans le couloir, Trixie courut la saluer, faisant tinter son collier.

– Bonjour ma jolie, souffla-t-elle en lui grattant la tête. Comment va mon bébé ?

Elle la câlina pendant quelques minutes, repoussant le moment où elle devrait entrer dans la cuisine et affronter ceux ou ce qui l'y attendrait. Mais elle était piégée. Connor sortait justement de la pièce. Il mangeait un muffin aux myrtilles. Il lui suffit d'un seul regard pour se rendre compte qu'arracher ce pansement ne serait pas facile.

– Hé, dit-il avec un grand sourire. Tu as bien dormi ?

– Oui, répondit-elle doucement. Et toi ?

– Très bien.

D'un mouvement fluide, il attrapa son poignet et l'entraîna dans la buanderie. Puis il ferma la porte.

– Connor, murmura-t-elle, mais il l'interrompit d'un baiser.

Il la plaqua contre la porte et, presque instantanément, elle se détendit entre ses bras et lui rendit son baiser avec fougue. Puis elle le repoussa.

– Je n'arrête pas de penser à toi, chuchota-t-il.

– Connor, on ne peut pas faire ça. Pas ici.

– Rory, souffla-t-il.

– Connor, dit-elle en ouvrant la porte, incapable de réprimer un sourire.

Haletante, elle se glissa dans le couloir. *Tant pis pour le pansement*, pensa-t-elle.

Il sortit de la buanderie juste derrière elle et allait lui prendre la main quand Isabel descendit bruyamment l'escalier. Rory s'écarta juste à temps.

– Hé, lança Isabel, dont les grands yeux bleus passaient de Rory à Connor. Quoi de neuf ?

Elle ne semblait se douter de rien.

– Salut, dit Rory.

– Pourquoi tu n'es pas au travail ? demanda Isabel à Connor.

– Je ne travaille pas le lendemain de la fête nationale.

– Cool, commenta-t-elle, distraite. Rory, je peux te parler une seconde ? En privé ?

– Bien sûr.

C'était au tour d'Isabel de l'entraîner par le poignet. Rory se retourna et jeta un coup d'œil à Connor, qui la regardait d'un air énamouré. Elles entrèrent dans la chambre de Rory. Isabel ferma la porte.

– Que se passe-t-il ? demanda Rory.

Isabel s'assit au bord du lit et prit l'un des coussins.

– J'ai couché avec lui hier soir.

– Tu as couché avec qui ? lança Rory, soudain déconcertée.

– Mike. Qui d'autre ?

– Oh.

Rory battit des paupières, essayant de se reprendre. Elle avait momentanément oublié qu'il y avait d'autres garçons que Connor sur terre.

– C'est super. Félicitations.

Isabel lissait le bord en dentelle du coussin.

– Tu penses que j'ai bien fait ?

– Bien sûr. Pourquoi ?

Isabel dessina un cercle sur la moquette avec son gros orteil nu.

– Je me disais... Enfin, bon, d'accord.

– Et toi, tu penses que tu as bien fait ? demanda Rory. Tu lui fais confiance ?

– Oui. Bien sûr.

– Dans ce cas, super.

– C'est juste... C'est différent, maintenant. Évidemment, tu ne peux pas comprendre.

Rory ne releva pas. Elle s'assit sur le lit.

– Différent dans le mauvais sens du terme ?

– Non. C'est juste... Le mystère, la retenue, la possibilité de lui cacher mes sentiments... Tout ça est terminé maintenant.

Isabel s'appuya contre la commode.

– J'ai l'impression de ne plus connaître les règles du jeu, reprit-elle. Tu vois ce que je veux dire ?

– Mais c'est peut-être justement le but. Peut-être que quand on est vraiment amoureuse, on ne joue plus.

Isabel se mordilla la lèvre. Elle n'avait pas l'air convaincue.

– Qu'est-ce que tu as fait hier soir ?

– Oh, pas grand-chose.

Rory prit sa brosse sur la commode et la passa dans ses cheveux. Elle n'avait jamais su mentir à quelqu'un en le regardant droit dans les yeux.

– Je suis restée à la maison. J'ai lu. Je me suis couchée tôt.

Isabel haussa les sourcils.

– Je trouve ça plutôt triste, si tu veux mon avis. Tu veux venir déjeuner au Georgica ?

Rory se figea.

– Vraiment ? demanda-t-elle, sceptique.

– Oui. J'ai raté la grosse fête hier soir et maintenant il faut que j'aille cirer quelques pompes. Et j'aurais bien besoin de soutien. Je te prêterai une jolie tunique, si tu veux. J'en ai plusieurs de rechange.

Isabel se dirigea vers la porte.

– Je ne sais pas si je peux partir comme ça.

– Je vais régler ça avec Bianca. Tu ne lui appartiens pas, bon sang. Et merci.

– De quoi ?

– Je ne sais pas. De m'avoir écoutée.

Elle sortit en secouant ses cheveux blonds et Rory se sentit coupable. Après la confession d'Isabel, il aurait été normal de lui parler de Connor. Mais elle ne pouvait pas. Tout lui indiquait qu'il ne fallait pas le faire. Chaque fois qu'Isabel s'était creusé la cervelle pour trouver un garçon qui conviendrait à Rory, elle n'avait jamais mentionné Connor, pas un seul instant. Cela devait vouloir dire quelque chose, sans doute : NE T'APPROCHE PAS DE MON FRÈRE en grosses lettres lumineuses et clignotantes.

Elle avait besoin d'en parler à quelqu'un. Quelqu'un qui ne prendrait pas de pincettes, qui ne l'épargnerait pas. Quelqu'un qui lui dirait clairement ce qu'elle devait faire.

Steve.

Elle courut jusqu'à la porte de derrière pour voir si sa voiture était garée à côté de la Prius. La Jetta noire était là. Elle se dirigea vers le court de tennis.

Steve parcourait le court, ramassant des balles éparpillées avec le bas d'une trémie. Il avait l'air solitaire et un peu triste. Rory se demanda s'il aimait son travail.

– Hé, Steve! appela-t-elle. Tu as besoin d'aide?

Il lui fit signe d'approcher.

– Salut! Non, c'est bon. Comment s'est passé ton 4 Juillet?

Elle sentait l'odeur des balles toutes neuves. Les Rule en recevaient chaque semaine, apparemment. Fee lui en avait parlé.

– Plutôt bien, à vrai dire. Je suis restée ici.

– Ah oui?

Il continuait de ramasser les balles. Avec ses lunettes de soleil réfléchissantes, il était difficile de savoir s'il faisait attention à elle.

– Oui, reprit-elle. J'ai regardé le feu d'artifice de la plage. Et je suis sortie avec Connor Rule.

Elle mit les mains sur les hanches, se préparant à sa désapprobation. Steve posa la trémie.

– S'il te plaît, dis-moi que c'est une blague.

Elle sourit, nerveuse.

– Malheureusement, non.

Il soupira et retira ses lunettes.

– Rory, je croyais que tu étais une fille intelligente.

Un léger sourire jouait sur ses lèvres.

– C'est si grave que ça? Il me plaît. Et je crois que je lui plais. Mais si tu sais quelque chose sur lui que je...

– Viens ici.

Il s'approcha d'une table et prit une petite bouteille d'Évian dans un seau de glace. Il ôta le bouchon et la but presque entièrement en une seule gorgée.

– Je ne sais rien de mal sur ce garçon. Pour autant que je sache, c'est quelqu'un de parfaitement bien. C'est juste que tu es...

– Une domestique, je sais.

– Pas seulement. Ces gens ne vivent pas sur la même planète que toi et moi. Ils peuvent paraître très gentils, mais ils peuvent également se montrer impitoyables. Je l'ai appris à mes dépens.

– Pourquoi es-tu aussi mystérieux? Tu as quelque chose à me raconter?

Il passa la main dans ses cheveux et jeta un coup d'œil à une chaise en plastique, comme s'il venait de la remarquer.

– L'été dernier, j'avais une élève. Elle était mariée à un homme bien plus âgé, un type qui avait beaucoup d'argent mais pas grand-chose d'autre pour lui. Entre eux, ce n'était pas le grand amour. Ça ne faisait aucun doute. J'ai toujours été professionnel au travail, je n'ai jamais eu d'histoire avec une de mes élèves. Mais il y avait quelque chose chez cette femme. Elle était... fantastique. On a passé de si bons moments. Elle était tellement malheureuse. Son mari n'était jamais là. Il l'ignorait. Je savais qu'il voyait d'autres femmes.

Il but une autre gorgée d'eau.

– Laisse-moi deviner, dit Rory. Tu es tombé amoureux d'elle.

– Oui. C'est vrai. Je suis tombé fou amoureux d'elle. On était comme des gamins, sur un petit nuage. Je savais qu'on finirait par se faire prendre, mais je ne pouvais pas m'en empêcher. C'était comme une addiction. (Son visage s'assombrit.) Et ensuite, tu peux imaginer ce qui s'est passé.

– Le mari a tout découvert.

– Il nous a vus nous embrasser un après-midi sur le court, et il est venu me parler plus tard, en privé. Et au lieu de me renvoyer, ce que j'aurais compris, il était aux anges.

– Aux anges ?

– Il en avait tellement marre de se sentir coupable de toutes ses infidélités qu'il n'était même pas jaloux. Il m'a même proposé d'augmenter mon salaire. Pour que sa femme soit contente et pour soulager sa conscience.

– Berk. C'est dégoûtant.

– Oui, je sais. Inutile de préciser que j'ai refusé son offre. Je ne voulais plus jamais avoir affaire à lui. Ce qui signifiait que je ne pouvais plus lui donner de cours. Tu vois, il savait parfaitement ce qu'il faisait en me proposant cet argent. Il savait que ça mettrait un terme à notre liaison, d'une façon ou d'une autre. Si je l'acceptais, je ne serais qu'un énième joli prof de tennis couchant avec la femme d'un autre homme, presque un gigolo ; et si je refusais et continuais de la voir alors qu'il était au courant, j'aurais partagé un secret avec lui, ce qui m'était impossible. Alors j'ai mis un terme à notre relation. En lui servant une raison bidon. Je lui ai dit que j'étais amoureux de quelqu'un d'autre. Je pouvais à peine la regarder en face, mais c'est ce que je lui ai dit. Je lui ai brisé le cœur. Et le mien.

Steve s'attarda un peu dans ce souvenir, puis s'en libéra.

– C'est terrible, souffla-t-elle. Mais quel rapport avec Connor et moi ?

– Ces gens peuvent être effrayants, Rory. Lucy et Larry sont gentils, en apparence, mais si tu les contraries, ils trouveront le moyen de se débarrasser de toi.

À ces mots, elle frémit.

– Et qu'est-ce qui te fait croire que je pourrais les contrarier ?

Il passa la main dans ses cheveux.

– Je pense que n'importe quel garçon pourrait s'estimer heureux de sortir avec toi. Mais mon opinion n'a aucune importance. C'est celle de Mme Rule qui compte. Et je pense qu'elle a une idée très claire du genre de personne que son fils devrait fréquenter. Et quand ces gens n'obtiennent pas ce qu'ils veulent...

– Mieux vaut se méfier.

– Exactement. Je viens travailler, je les aide quand ils jouent en double, ils me paient bien et je m'en vais. C'est comme ça que j'ai tenu sept étés ici. Je ne me rapproche pas d'eux. Du moins, j'essaie.

Au loin, Rory aperçut Mme Rule qui marchait sur la pelouse, en direction du court de tennis, sa queue-de-cheval rebondissant sur ses épaules. On aurait dit une jeune fille insouciante, pas la matriarche effrayante d'une famille suffocante.

– Mais il ne s'est presque rien passé, se défendit-elle.

– Je sais. C'est pour ça qu'il faut que tu arrêtes maintenant.

Elle alla dans la salle de bains du pavillon, tant pour reprendre son souffle que pour éviter de croiser Mme Rule. Dans la pièce sombre, elle sentit le parfum de la bougie au cèdre qui était remplacée toutes les deux semaines. Il avait raison. Il fallait qu'elle mette un terme à cette histoire le plus vite possible. Mais alors, elle se rappela la manière dont Connor l'avait embrassée la veille, la douceur de ses lèvres, sa main qui lui avait caressé la joue, encore et encore, ce qu'il lui avait dit quelques minutes plus tôt, qu'il n'arrêtait pas de penser à elle.

Elle n'était peut-être pas obligée de prendre une décision tout de suite, songea-t-elle. Elle improviserait le moment venu.

Chapitre 16

Les deux fois où Rory s'était garée dans l'allée du Georgica, les voituriers l'avaient traitée comme un chauffeur, mais ce jour-là, pour une raison inconnue, ils la jugèrent digne de rester. L'un d'eux sortit de l'ombre et ouvrit sa portière, tout sourire sous sa visière et ses lunettes de soleil en miroir.

– Bienvenue au Georgica, dit-il gaiement.

Rory prit le sac dans lequel elle avait mis sa crème solaire, son maillot de bain une pièce et son livre et lui tendit les clés.

– Tu leur as dit que je venais ? demanda-t-elle à Isabel.

– Euh, non. Pourquoi l'aurais-je fait ?

– C'est juste que chaque fois que je suis venue ici, ils m'ont traitée comme une pestiférée.

– C'est peut-être ce que tu portes.

Rory regarda sa tenue. La robe bain de soleil brodée, couleur melon, qu'elle avait empruntée à Isabel n'était pas du tout son style, mais c'était bien celui des membres du Georgica.

Isabel la devança et pénétra dans le bâtiment principal. Rory observa le papier peint doré et vert horriblement daté du hall d'entrée et les chaises rigides en bois. C'était tellement surprenant. Elle s'était attendue à découvrir des touches modernes, d'énormes fauteuils rembourrés, des canapés et du papier peint chic avec des motifs de bouleaux. Pas à retrouver les meubles de sa grand-mère.

– Je voudrais inscrire une invitée, dit Isabel à la fille de la réception. Rory...

– McShane, compléta celle-ci en riant. Tu ne connais même pas mon nom de famille ?

– Et alors ?

Elles se dirigèrent vers les parasols à rayures blanches et vertes et le rectangle bleu de la piscine. Isabel avait de plus en plus mal au ventre. Son angoisse au sujet de Mike s'était transformée en angoisse au sujet de Thayer et Darwin, qu'elle n'avait pas revues depuis le jour où elle leur avait parlé du garçon. Elle n'avait répondu à aucun de leurs textos, pas même ceux de la veille, dans lesquels elles lui demandaient où elle était pour le 4 Juillet. Elle ne les avait jamais ignorées aussi longtemps. Elle sentait que cela ne passerait pas inaperçu, et qu'il y aurait une punition.

– Tout le monde déjeune sur le patio, expliqua-t-elle. Tu vas commander à la cafétéria et ensuite tu prends une table.

En observant les personnes blondes et pâles assises sur le patio, Rory se rendit compte que le Georgica rappelait à plus d'un égard la cafétéria d'un lycée. Les gens mangeaient sur des plateaux en plastique.

– En général, je mange avec Thayer et Darwin, dit Isabel. Elles doivent déjà être arrivées.

– Là-bas, non ? demanda Rory en désignant une fille aux cheveux roux doré et aux épaules osseuses.

Isabel prit son courage à deux mains. À leur table habituelle se trouvaient Thayer, Darwin et, à la place d'Isabel, Anna Lucia Kent qui jaugeait avec enthousiasme les membres dont elle avait tant entendu parler. Isabel ressentit une pointe de jalousie. Elle avait été remplacée.

– Salut, dit-elle. Comment ça va ?

– Salut, répondit Thayer en relevant à peine les yeux de sa salade.

Darwin lui fit un petit coucou.

– Salut, Isabel ! s'exclama Anna Lucia, qui n'avait pas remarqué l'accueil tiède de Thayer et Darwin. Quelle jolie robe ! Elle vient de chez J. Crew ?

– De chez Tory. Je vous présente mon amie Rory. Vous l'avez vue il y a quelques semaines.

– Salut, dit Rory, debout derrière la quatrième chaise, ne sachant pas si elle devait s'asseoir.

– Salut, lâcha Thayer, toujours absorbée par sa salade.

Darwin lui fit coucou à elle aussi.

– Alors, comment était la fête hier soir ? demanda courageusement Isabel.

– Incroyable ! répondit Thayer, dont les yeux s'allumèrent avec un enthousiasme inhabituel. Des tonnes de mecs mignons. Pas vrai, D ?

– Des tonnes, acquiesça Darwin. Je n'en avais jamais vu autant. Tout le monde avait emmené ses copains de fac.

– Super. On dirait qu'il manque une chaise, fit remarquer Isabel. À moins qu'on n'aille s'asseoir ailleurs.

Thayer et Darwin échangèrent un regard hautain alors qu'Anna Lucia essayait de sourire.

– N'importe, dit froidement Thayer, avant de retourner à sa salade.

Rory regardait la piscine, la plage, les parasols, tout sauf ce qui se trouvait devant elle. La situation était tellement gênante qu'elle dut se forcer à ne pas s'éloigner en direction de la piscine.

– Dans ce cas, on va trouver un autre endroit pour s'asseoir, trancha Isabel d'une voix sourde. Puisque manifestement, on dérange.

– À plus, marmonna Thayer.

– Ouais, toi et ta Cosette, ajouta Darwin.

– Vous êtes vraiment nulles, cracha Isabel.

– Bien sûr. C'est nous les nulles, explosa Thayer. C'est toi qui nous as envoyées promener tout l'été, et c'est nous les nulles. Tu es tellement hypocrite.

– Elle n'est pas hypocrite, intervint Rory.

Thayer parut surprise de voir que Rory savait parler.

– Excuse-moi ? dit-elle.

– Pourquoi voudrait-elle passer du temps avec vous alors que vous la jugez tout le temps ? Elle m'a répété ce que vous aviez dit sur Mike.

– Tu te prends pour qui, son garde du corps de banlieue ? répliqua Darwin.

– Vous savez quoi ? continua Rory. Au moins, elle s'échappe de cette bulle ridicule dans laquelle vous vivez toutes. Croyez-le ou non, mais il y a autre chose dans la vie que votre club, vos cheveux et vos salades débiles.

– Rory, laisse tomber, murmura Isabel.

– Et vous savez quoi d'autre ? Le seul truc qui fait que cet endroit est cool, c'est que personne ne peut y entrer. Manger sur des plateaux en plastique ? Même le restaurant d'un centre commercial est plus classe que ça.

Personne ne disait rien. Rory se rendit compte que trois femmes à la table voisine, ayant toutes des cheveux blonds relevés en chignon flou et des lunettes de soleil chic, la dévisageaient. Tout comme Thayer et Darwin, sauf qu'elles semblaient regarder quelque chose juste dans son dos. Elle se retourna.

Mme Rule se tenait derrière elles et ses yeux bleus étaient inhabituellement brillants.

– Bonjour, les filles, dit-elle d'une voix forcée. Comme c'est gentil de te joindre à nous, Isabel.

– Bonjour, souffla Isabel.

– Et bonjour, Rory, ajouta-t-elle sur un ton qui donna la chair de poule à la jeune fille. Qu'est-ce que tu fais là ?

– Nous avons demandé à Bianca de lui accorder un jour de congé, répondit Isabel.

– Qui ça, nous ?

– Connor et moi.

– Eh bien, je suis contente de voir que tu as déjà fait grande impression, Rory, dit-elle joyeusement. Et que tu te fais des amies.

– Pourquoi n'irais-tu pas commander quelque chose à manger ? proposa Isabel à la jeune fille, en entraînant sa mère sur le côté. Signe sous mon nom.

Rory les regarda partir, consciente du calme glacial de Thayer et Darwin, derrière elle. Elle se dirigea vers la cafétéria. Une fois à l'intérieur, en sécurité dans la salle éclairée aux néons, elle resta plantée devant la pile de plateaux, trop perplexe et choquée pour en prendre un. Elle ne pouvait penser qu'au visage de Mme Rule quand elle s'était retournée. Son sourire crispé, artificiel, et ses yeux furieux.

– Ça va ? demanda quelqu'un.

Elle releva la tête et vit Connor à côté d'elle.

– On dirait que tu vas être malade.

Elle aurait dû être contente de le voir, mais cela ne fit qu'augmenter son anxiété.

– Qu'est-ce que tu fais là ?

– Je me suis dit que si ma sœur te traînait ici pour ton jour de congé, le moins que je pouvais faire était de te montrer un peu de solidarité.

– Je ne peux pas manger, lâcha-t-elle. Y a-t-il un endroit où on peut parler ?

– Oui, bien sûr, la cabine.

Il reposa son plateau et ils traversèrent le patio. Rory sentit plusieurs paires d'yeux lui lancer un regard perçant.

Quand ils parvinrent à la cabine, Connor ouvrit la porte grinçante et elle pénétra dans la pièce sombre et étroite qui sentait la lotion solaire. Il alluma et elle cligna des yeux, les laissant s'ajuster à la faible luminosité.

– Que s'est-il passé ? demanda-t-il.

– Thayer et Darwin étaient horribles avec Isabel, alors je l'ai défendue. Et il se peut que j'aie dit des choses assez malpolies. Et ta mère a tout entendu.

Il sourit.

– Qu'as-tu dit ?

– Que le restaurant d'un centre commercial était plus chic que cet endroit.

Il éclata de rire.

– Ce n'est pas drôle !

– Si, c'est hilarant. C'est ce que j'aime chez toi. Tu dis ce que tu penses.

Il s'approcha d'elle et la prit dans ses bras. Elle se força à se dégager.

– Connor, écoute. Hier soir, c'était vraiment sympa. J'ai passé un bon moment, mais ça ne peut pas se reproduire.

Un nuage passa devant ses yeux.

– Pourquoi?

– Parce que c'est impossible.

Il semblait perplexe.

– Je ne comprends pas.

– Que devrait-on faire? Se cacher tout l'été?

– Non, on le dira à ma famille. On peut leur dire tout de suite si tu veux.

– Et ensuite quoi? Tu crois que ça va leur plaire?

Il n'hésita qu'une seconde.

– Qu'est-ce que ça peut faire, ce qu'ils pensent? Moi je m'en fiche.

– Eh bien, pas moi. Ta mère a déjà des doutes sur moi. Je n'ose pas imaginer ce qu'elle penserait si elle savait que je sors avec toi. Ce serait trop bizarre. Et je crois que je ne pourrais pas le supporter.

Le sourire de Connor s'évanouit.

– Alors c'est tout? On arrête? On n'essaie même pas?

– Pensons à hier soir comme à une soirée vraiment sympa, et restons-en là. De toute façon, je ne cherche pas un petit copain en ce moment. Pas cet été.

C'était un mensonge, mais il s'échappa si facilement de sa bouche qu'elle-même y crut presque.

– Bien, dit-il d'une petite voix. Si c'est ce que tu veux.

245

– C'est ce que je veux. Alors... amis?

Il regarda par terre et secoua la tête, comme s'il n'en revenait pas.

– Comme tu veux, Rory.

Il sortit et la porte se referma bruyamment.

Elle se tenait dans une flaque de lumière, sous l'ampoule électrique, essayant d'assimiler ce qui venait de se passer. Elle savait qu'elle aurait dû se sentir soulagée, en sécurité, et certaine d'avoir pris la bonne décision. Mais elle était perdue. Et l'odeur d'humidité et de lotion à la noix de coco lui faisait tourner la tête.

Isabel s'efforçait de suivre sa mère sur le chemin sinueux qui menait aux courts de tennis.

– Elle me défendait, c'est tout. Il n'y a pas de quoi en faire un plat.

– Elle leur a hurlé dessus, répondit sa mère.

Sa jupe de tennis se balançait de gauche à droite sur ses jambes bronzées.

– Ce n'est pas si grave que ça. Ce n'est pas comme si elle avait insulté qui que ce soit.

– Qu'est-ce qu'elle fait là, d'abord? Si quelqu'un doit lui accorder un jour de congé, c'est moi, pas toi et Connor.

– Qu'est-ce que ça change? Ce n'est pas comme si elle avait quelque chose d'important à faire.

Sa mère se retourna.

– Si, justement. Elle est là pour travailler. C'était notre accord.

– Oh, ça va. Ce n'est pas comme si elle venait du tiers-monde.

246

Sa mère essuya la naissance de ses cheveux du dos de la main.

– Exactement. Elle a une mère. Elle a une maison. Elle n'avait pas besoin de venir chez nous. Mais j'ai dit qu'elle le pouvait, en échange d'un petit coup de main. Et maintenant, non seulement elle vient à notre club, mais elle insulte tout le monde.

– Elle n'a insulté personne...

– Et pourquoi te soucies-tu autant d'elle, soudain ? Tu ne supportais même pas de rester dans la même pièce qu'elle.

– Parce qu'elle est cool. Parce que c'est mon amie. Elle est une meilleure amie que Thayer et Darwin ne le seront jamais.

– C'est formidable, mais elle n'a rien à faire ici si c'est pour nous embarrasser. Et si c'est toi qui l'as poussée à faire ça, Isabel, si c'est toi qui déteins sur elle...

– Je ne l'ai poussée à rien du tout. Pourquoi me parles-tu comme si j'étais contagieuse ?

Sa mère repartit sur le chemin. Le soleil qui brillait sur sa robe de tennis blanche aveuglait Isabel malgré ses lunettes noires.

– Pourquoi me fuis-tu toujours ?

– Parce que j'ai une partie de tennis, répliqua sèchement sa mère.

Alors, un homme sortit de derrière les courts. C'était M. Knox. Il était en tenue de golf, pas de tennis, et son beau visage avait rosi au soleil. On aurait dit qu'il avait attendu là un bon moment, dans le no man's land entre le club et les dunes, et qu'il avait pris un coup de chaud. Isabel ne comprenait pas pourquoi, vu que le terrain de golf se trouvait de l'autre côté du patio.

– Isabel, lança sa mère en se retournant. On parlera de ça à la maison, d'accord?

– Qu'est-ce que tu...

M. Knox la regardait, la main en visière.

– Pas maintenant! aboya sa mère.

La jeune fille repartit en sens inverse, aussi intimidée et honteuse que si elle avait surpris ses parents en train de faire l'amour. Sa mère ne lui criait jamais dessus en public. Elle ne comprenait pas pourquoi voir M. Knox l'avait rendue aussi nerveuse. Elle avait presque sauté au plafond.

Elle trouva Rory en train de lire *La Conjuration des imbéciles* à une table du patio. Elle envisagea de la prendre en photo avec son téléphone portable (cela aurait fait un super visuel), mais elle changea d'avis.

– Tu veux qu'on s'en aille? lança-t-elle.

– J'ai cru que tu ne me le proposerais jamais, répondit Rory.

Elle se leva et rangea son livre dans son sac. Isabel vit Thayer, Darwin et Anna Lucia Kent apporter leurs plateaux à la poubelle puis se diriger vers la plage. *Au revoir et bon débarras*, pensa-t-elle.

– Alors, c'est grave? demanda Rory. Ta mère veut me virer de chez vous?

– Elle s'en remettra. Et je me moque de ce qu'elle pense, de toute façon.

– J'aimerais pouvoir en dire autant.

Devant le club, Rory tendit son ticket au voiturier.

– Merci de m'avoir soutenue tout à l'heure, dit Isabel. C'était vraiment cool de ta part.

– Je n'aurais pas dû m'énerver comme ça.

– Non, je suis contente que tu l'aies fait. J'aurais dû le faire depuis bien longtemps.

Rory regarda le voiturier qui sortait la Prius de sa place et la conduisait jusqu'à elles. Il descendit de la voiture et Isabel posa un dollar dans sa main.

– Ça ne te dérange pas si je conduis ? demanda celle-ci.

– Vas-y.

Rory monta et Isabel attacha sa ceinture de sécurité. Rory repensa au visage de Connor juste avant qu'il ne sorte de la cabine, et elle résista à l'envie de regarder s'éloigner le club derrière elle. *Tu le verras à la maison*, se dit-elle. *Ce n'était pas des adieux.*

– Tu veux aller manger une glace ? proposa Isabel. C'est moi qui régale.

– Bonne idée, lança Rory.

Elle ravala les larmes qui lui montaient aux yeux.

Chapitre 17

– J'adore cet endroit, dit Isabel qui, allongée dans les bras de Mike, regardait les ombres de la bougie danser sur le mur. Ta chambre est tellement... tellement paisible.

La joue mal rasée du garçon effleura son épaule nue.

– Elle a ses avantages, c'est vrai.

Elle gratta les avant-bras de Mike du bout des ongles. Trois longues journées après leur première fois, elle était à nouveau avec lui, enfin, et cette fois, lui faire l'amour avait été plus facile, moins gênant. Van Morrison passait sur les enceintes de l'iPod. La maison semblait se refermer autour d'eux, comme une main en coupe.

– Combien de temps Esteban et Pete vont-ils rester dans le Maine ? demanda-t-elle.

– Toute la semaine, répondit-il avant de lui embrasser l'épaule.

– Bon sang, ce serait génial si je pouvais juste prendre quelques affaires et venir m'installer ici pendant ce temps. Je pourrais peut-être le faire.

Elle ferma les yeux et imagina s'endormir cinq soirs dans les bras de Mike et se réveiller à côté de lui, lui préparer son petit déjeuner le matin, l'accompagner au travail. C'était incroyablement tentant.

– Je devrais peut-être essayer, dit-elle. Je pourrais aller travailler avec toi. T'aider sur le stand.

– Hum, hum, fit-il, occupé à lui embrasser le bras de haut en bas.

– Hé, pourquoi n'ai-je pas rencontré ta famille?

Il arrêta ses baisers.

– Comment ça?

– Eh bien, pourquoi ne les ai-je pas encore rencontrés?

– Moi non plus je n'ai pas rencontré ta famille.

– Je sais, mais c'est parce que ma famille est dingue.

– La mienne aussi.

– Non, sérieusement. Je crois que j'aimerais faire la connaissance de tes parents. Je suis vraiment douée avec les parents. Ils m'adorent.

– Je n'en doute pas.

– Alors... Est-ce que je vais les rencontrer?

Elle sentit qu'il se figeait et elle se retourna rapidement pour lui faire face. Il garda les yeux rivés sur le mur derrière elle, même quand elle se pencha pour l'embrasser dans le cou.

– Hé, ça va? demanda-t-elle.

– Ça va, répondit-il sans quitter le mur des yeux.

– Tu ne veux pas me présenter à tes parents?

Elle rit un peu pour atténuer le sérieux de sa question.

– Tu les verras, lâcha-t-il en la regardant enfin. Je crois que je vais aller dans le Maine et passer un peu de temps avec les gars. Juste quelques jours.

Elle recula un peu. Soudain, cela lui faisait bizarre d'être aussi proche de lui.

– Vraiment?

– Juste pour quelques jours. Ensuite je reviendrai.

– Et quand reviendras-tu exactement?

– La semaine prochaine.

– Et tu pars...

– Sans doute après-demain.

Elle fit le calcul.

– Ça fait plus que quelques jours.

Il s'écarta d'elle et se redressa sur ses avant-bras.

– Ça fait environ cinq jours. C'est vraiment si long que ça?

– Non, répondit-elle, gênée.

Elle détourna le regard, posant les yeux sur le drap marron. Une minute plus tôt, ils avaient été bien, très proches, et maintenant, il s'éloignait littéralement d'elle.

– Je serai de retour avant que tu te rendes compte que je suis parti, dit-il en lui caressant les cheveux. J'aurais cru que tu en aurais déjà ras-le-bol de moi.

– C'est ça, oui, ricana-t-elle, avant d'encercler son poignet avec ses doigts. Alors je verrai ta famille à ton retour?

– Absolument.

Il lui prit le menton et le souleva pour qu'elle le regarde droit dans les yeux.

– Je penserai tout le temps à toi, poursuivit-il. Ça va être de la torture.

N'y va pas, alors, aurait-elle voulu dire. Mais elle n'en fit rien. Au lieu de ça, elle lui adressa ce qu'elle espérait être son sourire le plus séducteur et le plus énigmatique.

– Bien, dit-elle, puis elle l'embrassa doucement sur les lèvres.

Le lendemain matin, elle se réveilla le cœur plein d'angoisse. Dans la voiture, elle se confia à Rory.

– Il s'en va. Il part dans le Maine. À six cents kilomètres d'ici. Sans raison. Tu ne trouves pas ça un peu bizarre ?

Elle s'engagea sur la nationale, où pour une fois, on circulait bien, et ajusta le rétroviseur.

– Distance de sécurité d'une voiture et demie, rappela Rory. Je ne sais pas si c'est bizarre. Ça dépend de ce qu'il va y faire.

– Boire de la bière ? Traîner avec ses potes ? Rien d'important. Et je me suis renseignée. Là où il va, on ne peut même pas surfer. Alors qu'il surfe tous les jours. Il est carrément accro. Pourquoi va-t-il à un endroit où il ne pourra pas surfer ?

– Peut-être justement pour les raisons qu'il t'a données, dit Rory, qui se pencha pour vérifier la vitesse. Peut-être veut-il simplement passer du temps avec ses amis. Attention, le type devant ralentit. Tu devrais freiner.

Isabel obtempéra.

– Je ne sais pas, il y a quelque chose d'étrange là-dedans. On vient juste de commencer à coucher ensemble. Pourquoi veut-il s'en aller maintenant ?

– Tu le verras la semaine prochaine. Invite-le à la fête d'anniversaire de ton père. Comme ça, il pourra rencontrer ta famille sans que toute l'attention soit concentrée sur lui.

– S'il est revenu. Quand aura lieu la fête ? Le 19 ?

– Je crois, oui.

– C'est trop bizarre. Je ne me suis jamais souciée des

parents des autres. Oh, et à ce propos, ne t'en fais pas. J'ai parlé à ma mère. Elle ne t'en veut pas pour l'autre jour. Promis.

– Super.

– Sérieusement. Elle s'en moque.

Rory se demanda si elle devait dire à Isabel qu'elle savait sans le moindre doute que Lucy Rule ne s'en moquait pas, au point qu'elle était venue la voir dans sa chambre le soir de leur passage au club. Mais elle ne pouvait rien dire. Non par loyauté envers Mme Rule, mais par fierté.

Elle se préparait à aller se coucher quand elle avait entendu un coup sec à sa porte. Elle avait espéré qu'il s'agissait de Connor venant lui demander plus d'explications sur la manière brutale dont elle l'avait largué au club. Mais c'était Mme Rule, et son sourire lui avait donné la chair de poule.

– Je sais qu'il est tard, avait-elle dit d'une voix mélodieuse. Je peux entrer ?

– Bien sûr.

Rory avait ramassé quelques vêtements qui traînaient sur le lit et les avait cachés dans son dos.

– Je voulais juste avoir une petite discussion avec toi.

Elle avait refermé la porte derrière elle. En leggings et haut long à rayures, elle aurait pu passer pour la grande sœur d'Isabel.

– J'espère que tu as bien profité de ton jour de congé, avait-elle poursuivi avec un sourire indéchiffrable, tout en replaçant l'horloge Tiffany sur la table de nuit.

– Oui.

– Et j'ai aussi cru comprendre que tu t'étais disputée avec

des amies d'Isabel au Georgica, avait-elle ajouté, sans se départir de son sourire.

Elle avait tiré sur un coin du dessus-de-lit pour le défroisser.

– Oui.

– Rory, je me rends bien compte que tu ne sais pas comment on se comporte dans un club, avait-elle continué en se perchant au bord du lit, mais j'espère que tu es consciente que ce que j'ai vu et entendu n'était pas acceptable. Surtout au Georgica, où l'on encourage les gens à être un peu plus... courtois, si tu vois ce que je veux dire.

– Très bien.

– Franchement, je ne pensais pas que tu étais ce genre de personne.

– Ce genre de personne ?

– Une personne dure. Tu sais, qui envoie promener les gens. Insolente, rentre-dedans.

Rory avait regardé Mme Rule, cherchant ce qu'elle pouvait bien répondre à ça. Cette dernière s'était levée et s'était approchée de la commode d'un pas tranquille.

– Je vois que tu te sens comme chez toi, ici.

Elle avait rapidement remis les étoiles de mer et les oursins plats dans leur position originelle.

– C'est une chambre confortable, n'est-ce pas ?

– En effet.

– Bien. Je suis contente que nous ayons eu cette conversation, avait conclu Mme Rule, devant le miroir, en passant la main dans ses cheveux. Je ferais mieux d'aller au lit. Il va falloir organiser la fête d'anniversaire de M. Rule la semaine prochaine, et il y aura beaucoup à faire. Tu nous aideras, bien sûr ?

– Bien sûr.

– Tant mieux. Passe une bonne nuit.

Après un dernier sourire, elle lui avait fait un signe de la main et avait fermé la porte.

Rory avait regardé les bibelots que Mme Rule avait repositionnés. Les Rule vous admettaient dans leur monde, vous installaient dans leur meilleure chambre, vous invitaient même à jouer au ping-pong, mais si vous alliez trop loin, ils vous rappelaient immédiatement quel était votre statut. Elle comprenait maintenant pourquoi Fee vivait dans une pièce exiguë au sous-sol. C'était en effet moins compliqué. Elle ne doutait plus d'avoir pris la bonne décision au sujet de Connor.

Connor. Ce prénom lui donnait mal au ventre, éveillant ses regrets et son désir. Bien des nuits, elle était restée allongée sans dormir en se demandant ce qu'il aurait fait si elle avait grimpé les escaliers et frappé à sa porte pour lui dire qu'elle s'était trompée, qu'elle voulait être avec lui, qu'elle n'arrivait à penser à rien d'autre. L'aurait-il laissée entrer ? Aurait-il souri avec soulagement et lui aurait-il dit qu'il éprouvait la même chose ? L'aurait-il prise dans ses bras et lui aurait-il demandé de passer la nuit avec lui ?

Elle n'avait aucun moyen de le savoir, car dans les jours qui avaient suivi sa petite conversation avec Mme Rule, Connor avait disparu. Son Audi n'était pas là le matin lorsqu'elle sortait dans l'allée et le soir, il rentrait bien après le dîner, quand elle s'était retirée dans sa chambre. Elle essayait de se dire que son absence n'était due qu'à son emploi du temps chargé, mais avant le 4 Juillet, il n'avait jamais été aussi peu présent. C'était évident : il l'évitait. Il n'allait jamais sur la plage le matin quand elle promenait Trixie et elle ne le voyait plus faire des longueurs dans la piscine. Elle ne le trouvait jamais assoupi sur le canapé dans la bibliothèque. *C'est mieux comme ça*, se disait-elle le soir, au lit. *Cette relation n'avait aucune chance de marcher.*

Mais au moins une fois par jour, son esprit retournait à cette soirée sur la plage et elle ressentait une douleur profonde et déchirante à l'idée d'avoir perdu quelque chose qu'elle avait désiré pendant si longtemps.

– Tu as bien fait, lui avait assuré Steve quand il s'était retrouvé seul avec elle dans la cuisine et qu'elle lui avait annoncé la nouvelle.

– Mais c'est l'enfer, avait-elle répondu, voûtée au-dessus de son café. Parfois, je dois me retenir d'aller frapper à sa porte et de lui dire à quel point il me manque.

Steve avait hoché la tête entre deux gorgées d'eau vitaminée.

– Crois-moi, c'est mieux comme ça.

– Mais pourquoi devrais-je donner raison à Mme Rule ? Ce qu'elle a fait était vraiment inadmissible. Venir dans ma chambre, me dire que je m'étais mal comportée au club. Pourquoi ne me suis-je pas défendue ?

– Parce que tu es chez elle. C'est comme ça que ça marche.

Rory avait bu une autre gorgée de café.

Et puis, un jour, alors qu'elle était occupée à astiquer les soupières et les poêlons de table en argent de Mme Rule, elle avait appris que Connor était parti.

– Ils ne seront plus que cinq au petit déjeuner pendant quelque temps, avait annoncé Bianca à Erica.

– Pourquoi ? avait demandé Rory.

Bianca et Erica s'étaient tournées vers elle.

– Parce que Connor est parti à New York, avait répondu Bianca en haussant un sourcil. Tu as besoin de plus d'informations ?

Elle était retournée à son argenterie, essayant de ne pas inspirer l'odeur toxique du produit d'entretien. New York. Elle n'avait pu penser à rien d'autre de toute la journée. Elle avait imaginé des centaines de filles magnifiques se pavanant sur Park Avenue, ou quel que soit l'endroit où vivaient les Rule, en robes bain de soleil et sandales, l'aguichant du regard.

À mesure que la température grimpait, son humeur se détériorait. Une vague de chaleur s'était abattue sur la région et on dépassait les quarante degrés, ce qui rendait les après-midi sur la nationale presque intolérables. La file devant le glacier s'étirait sur Newtown Lane dès la fin de matinée et les plages étaient prises d'assaut. Jour après jour, Rory roulait sous le soleil de l'après-midi, appuyant faiblement sur le bouton de l'air conditionné, priant pour que la Prius se refroidisse alors qu'elle conduisait jusqu'à Southampton ou Sag Harbor. En fin de journée, elle regardait la piscine des Rule avec convoitise, rêvant d'y piquer une tête, mais elle était trop intimidée pour le faire. Elle allait plutôt promener Trixie sur la plage et marchait dans les vagues jusqu'à la taille, avant de plonger les épaules sous la surface. C'était l'endroit idéal pour contempler l'emplacement où ils avaient admiré le feu d'artifice. *Bon sang, passe à autre chose*, se disait-elle alors qu'une vague s'écrasait sur sa tête.

En revanche, elle voyait Mme Rule tous les jours et il lui

était presque impossible de la regarder dans les yeux. Fee avait fini par le remarquer.

– Tout va bien ? demandait-elle à Rory dès que Mme Rule était sortie. Tu t'es levée du mauvais pied ?

– Oh, ça va, répondait Rory. Pas de problème. Je suis juste un peu fatiguée.

Fee ne semblait pas convaincue, mais elle devait sentir que sa nièce ne voulait pas en dire plus.

Bianca, quant à elle, ne paraissait pas savoir ce qui s'était passé au club. Ses commentaires sur les vêtements, les chaussures et les cheveux de Rory allaient toujours bon train, mais elle ne faisait aucune remarque sur l'impolitesse de la jeune fille. Mme Rule avait au moins fait preuve de clémence en ne lui racontant pas l'épisode du Georgica.

Depuis que Mike n'était plus en ville, elle voyait moins Isabel. Maintenant, le soir, elle pouvait s'endormir sans être réveillée par son retour tardif. De son côté, Isabel passait de plus en plus de temps dans sa chambre, à lire et écouter de la musique qui filtrait par le plafond. Sauf qu'il s'agissait désormais de musique classic rock des années soixante et soixante-dix : les Beach Boys, Pink Floyd, Van Morrison, Led Zeppelin. Et Bob Marley. Des trucs que Mike aimait, supposait Rory. Un soir, *Waiting in Vain* passa de si nombreuses fois que Rory faillit monter pour lui dire de baisser le son.

Mais elle laissait Isabel tranquille. Elle n'avait pas oublié les paroles de Mme Rule et la dernière chose dont elle avait besoin, c'était d'une autre « discussion ».

Le jour avant la fête de M. Rule, Isabel fonça sur elle alors qu'elle sortait les courses de la voiture dans l'allée.

– Il faut que tu viennes voir ça.

– Hein ? fit Rory.

Elle ramassa un citron Meyer qui s'était fait la malle dans le coffre et le remit dans le sac.

– Tout de suite. Viens.

Isabel prit l'un des sacs et l'emporta vers l'arrière de la maison. Rory la suivit. Il fallait que ce soit important pour que la jeune fille participe à une tâche ménagère.

Lorsqu'elles eurent déposé les sacs dans la cuisine, Rory suivit Isabel à travers la salle à manger silencieuse et surchauffée, jusqu'au bureau de son père.

– Regarde ce que j'ai trouvé, dit-elle en désignant une pile d'albums photo en cuir recouverts de poussière.

Elle en prit un et l'ouvrit.

– Voici mes parents et les Knox. Le couple qui vient de se réinstaller ici, expliqua-t-elle avant de baisser la voix. Le type que j'ai vu avec ma mère l'autre jour. Regarde.

Elle tendit le lourd album à Rory. Les photos montraient deux couples assis en terrasse à Paris. Et sur un bateau de croisière. Et dans un port avec, derrière eux, une ville antique bâtie sur des collines escarpées.

– Ils étaient meilleurs amis, poursuivit Isabel. Ils allaient partout ensemble. En vacances, en croisière, regarde ça. Elles ont toutes été prises l'année avant ma naissance.

– Et alors ?

– Le soir où tu as renversé de la sauce sur moi, il y avait ce type qui était venu dîner. Il est un peu médium et il m'a dit qu'il y avait des secrets dans cette maison. Que mes parents avaient un secret.

– OK.

– Et l'autre jour, au Georgica, j'ai vu M. Knox qui traînait près des courts, comme s'il attendait quelqu'un. Et alors ma mère m'a pratiquement hurlé de dégager. Je n'avais pas fait le lien jusqu'à ce que je voie ces photos. S'ils étaient aussi amis autrefois, pourquoi ne le sont-ils plus ? Et pourquoi ma mère flipperait-elle à l'idée d'être vue en train de lui parler ?

Rory referma l'album.

– Je ne sais pas.

– Et s'il y avait quelque chose entre ma mère et M. Knox ?

– Une liaison ?

Isabel haussa les épaules et rouvrit l'album.

– Je ne sais pas. Ça paraît dingue, mais ça aurait pu arriver.

Elle observait les clichés.

– Ma mère est toujours à côté de lui, sur toutes les photos.

Elle pointa du doigt un cliché sur lequel Lucy Rule était assise à côté d'un bel homme aux yeux bleus à une table de café.

– Regarde comme ils étaient proches.

– Je crois que je vais retourner dans la cuisine, déclara Rory. Cette pièce me rend nerveuse.

– Attends, la retint Isabel en ouvrant des tiroirs. Il y a peut-être autre chose là-dedans.

Les tiroirs grincèrent et gémirent. Rory passa la tête dans le couloir. Pour l'instant, la maison était calme.

– Hum, dit Isabel en dépliant une lettre.

Rory regarda bouger ses lèvres alors qu'elle la lisait.

– Qu'est-ce que c'est ?

– Je crois que mon père a des ennuis, répondit-elle en relevant les yeux avec une expression perturbée.

Rory s'approcha d'elle et regarda la lettre tapée à la

machine. Elle ne put distinguer qu'une adresse en première ligne – 128 Town Line Road – avant qu'Isabel ne retire la feuille.

– C'est ce fermier de Sagaponack, expliqua celle-ci. M. Robert McNulty. Il se retire de l'accord immobilier. Il dit qu'il sait que mon père a prévu de construire «une demeure d'une taille extravagante qui ne respecte pas le contrat originel», lut-elle. Comment peut-il savoir ça?

Elle remit la lettre dans le tiroir qu'elle referma.

– Je me demande si ma mère est au courant.

– Écoute, je ne sais pas quoi te dire en ce qui concerne tes parents, lança Rory. Peut-être que ce que tu as vu l'autre jour était totalement innocent. Peut-être n'était-ce pas du tout ce que tu crois.

– Peut-être. Mais ne m'évite pas, d'accord?

– Quoi?

– Je vois bien que tu m'évites.

– Pas du tout. J'ai plein de choses à faire, c'est tout.

– Tu en es sûre? demanda Isabel en repoussant ses cheveux derrière ses épaules.

– Absolument.

– Bon, tant mieux. Parce que ces deux semaines ont été vraiment bizarres et Mike n'est toujours pas rentré. Il est censé revenir aujourd'hui et... Et j'ai besoin d'une amie, en ce moment.

Parle-lui de Connor, pensa Rory. *Dis-le-lui. Tu te sentiras tellement mieux si tu es honnête.*

Mais elle ne pouvait pas.

– Désolée. J'étais occupée, c'est tout.

– Tu veux qu'on aille se baigner dans la piscine? Je peux te prêter un maillot de bain.

– J'en ai un.

– Brrr, ce maillot une pièce? Ça ne compte pas.

Elles quittèrent le bureau et Rory se rendit compte qu'elle se sentait déjà mieux. Mme Rule pouvait la séparer de Connor, mais elle ne pouvait pas l'empêcher d'être amie avec sa fille.

Chapitre 18

Isabel ouvrit les yeux, attrapa le petit ventilateur électrique sur la table de chevet et le tourna vers eux. De la sueur
coulait sur son visage et sur l'intérieur de ses bras, et les
draps de Mike lui collaient à la peau. Il devait faire presque
quarante degrés dans cette chambre, mais elle ne pouvait se
résoudre à bouger. Pendant une semaine entière, elle avait
attendu ce moment, alors elle resterait aussi longtemps que
possible.

Mike somnolait à côté d'elle, le visage sur son épaule, le
bras étendu négligemment sur son dos. Elle reposa la tête sur
l'oreiller. Leur rendez-vous de la veille avait été aussi réussi
qu'elle l'avait espéré : dîner sur le patio arrière de chez
Buford, puis un moment sur la véranda à regarder les étoiles
avec ses colocataires. Mais c'était cet après-midi qu'avaient eu
lieu leurs vraies retrouvailles romantiques. Il était venu la
chercher à quinze heures, comme d'habitude, et lui avait
tenu la main jusqu'à Montauk. Quand ils étaient arrivés chez
lui, sa chambre était étouffante, mais cela lui avait été égal.
Elle lui avait retiré sa chemise, puis avait ôté sa robe en coton.
Il lui était de plus en plus facile d'être avec lui sans parler.

Pourtant, allongée là près de lui, elle voulait lui dire quelque chose. Elle lui caressa la main. Le ventilateur ronronnait doucement.

– Je t'aime, murmura-t-elle.

Silence. Elle retint son souffle. Ce n'était pas la réaction qu'elle avait espérée.

– Tu es réveillé ? demanda-t-elle.

– Oui.

– Tu as entendu ?

Il lui embrassa l'arrière de la tête.

– Oui. J'y réfléchissais.

Elle avait les yeux rivés sur l'oreiller.

– Je t'aime aussi, dit-il finalement.

Elle se tourna vers lui.

– C'est vrai ?

Il sourit.

– N'aie pas l'air aussi surprise.

– Je ne le suis pas. Mais... C'est vrai ?

– Oui, insista-t-il en la regardant droit dans les yeux. Je crois que c'est pour ça que j'ai eu besoin d'aller me détendre quelques jours dans le Maine. Pour pouvoir y réfléchir. Laisser mariner tout ça. Tu sais, y voir plus clair.

– Tu avais besoin d'y voir plus clair ?

– Tu vois ce que je veux dire. J'avais juste besoin de décompresser un peu. Je ne sais pas pour toi, mais je ne dis pas « Je t'aime » tout le temps.

– Je ne le dis jamais.

Ils restèrent allongés en silence un moment. Isabel ne pouvait se départir de l'impression que cet échange ne s'était pas déroulé exactement comme elle l'aurait souhaité.

– Et j'ai toujours envie de faire la connaissance de ta famille, ajouta-t-elle.

– Tu les verras.

Il lui embrassa le bout des doigts.

– On organise une fête pour l'anniversaire de mon père, ce soir, lança-t-elle. Ce serait peut-être une bonne occasion pour que tu rencontres mes parents. Comme ça ce sera fait. Ce sera très décontracté. Et il y aura beaucoup de monde. Ce ne sera pas embarrassant.

Il écarta ses doigts de ses lèvres.

– Ce soir ?

Elle s'assit et remonta le drap pour se couvrir.

– Oui. Tu peux venir ?

Il réfléchit un instant. Elle ne pouvait s'empêcher de regarder ses lèvres pulpeuses.

– Tant que je ne suis pas obligé de porter une cravate, dit-il finalement.

– Pas de cravate.

– Promis ?

– Promis.

– Alors d'accord, déclara-t-il en tirant sur le drap, révélant son corps mince et nu. J'irai comme ça.

Isabel éclata de rire.

– Magnifique, gloussa-t-elle, tandis qu'il l'attirait sous lui.

– Rory !

Des coups précipités à sa porte la firent sursauter alors qu'elle enfilait sa robe.

– Oui ?

Elle courut ouvrir en retirant ses cheveux coincés sous le vêtement.

Fee entra à toute vitesse, les joues rouges.

– Mme Rule veut que cette chambre soit propre pour la fête de ce soir, dit-elle en arrangeant les oreillers sur le lit de Rory.

– Pourquoi ? Ils organisent la fête ici ?

– Non, mais les gens aiment se promener dans la maison et entrer dans les chambres dans ce genre de soirées.

– Ah bon ?

– C'est difficile à expliquer, soupira Fee. Je vais t'aider.

Elle se dirigea vers la commode pour enlever ce qu'il y avait dessus.

– Que tu es jolie ! ajouta-t-elle en jetant un coup d'œil à la robe de Rory. Elle est neuve ?

– Je l'ai achetée aujourd'hui. Même si je n'en avais pas vraiment les moyens.

Bien qu'en solde, elle coûtait plus cher que tout ce qu'elle avait jamais possédé. Quand elle était allée chercher le gâteau d'anniversaire de M. Rule, elle était passée devant la boutique et avait été attirée à l'intérieur. Et elle l'avait vue, cette robe en soie tie dye avec des broderies au crochet et des manches très courtes qui, même à moins trente pour cent, était bien trop chère pour elle. Mais elle était trop jolie, et puis c'était pour Connor. Il rentrerait ce soir, et elle voulait se faire belle pour lui, au cas où il se soucierait encore de ce à quoi elle ressemblait.

Fee ramassa un manuel de préparation aux examens d'entrée à l'université sur la coiffeuse.

– Eh bien tu es très belle. Connor ne va pas comprendre ce qui lui arrive.

– Excuse-moi ?

Fee sourit en époussetant le meuble avec un chiffon.

– Oh, chérie, tu crois que je suis aveugle ? J'ai des yeux. Je vois ce qui se passe. Tu es aussi joyeuse qu'un film français depuis qu'il est parti. Ne t'inquiète pas, il sera là ce soir. C'est lui qui va conduire son père jusqu'ici.

– Qu'est-ce que tu penses de Connor et moi ? Tu nous vois ensemble ?

– Je vous vois ensemble depuis que tu es arrivée dans cette maison.

– Alors pourquoi n'as-tu rien dit ?

– Je n'aime pas me mêler de ce qui ne me regarde pas, rétorqua Fee en ouvrant le tiroir de la commode et en fourrant toutes les affaires de sa nièce au milieu de ses sous-vêtements et de ses chaussettes. Voilà, ça ira bien pour l'instant.

– Fee ? demanda Rory, les yeux sur la moquette, trop troublée pour regarder sa tante en face. Il s'est déjà passé quelque chose entre nous. C'était bien, doux, incroyable. Et j'ai tout gâché.

Fee cessa d'épousseter les étagères à livres et se retourna.

– Comment ça ?

– Nous nous sommes embrassés. Le 4 juillet. Et ensuite, j'ai pris peur. J'ai compris que c'était impossible. Que Mme Rule n'approuverait jamais notre relation. Jamais de la vie. Et je ne voulais pas souffrir. Alors je l'ai repoussé. Je lui ai dit que je ne voulais pas rester avec lui. Parce que, d'une certaine manière, c'était la vérité.

Fee croisa les bras et soupira.

– Mais pas toute la vérité. Tu dois lui dire ce que tu ressens.

Rory s'appuya contre la commode.

– Je dois lui dire que j'ai eu peur ?

– Tu dois lui dire quelque chose.

– Et Mme Rule ?

– Laisse-moi t'expliquer quelque chose à propos de Mme Rule. Elle peut se comporter comme une sainte-nitouche, mais crois-moi, ça lui arrive d'enfreindre les règles de temps en temps pour obtenir ce qu'elle veut.

– Qu'est-ce que ça signifie ?

Fee secoua la tête.

– Rien. Ne t'en fais pas pour elle, c'est tout. Et ils pourraient tous avoir trouvé bien pire que toi, ma chérie. S'ils ne s'en rendent pas compte tout de suite, ils s'en rendront compte un jour. (Elle posa les mains sur ses hanches et passa la pièce en revue.) Bien. Cette chambre est présentable. Je ferais mieux de courir voir si Sa Majesté a besoin d'autre chose.

– Merci, souffla Rory en lui touchant le bras. Et s'il te plaît, n'en parle à personne. Isabel n'est pas au courant. Je ne lui ai rien dit.

– Je ne dirai rien, la rassura Fee en faisant mine de se coudre les lèvres. Mais n'oublie pas : dans la vie, on ne perd jamais à avouer aux gens ce qu'on ressent.

Fee sortit et ferma la porte derrière elle. Sa mère était peut-être celle qui avait eu le plus d'hommes, pensa Rory, mais c'était sa tante Fee qui avait appris le plus de choses sur l'amour.

– Maman? appela Isabel en frappant à la porte de la salle de bains de sa mère. Je peux te parler?

Elle poussa la porte et entra dans un nuage de parfum douceâtre.

Sa mère était penchée au-dessus du lavabo, faisant pénétrer du fond de teint sur sa peau en la tapotant du bout des doigts. Elle posa les yeux sur la tenue d'Isabel.

– C'est une nouvelle robe?

– En quelque sorte. Je l'ai achetée l'été dernier.

Elle remonta son décolleté qui ne cessait de glisser. Elle avait perdu du poids ces dernières semaines.

– Je voulais juste que tu saches que j'ai invité quelqu'un à la fête de ce soir.

– Oh? Tu t'es réconciliée avec Thayer et Darwin? demanda sa mère en se poudrant le visage.

– Non, répondit Isabel, se forçant à s'en tenir au laïus qu'elle avait préparé. Il s'appelle Mike, il est de North Fork, il travaille sur le stand de légumes de son père l'été et va à Stony Brook. On se voit depuis quelques semaines, c'est mon petit copain, et j'aimerais vraiment que tu sois gentille avec lui.

Lucy posa son pinceau.

– Où l'as-tu rencontré? lança-t-elle au bout d'un moment.

– Sur la plage. C'est lui qui m'a sortie de l'eau ce jour-là.

Sa mère fouilla dans son coffret à maquillage.

– Eh bien, c'est une nouvelle très intéressante.

Elle jeta un coup d'œil à sa fille tout en sortant une ombre à paupières.

– J'aurais dû me douter que quelque chose de ce genre se préparait, poursuivit-elle. C'est une connaissance de Rory ?

– Non, pas du tout. Pourquoi ?

– Parce que je trouve intéressant que tu te mettes à sortir avec un garçon de North Fork juste après l'arrivée de cette fille.

Isabel se hérissa.

– Ne t'en fais pas, elle ne m'a pas contaminée avec une maladie des classes inférieures.

– Isabel, ne commence pas, pas maintenant, soupira sa mère, avant de se retourner vers son miroir. J'ai bien assez de soucis comme ça.

– Ça, je n'en doute pas.

Quels secrets caches-tu ? pensa Isabel.

– Bref, reprit-elle. Je voulais juste te dire qu'il venait ce soir, que je l'aime, qu'il m'aime et que j'ai besoin que tu l'acceptes. Gentiment.

Sa mère jeta son pinceau dans sa trousse.

– C'est formidable. Tu aimes quelqu'un. J'espère que tu sais dans quoi tu t'embarques.

– Qu'est-ce que ça veut dire ?

– Rien, répondit-elle d'une voix blanche en sortant un bâton de rouge à lèvres. J'ai hâte de le rencontrer.

Dans la cuisine, Rory trouva Bianca qui rôdait autour du tourbillon de serveurs et de cuisiniers affairés et ne semblait pas trop quoi savoir faire d'elle-même. Elle avait tiré ses cheveux gris en arrière et les avait relevés à mi-hauteur, et elle avait soigné son maquillage encore plus que d'ordinaire.

– Est-ce que je peux faire quelque chose ? demanda Rory.

– Ah, te voilà ! dit-elle, ses yeux s'illuminant à la perspective de pouvoir mener quelqu'un à la baguette. Prends ça et va allumer toutes les bougies dehors, y compris celles qui sont dans les sacs en papier autour de la piscine, ajouta-t-elle en lui tendant un allume-gaz. Ensuite, je veux que tu éparpilles ces bougies flottantes sur l'eau. Comme des nénuphars.

Elle lui donna une bassine remplie de petites bougies en forme de fleurs, puis la regarda de haut en bas d'un air approbateur, jusqu'à ce qu'elle remarque ses grosses sandales compensées.

– Et je vois que tu as fait du shopping. Enfin, pas pour les chaussures.

Elle s'éloigna.

– Bien sûr, dit Rory, à personne en particulier.

Elle quitta la cuisine et sortit par la porte de derrière.

Dehors, des tables rondes couvertes de nappes en lin blanc et entourées de chaises pliantes assorties bordaient la grande piscine, et des tables de banquet plus longues proposaient un assortiment de hors-d'œuvre qui aurait pu nourrir une petite ville : des viandes, des fromages, des paniers de fruits et de crudités qui avaient été disposés sur le flanc pour que leur contenu se déverse de façon attractive sur les planches à découper en bois. Rory regarda toute cette nourriture, puis les deux bars, chacun pourvu de deux barmans en veste blanche qui se tenaient derrière un arsenal de vodka, de champagne et de vin blanc et rouge. Cela devait avoir coûté une fortune, pensa-t-elle. Et tout ça parce que Mme Rule avait envie de recevoir. Si M. Rule détestait autant les fêtes d'anniversaire que tout le monde le disait et que leur mariage avait déjà des problèmes, alors ce n'était pas de l'argent judicieusement dépensé.

Elle alluma les lampes-tempête au centre de chaque table et s'attaquait aux bougies autour de la piscine quand elle vit Steve traverser le patio, en jean et veste sport. Il lui fit signe et s'approcha d'elle.

– Tu as besoin d'aide ? demanda-t-il en s'accroupissant à côté d'elle.

– Non merci, je vais y arriver.

– Tu es très jolie, Rory. Cette robe est superbe.

– Une folie : j'ai dépensé tout l'argent que je ne gagne pas.

Il rit.

– Où en est la situation dont nous avons parlé ?

Rory alluma une autre mèche.

– J'ai suivi tes conseils. J'ai mis un terme à notre relation. Mais maintenant, je le regrette.

– Pourquoi ?

– Parce qu'il me manque. Et parce que je lui ai fait croire que je ne tenais pas à lui, ce qui n'est pas vrai. Tu vois quoi...

Steve souffla longuement.

– OK, je comprends. Ne t'en fais pas. Il y a toujours un moyen de le reconquérir.

– Je vais simplement lui dire ce que je ressens pour lui. Qu'est-ce que j'ai à perdre ?

– Bonne idée. Et je suis désolé si je t'ai entraînée dans la mauvaise direction.

– Ce n'est rien.

La porte de derrière s'ouvrit à toute volée. Isabel apparut, vêtue d'une splendide robe lavande sans bretelle qui balayait le sol. Tous les barmans la dévisageaient. Elle aperçut Rory

274

et Steve et se dirigea gracieusement vers eux sur ses talons hauts.

– Isabel n'est toujours pas au courant, souffla Rory.

– Compris, dit Steve.

Il fit coucou à Isabel et partit dans la direction opposée. La jeune fille rejoignit Rory et s'accroupit à côté d'elle.

– Je n'arrive pas à croire qu'ils te font travailler ce soir.

– Je dois seulement allumer ces bougies.

Isabel passa la main dans l'eau et Rory se rendit compte qu'elle était au bord des larmes.

– Que s'est-il passé? demanda-t-elle.

– J'ai fait un truc dingue aujourd'hui. J'ai dit à Mike que je l'aimais.

– Vraiment? C'est super! Tant mieux!

Isabel la regarda avec une expression peinée.

– J'ai envie de vomir.

– Pourquoi?

– Je l'ai dit en premier. Et ensuite il l'a dit aussi, mais ça a pris quelques secondes, et c'était un peu bizarre, parce que je l'avais déjà dit. Et maintenant je n'arrête pas d'y penser. Tu crois que c'est grave?

Rory poussa l'une des bougies sur la surface de la piscine. La flamme vacilla, mais ne s'éteignit pas.

– Non. Tu l'aimes, n'est-ce pas? Alors tu dois être honnête. On ne perd jamais à dire aux autres ce que l'on ressent.

Les paroles de Fee sonnaient bien dans sa bouche. Elle s'apprêtait à suivre ce conseil dès que Connor arriverait.

– Il est censé venir ce soir, annonça Isabel.

– Ah oui?

La jeune fille lui lança un regard méfiant.

– Pourquoi tu dis ça comme ça?

– Pour rien. Je suis sûre qu'il va venir et que tout va bien se passer, vraiment.

Isabel soupira et se leva.

– Je vais aller me chercher un verre.

Rory finit d'allumer les bougies flottantes et les plaça avec soin, une par une, sur la surface de la piscine. Le jour où elle avait laissé tomber le téléphone de Connor dans l'eau lui paraissait bien loin. Elle avait hâte de mettre les choses au clair. Dès qu'il arriverait, elle le prendrait à part et lui avouerait ses sentiments. *J'ai tout gâché. J'ai paniqué. Je t'aime vraiment beaucoup. Et je ne veux pas qu'on arrête à cause de ce qui pourrait se passer.* Comme l'avait dit Fee, tout ce qu'elle pouvait faire, c'était être honnête.

Petit à petit, les invités commençaient à arriver. Les femmes portaient des robes sans manches et des châles autour de leurs épaules nues, les hommes des chemises rayées rentrées dans des pantalons couleur pierre. Rory poussa la dernière bougie sur la piscine et vit Mme Rule qui sortait de la maison dans une robe blanche scintillante ornée de perles. On aurait dit qu'elle voulait que tous les yeux soient sur elle, alors Rory se tourna vers l'océan. Il était aussi brillant et argenté que cette nuit-là, deux semaines auparavant. D'un moment à l'autre, Connor serait là. Et si elle voulait faire ça bien, il lui faudrait la permission d'Isabel. Il était temps de tout lui avouer.

La jeune fille revenait vers elle sans se presser, sirotant un verre rempli d'un liquide clair, que Rory espérait être de l'eau glacée.

– L'un des barmans est super mignon, annonça-t-elle. Même s'il est peut-être un peu trop vieux pour toi.

– Il faut vraiment que je te dise quelque chose, commença Rory. Quelque chose qui me préoccupe.

Derrière elle, elle entendit s'élever le bruit de la fête. Isabel se retourna.

– Mon père est là.

Rory vit la grande silhouette mince de M. Rule devant les portes vitrées coulissantes. Il levait les bras dans un geste de surprise et de défaite.

– Au moins, il n'a pas l'air trop énervé, commenta Isabel.

Rory regardait M. Rule qui saluait ses invités en les étreignant ou en leur serrant la main, en attendant que Connor apparaisse derrière lui. Et enfin, une personne possédant sa carrure svelte et grande descendit les marches. Il était incroyablement beau en veste sport sombre et chemise bleue. Elle commença à avancer vers lui, attirée comme un aimant, mais alors, elle remarqua quelqu'un derrière lui. Une personne mince et grande, aux longs cheveux bruns. Qui portait une robe.

– Brrr, Connor a amené Julia, grommela Isabel. Incroyable. Je suppose qu'ils se sont remis ensemble.

– Comment ça ? demanda Rory.

Connor se retourna et tendit la main à cette fille, qui l'accepta gracieusement, comme si cela faisait des années qu'ils étaient ensemble. Ils se dirigeaient vers elles, main dans la main. Connor avait donc une petite amie.

– Ça fait un an qu'elle essaie de se remettre avec lui, expliqua Isabel. Depuis qu'il l'a larguée l'été dernier. Mais elle n'était pas bien pour lui. Qu'est-ce qui lui a pris ?

Rory pensait savoir exactement ce qui lui avait pris. Il

essayait de la rendre jalouse. Et malheureusement, cela fonctionnait.

– Je suppose qu'on devrait leur dire bonjour, souffla-t-elle.

– Oui, sans doute, répondit Isabel, qui semblait extrêmement agacée. Mais je te préviens, elle est insupportable.

Rory laissa Isabel ouvrir la marche. Elle ne quittait pas Julia du regard, pas seulement parce qu'elle avait des yeux sombres de poupée, des cheveux châtains raides et le cou le plus long qu'elle avait jamais vu, mais parce qu'elle ne pouvait se résoudre à regarder Connor. *Pourquoi es-tu surprise ?* pensa-t-elle. *Tu imaginais qu'il allait attendre que tu te décides ?*

– Hé ! lança Isabel en embrassant Julia sur la joue. Ça faisait longtemps. Je ne savais pas que tu venais.

– Moi non plus ! s'écria Julia, aux anges. C'est arrivé comme ça.

Isabel hocha la tête.

– Génial, marmonna-t-elle.

Julia regarda Connor avec adoration.

– On s'est croisés dans une fête il y a quelques jours et je lui ai dit qu'il me manquait beaucoup, alors il m'a dit que moi aussi je lui manquais. (Elle frotta sa joue contre son bras.) On est allés au concert de Gotye et on s'est remis ensemble. Alors qu'il n'aime même pas Gotye. C'est mignon, n'est-ce pas ?

– Oui, c'est adorable, lâcha Isabel.

Connor jeta un coup d'œil à Rory. Il semblait avoir perdu sa langue.

– Eh bien, c'est super, ajouta Isabel en retenant un sourire narquois. Au fait, je te présente Rory.

– Salut ! gazouilla Julia en prenant sa main. Je suis ravie de faire ta connaissance.

– Salut, dit Rory.

– Rory passe l'été chez nous, expliqua finalement Connor.

– Oh, vraiment ? Vous êtes amies ? demanda-t-elle en regardant les deux jeunes filles.

– Non, je suis la nièce de la gouvernante, répondit Rory.

– Oh ! s'exclama Julia, un peu trop fort, ce qui trahit sa gêne. C'est super !

– Oui, c'est... super.

Rory lança un regard à Connor, qu'elle espérait à la fois réprobateur et propre à lui inspirer de la honte.

– Je vais aller me chercher un soda, dit-elle. Excusez-moi.

Alors qu'elle se dirigeait vers le bar, elle se rappela qu'elle devait se calmer. Connor n'avait rien fait de mal. C'était elle qui l'avait repoussé et avait fait semblant d'être détachée. D'une certaine manière, elle méritait presque ce qui lui arrivait. Mais se dépêcher de se remettre avec son ex et la ramener à la maison à l'occasion d'une fête de famille lui semblait un peu vindicatif.

Au bar, elle commanda un soda au gingembre et se demanda où elle allait pouvoir se cacher. Le barman lui tendit sa boisson pétillante.

– Et voilà.

– Merci, dit-elle.

Elle tournait le dos à la fête, incapable de se retourner, jusqu'à ce qu'elle sente une présence familière à ses côtés.

– Hé, lança-t-il.

Connor se tenait à côté d'elle, feignant d'observer la foule.

– Comment ça va ? demanda-t-il.

– Bien.

Elle posa les yeux sur lui en buvant une gorgée.

– C'était comment, New York ?

– Bien. Tu sais, New York, quoi.

– Je vois.

– Qu'est-ce qui s'est passé, ici ? J'ai raté quelque chose ?

– Non, pas vraiment.

Elle prit une autre gorgée. Elle avait clairement envie qu'il s'en aille.

– Alors le truc, avec Julia, c'est qu'on est sortis ensemble pendant presque un an, et on s'est revus...

– J'ai déjà entendu toute l'histoire, dit-elle en s'écartant de lui. Et tu ne me dois aucune explication.

Il se décida enfin à la regarder dans les yeux.

– Rory. Est-ce qu'on peut en parler ?

– Parler de quoi ? Nous ne sommes pas ensemble. Tu peux sortir avec qui tu veux.

Juste à ce moment-là, quelqu'un lui tapa sur l'épaule et quand elle vit que c'était Bianca, elle se sentit soulagée.

– Rory, il faut que tu ailles mettre les cadeaux que les gens ont apportés dans la buanderie, dit-elle froidement. Mme Rule n'aime pas qu'il y ait autant de bazar dans l'entrée.

– D'accord.

– Tout de suite, insista Bianca avant de s'éloigner.

Rory la regarda partir, se demandant si elle devait simplement la suivre et mettre un terme une bonne fois pour toutes à cette conversation embarrassante.

– Rory, c'est toi qui as dit que tu voulais qu'on soit juste amis...

– Je sais, lâcha-t-elle en souriant. Amuse-toi bien.

Il avait l'air blessé, mais cela n'allait pas l'empêcher de s'en aller. Au moins, elle avait encore son honneur. Isabel aurait été fière d'elle.

– Bref, c'est pour ça que je vais prêter serment à Kappa Theta Delta, dit Julia, concluant ainsi un monologue de dix minutes sur la complexité du recrutement dans les associations d'étudiantes. Je pense que c'est ce qui me conviendra le mieux.

Isabel ne quittait pas des yeux la porte coulissante du salon. Il devait être vingt et une heures maintenant, mais elle n'en était pas sûre. Et Mike n'était toujours pas là.

– Tu penses que tu vas rejoindre une association quand tu iras à la fac ? demanda Julia.

Isabel gardait les yeux rivés sur la porte, perdue dans ses pensées.

– Isabel ? Tout va bien ?

– Oh, oui, répondit-elle, entendant enfin sa question. Euh, tu veux bien m'excuser ?

– Bien sûr.

Isabel se fendit un passage dans la foule en distribuant un minimum de coucous et de saluts. Une fois dans la maison, elle se rendit dans l'entrée, au cas où il viendrait d'arriver. Elle n'y trouva que M. et Mme Kendall, qui traînaient là en faisant des commentaires cancaniers sur le goût des Rule en matière de décoration.

Elle monta l'escalier quatre à quatre, agrippant la rambarde, le ventre serré par l'angoisse. Elle courut dans le couloir. Quand elle entra dans sa chambre, son téléphone était là où elle l'avait laissé, sur son lit. Il y avait un texto sur l'écran.

Salut beauté. Je ne peux pas venir ce soir, mais on se voit sans faute dans la semaine.

Elle le relut encore et encore. Bien sûr, il existait plusieurs interprétations possibles : il était malade, il avait été retenu par une urgence familiale, il s'était disputé avec un de ses colocataires. Mais tout au fond d'elle, elle savait que ce n'était pas ça : il l'évitait.

Elle reposa son téléphone. Il ne s'agissait que d'une fête débile, se rappela-t-elle. Cela n'avait pas d'importance, qu'il ne soit pas là. Et il valait peut-être mieux qu'elle ne l'introduise pas dans l'arène de fous qu'était sa famille.

Pourtant, quelques heures plus tôt seulement, il avait dit qu'il l'aimait. Et quand on aimait quelqu'un, on faisait des efforts. On ne changeait pas d'avis à la dernière minute.

Elle ferma la porte de sa chambre et s'allongea sur son lit. Elle tenta de se convaincre que tout allait bien, que cela ne voulait rien dire. Mais ce sentiment de manque ne la quittait pas. Peut-être avait-il été là depuis le tout début.

Chapitre 19

– Bon, la première chose à savoir, c'est qu'on monte toujours un cheval du côté gauche, dit Isabel en conduisant sa jument blanche majestueuse hors de l'écurie. Ensuite, mets simplement ta botte dans l'étrier gauche, attrape la selle et hisse-toi. C'est facile. Comme ça.

Rory regarda la démonstration d'Isabel : elle chaussa l'étrier et monta avec grâce en selle. Elle n'arrivait pas à croire qu'elle l'avait laissée la convaincre de prendre un cours semi-privé à Two Trees, mais après deux jours à voir Connor et Julia traîner à la maison et se câliner béatement, elle avait décidé qu'elle avait besoin de s'échapper. Il lui semblait que, où qu'elle aille, Julia était là : elle se prélassait au soleil sur le patio, regardait la télé dans la bibliothèque, jouait au tennis avec Steve sur le court. En une nuit, elle avait pris ses aises, et Mme Rule paraissait ravie. Ce matin même, à la table du petit déjeuner, alors que Rory distribuait le courrier, elle avait demandé à Julia si elle voulait aller au restaurant avec toute la famille le lendemain.

– Bien sûr ! s'était exclamée la jeune fille de sa voix suraiguë.

Depuis la fête, Connor était incapable de regarder Rory dans les yeux. Les quelques fois où elle l'avait croisé dans la cuisine, il l'avait saluée rapidement, et rien de plus. Il passait la plus grande partie de ses journées à donner des cours au yacht-club, ne rentrant que pour le dîner. Au moins, lui et Julia ne partageaient pas la même chambre. Ça aurait été le pompon.

– Tu vois comme c'est facile ? demanda Isabel en attachant son casque sous son menton.

– Non, répondit Rory.

– Allez, n'aie pas peur. Flame est vraiment gentil.

Une petite femme avec des taches de rousseur, une dénommée Felicia, entra dans le manège avec un cheval alezan. Il dilata ses naseaux et hennit en voyant Rory.

– Je crois qu'il sait que je suis incapable de faire ça, dit-elle.

– Ça va aller, la rassura Isabel. Monte. Du côté gauche.

L'instructrice tint l'étrier et Rory posa le bout du pied sur le métal.

– Super. Maintenant passe ta jambe par-dessus.

Rory agrippa la selle pour s'y hisser et retomba aussitôt par terre.

– Felicia, tu peux lui donner un coup de main ? demanda Isabel.

Felicia se plaça derrière Rory et posa les mains sur sa taille.

– OK, à trois. Un, deux, trois...

Rory attrapa la selle, appuya sur son pied et, comme Felicia la poussait de toutes ses forces, passa sa jambe de l'autre côté et s'assit sur la selle. Flame protesta d'un hennissement.

– Parfait, dit Isabel. Tu te sens comment ?

– Super, marmonna Rory alors que Flame commençait à tourner en rond. Hé, relax !

Le cheval prenait de la vitesse.

– Isabel, euh, il va où comme ça ?

– Tire sur les rênes pour l'arrêter.

– Stop ! ordonna Rory en tirant de toutes ses forces.

Flame l'ignora et se dirigea directement vers l'écurie, comme s'il savait que c'était une perte de temps.

– Tu sais, ce n'est peut-être pas une très bonne idée, dit Rory.

– Si tu peux m'apprendre à conduire une voiture, je peux bien t'apprendre à monter à cheval.

– Une voiture ne peut pas te faire tomber par terre, répliqua Rory alors que Flame se mettait à manger de l'herbe près de la barrière. Ou t'ignorer.

– C'est ton premier cours. Et j'aimerais pouvoir commencer. Qu'est-ce qu'elle fabrique ?

– Désolée, j'arrive, lança une voix grêle.

Julia émergea de l'écurie sur un cheval à la robe noire et lustrée, portant des gants, une culotte de cheval et une veste d'équitation qui auraient fait pâlir d'envie l'équipe olympique.

– Ah, c'est tellement agréable de monter de nouveau, roucoula-t-elle en caressant l'encolure luisante de sa monture. Hé, Rory, tu t'en sors bien pour l'instant.

– Merci.

Au dernier moment, Julia avait demandé à les accompagner. Rory avait envisagé de se dérober, mais elle savait que c'était impossible. Pendant le trajet, Julia avait parlé sans interruption de tous les trophées qu'elle avait remportés à

Westchester grâce à ses talents de cavalière. Rory ne l'aurait pas parié, mais elle avait l'impression qu'elle agaçait aussi Isabel.

– Bon, puisque c'est une première pour Rory, on va débuter par de la marche basique avant de passer au trot, d'accord ?

Felicia tapa dans ses mains et se dirigea vers le centre du manège.

– OK, les filles, commençons.

Isabel et Julia, qui dirigeaient leurs montures de façon experte, partirent au pas. Rory tira sur les rênes, espérant que Flame se désintéresserait de son herbe, mais il ne bougea pas.

– Rory ! cria l'instructrice, appuie un peu sur ses flancs avec tes talons. Ça le fera bouger.

Elle s'exécuta et Flame releva brusquement la tête.

– Maintenant, fais un peu claquer ta langue, poursuivit Felicia.

Rory obéit. D'un seul coup, Flame partit se placer au trot derrière le cheval d'Isabel.

– Oh, oh, oh ! dit Rory en rebondissant sur la selle.

Derrière elle, elle entendit le rire sirupeux de Julia.

– Oh, ça a l'air douloureux !

Rory bouillonnait en silence.

– Bon, essayons le trot, cria l'instructrice. Il faut commencer avec les fesses un peu décollées de la selle, les mains et les chevilles vers le bas.

Isabel se leva de sa selle. Rory l'imita de son mieux.

– Rory, pas si haut, les fesses ! lança Felicia.

Elle entendit à nouveau le rire de Julia derrière elle.

– OK, maintenant, vous allez vous lever quand le cheval fait un pas avec sa jambe avant droite. Prêtes ? Pressez les talons pour le faire trotter.

Devant elle, le cheval d'Isabel partit au trot. Isabel se levait et redescendait avec grâce et une synchronisation parfaite.

Rory tenta de la suivre, mais elle se leva sur la mauvaise jambe.

– Oh, oh, oh, marmonna-t-elle en rebondissant sur sa selle.

– Il faut se lever sur la jambe droite, lança Julia. Comme ça.

Elle la dépassa par la gauche.

– Tu vois ? Comme ça.

Rory la regarda, ses fesses parfaites bougeant de haut en bas.

– Bon, Rory, on va ramener Flame au pas, dit Felicia. Tire sur les rênes.

Rory fit ce qu'elle lui demandait ; Flame s'arrêta brusquement et la jeune fille faillit se retrouver le nez dans sa crinière.

Felicia s'approcha d'elle.

– C'est un peu compliqué, mais je suis sûre que tu vas prendre le coup. Tu dois te lever sur la jambe avant droite et t'asseoir sur la jambe avant gauche. Tu comprends ?

– Je crois.

– Bon, on recommence. Mets-toi en position. Comme si tu allais descendre une pente en ski.

Rory essaya d'imiter une skieuse, mais elle ne savait pas skier non plus.

– Maintenant, une pression des talons, ordonna Felicia.

Rory obéit et fit claquer sa langue. Rien ne se produisit.

Alors, Julia mit ses doigts dans sa bouche et émit un sifflement suraigu.

Il n'en fallait pas plus. Flame jaillit vers l'avant et partit au galop. Rory perdit l'équilibre et s'accrocha à sa crinière tandis qu'il suivait la courbe du manège et dépassait Felicia, Isabel et Julia qui la regardèrent passer, bouche bée, l'air effrayées et stupéfaites.

– Tire sur les rênes! hurla Felicia. Tire!

Rory essaya, mais Flame allait trop vite. Les enclos verts défilaient à toute allure. Elle n'entendait que le martèlement des sabots sur la terre. *Accroche-toi*, pensa-t-elle en fixant les barrières blanches dont la peinture s'écaillait et en agrippant la crinière de Flame. *Tu ne peux pas tomber devant cette fille.*

– Stop!

Felicia courut se placer devant eux, agitant les bras comme si elle était en feu. Rory commença à glisser. Alors, Flame s'arrêta, à seulement quelques pas de l'instructrice. Rory se remit en selle. Elle n'avait toujours pas lâché la crinière.

– Ça va? demanda Felicia en prenant les rênes.

– Je crois que je vais arrêter, dit-elle en descendant avec précaution.

Isabel sauta de son cheval et courut jusqu'à elle.

– Ça va?

– Je crois.

Julia s'approcha tranquillement à cheval.

– Bien joué, Rory. Tu as fait ce qu'il fallait. Tu as tenu bon et tu n'as pas paniqué.

– Elle n'aurait pas eu à le faire si tu n'avais pas sifflé comme ça, répliqua sèchement Isabel. Qu'est-ce qui t'a pris?

– Je voulais juste l'aider, répondit Julia, sur la défensive. Son cheval ne bougeait pas.

– Tu as sifflé. Tu lui as fait peur.

– Je n'y suis pour rien.

– Ce n'est rien, dit Rory.

Elle fit quelques pas mal assurés. Elle avait l'impression d'avoir les jambes arquées, comme Popeye.

– Je crois que je vais arrêter moi aussi, déclara Isabel en allant chercher son cheval.

– C'est tout? On ne finit pas le cours? demanda Julia.

Isabel la foudroya du regard.

– Non. On rentre à la maison.

Puis elle conduisit Mascara jusqu'à son box dans l'écurie peu éclairée alors que Rory s'efforçait toujours de marcher normalement. Elle allait avoir mal demain, extrêmement mal.

Julia démonta et s'approcha d'elle.

– J'espère que tu sais que je voulais seulement t'aider, dit-elle, au bord des larmes.

– Bien sûr, répondit Rory. Ce n'est rien.

Isabel leva les yeux au ciel dans le dos de Julia. Rory les suivit jusqu'au parking. Elle voyait bien que Julia se sentait mal, ce qui n'empêchait pas qu'elle avait pris plaisir à se moquer d'elle pendant la leçon. Elle se demandait si Connor savait que Julia n'était pas une personne très gentille. Elle n'était vraiment pas son genre.

Le trajet du retour fut silencieux et tendu.

– On peut s'arrêter au Red Horse Market? demanda Isabel. J'aimerais me prendre un jus au chou frisé.

– Tu bois ce genre de trucs? s'étonna Julia.

– Oui, et j'aime ça, répondit Isabel sur un ton qui mit un terme à la conversation.

Au Red Horse Market, une version plus petite de Citarella, Rory accompagna Isabel dans sa quête de jus au chou alors que Julia s'attardait devant les myrtilles.

– Mon Dieu, qu'est-ce qu'elle est énervante ! dit Isabel. Je savais qu'on n'aurait pas dû la laisser venir.

– Ce n'était pas vraiment sa faute, tempéra Rory.

– Bien sûr que si. Et elle ne peut même pas l'admettre. On aurait dit qu'elle voulait que ça arrive.

Elle s'arrêta devant une sélection de jus de légumes et prit quelques bouteilles.

– Je ne sais pas pourquoi mon frère s'est remis avec elle. Elle l'a si mal traité la première fois.

– Comment ça ? demanda Rory, en essayant de dissimuler son intérêt.

– Je crois juste qu'elle est hypocrite. Elle ne l'aime pas vraiment. Elle ne sait rien sur lui en tant que personne. Elle aime simplement ce qu'il représente. Le fait qu'il ait de l'argent, que les gens sachent qui il est, ajouta-t-elle en prenant une bouteille de thé glacé. Je voudrais juste qu'il rencontre quelqu'un qui le mérite.

Rory fut prise d'un besoin pressant de tout lui dire. Elle n'avait plus aucune raison de se taire.

– Isa...

Une sonnerie de téléphone retentit dans le sac d'Isabel. Elle donna les bouteilles de jus à Rory et fouilla dans son fourretout en paille.

– C'est Mike ? demanda celle-ci.

– Non, soupira Isabel en se mordant la lèvre, avant de

remettre son téléphone dans son sac. Je n'arrive pas à croire qu'il fasse ça. D'abord, il me pose un lapin pour la fête, et maintenant, il n'est même pas capable de m'appeler pour s'expliquer.

– Il a peut-être eu un empêchement.

– Pendant quatre jours ? Quatre jours d'empêchement ? De toute évidence, il voulait juste coucher avec moi et ensuite me larguer.

Isabel sentit que les larmes lui montaient aux yeux. Elle les chassa.

– Bon sang, ce que je peux être bête. Mais alors, pourquoi m'avoir dit qu'il m'aimait ? Et pourquoi avoir passé du temps avec moi à son retour du Maine ? Je ne comprends pas. Mon Dieu, je suis pathétique. Je ressemble à ces filles dont je me suis toujours moquée.

Rory lui tapota le dos. Elle ne voulait pas lui avouer qu'elle avait eu un mauvais pressentiment dès le premier jour où elle avait vu Mike, quand il était sorti par la porte de derrière tel un orage menaçant.

– Je suis sûre qu'il y a une explication, dit-elle.

– Je devrais juste l'appeler, non ? Ou simplement me pointer chez lui, tu ne crois pas ?

– Je ne crois pas que...

– Laisse tomber, marmonna-t-elle.

Elles se dirigèrent vers les caisses. Isabel retenait ses larmes. Quoi qu'il arrive, elle ne pleurerait pas à cause de ce garçon, surtout pas dans un lieu public. Mais où était-il ? Que s'était-il passé ? Était-ce à cause du texto qu'elle lui avait envoyé ? Elle n'aurait pourtant pas pu être plus cool.

Hé, pas de souci ! La fête était fun. Tout va bien ?? Bisous, I.

Et elle n'avait eu aucune nouvelle. Rien. Pas un mot. Cela faisait presque quatre jours.

– Isabel?

Elle releva les yeux. M. Knox se tenait juste devant elle. Il avait l'air aussi content de la voir que ce premier jour au Georgica, et la jeune fille eut l'impression qu'il l'aurait serrée dans ses bras s'il n'avait pas tenu un énorme sac de glace.

– Oh, bonjour, souffla-t-elle.

Elle s'essuya les yeux du dos de la main, au cas où une larme s'y serait attardée.

– Tu as l'air un peu préoccupée, dit-il avec un sourire gentil. Tu vas bien?

– Ça va. Oh, voici mon amie Rory.

– Bonjour, lança-t-il en la saluant de la tête.

– Je te présente M. Knox, poursuivit Isabel. C'est un ami de mes parents.

– Comment s'est passée la fête d'anniversaire de ton père? Nous étions navrés de ne pas pouvoir venir. J'espère que ça lui a fait plaisir.

– Je crois, oui.

Pourquoi n'avez-vous pas pu venir? aurait-elle aimé lui demander.

– Papa?

Une blonde dégingandée avec d'immenses yeux bleus s'approchait d'eux, un panier au bras.

– J'ai pris tout ce que maman voulait.

– Holly, tu peux saluer Isabel? demanda son père avec un sourire étrange.

– Bonjour, dit-elle timidement.

– Salut, répondit Isabel en la dévisageant.

Elle avait l'impression de se regarder dans un miroir. Holly avait les cheveux un peu plus foncés, mais avec les mêmes ondulations, et elle avait aussi un visage en forme de cœur, avec les mêmes pommettes et la même fossette sur la joue droite. Elle avait les mêmes grands yeux bleus, un peu plus enfoncés. Cette fille qu'elle n'avait jamais vue auparavant lui ressemblait plus que sa propre sœur. C'était étrange.

– C'est un plaisir de vous voir, ajouta-t-elle.

– Pour nous aussi, dit M. Knox. On ferait mieux d'y aller. On a du monde ce week-end et Michelle avait besoin de produits en urgence. (Il tapota le sac de glace.) Prends soin de toi, Isabel. Je suis content de t'avoir croisée.

Lui et sa fille partirent vers une caisse un peu plus loin. Isabel regardait Holly Knox. Elle avait même sa démarche : les épaules en arrière, de grands pas lents. Soudain, le souffle lui manqua.

– Bon sang, c'est bizarre.

– Quoi ? demanda Rory.

– Cette fille. On pourrait être sœurs. Je lui ressemble plus qu'à Sloane.

Avant que Rory puisse répondre, Julia apparut, un panier au bras.

– Hé, gazouilla-t-elle. Vous savez quel genre de fruits aime Connor ?

– Les bananes, rétorqua Isabel avec sérieux, avant de s'éloigner brusquement vers les caisses.

Chapitre 20

– C'est très simple, dit Bianca en désignant les plats d'onglet en sauce au vin rouge, de brocoli à l'ail et d'épis de maïs posés sur le comptoir. Tout le monde se servira dans les plats que tu présenteras. Assure-toi simplement de te placer à gauche de chaque personne. Et ne renverse rien.

– Très bien, soupira Rory en s'appuyant contre le comptoir.

– Est-ce que ça va ? demanda Bianca, qui l'observait bizarrement.

– Ça va. J'ai juste un peu mal à cause de la leçon d'équitation.

Elle mit tout son poids sur un pied puis sur l'autre, essayant d'étirer sa cuisse claquée.

– Je ne comprends toujours pas pourquoi elle veut remettre ça, dit Fee depuis la table, où elle pliait du linge de table propre. Alors qu'en général ils organisent simplement un buffet.

– Mme Rule voulait être servie à table ce soir, déclara Bianca en jouant avec la chaîne de quartz rose à son cou.

– Ça ira, leur assura Rory en examinant les plats. Je vais d'abord apporter la viande.

– Je vais te tenir la porte, dit Fee.

Elle ouvrit la porte et lança un regard plein de compassion à Rory. C'était un regard qu'elle lui adressait souvent depuis que Connor était arrivé avec Julia.

– Bon courage, murmura-t-elle.

Rory sourit pour elle-même. Seule Fee semblait sentir que jouer la servante était la dernière chose dont elle avait envie ce soir.

Elle entra dans la salle à manger et se dirigea directement vers Mme Rule, assise en bout de table. Alors qu'elle se baissait et retenait un cri de douleur, Isabel lui lança un regard sombre. Elles n'avaient pas reparlé de ce qui s'était passé au Red Horse Market, mais c'était inutile ; Rory savait qu'Isabel y avait pensé toute la journée.

Elle présenta le plat à Mme Rule pour qu'elle puisse se servir avec les pinces.

– Mais il n'a aucune preuve ! s'exclama celle-ci. Comment peut-il affirmer qu'il y a rupture de contrat alors que nous n'avons pas encore commencé à construire !

– Il dit qu'il connaît nos projets, répondit M. Rule en beurrant un petit pain. Je ne sais pas comment il est au courant, mais il est au courant.

Rory se redressa, maudissant en silence ses jambes douloureuses, et passa à la personne suivante.

– Onglet ? proposa-t-elle en se penchant.

Connor lui lança un regard interrogateur, comme si elle lui avait demandé tout autre chose. Il prit les pinces et se servit lentement.

– Connor, dit Mme Rule. Tu m'as l'air terriblement distrait ce soir. Quelque chose ne va pas ?

– Hum? fit-il en déposant de la viande sur son assiette. Non. J'écoute. Vous parliez de ce type qui poursuit papa.

– Je n'irais pas jusqu'à dire qu'il le poursuit, mais il pourrait le faire.

Connor posa les pinces et regarda Rory droit dans les yeux.

– Merci, murmura-t-il.

– De rien, dit-elle aussi brusquement que possible, avant de passer à Julia, qui prit soin de choisir le morceau le plus petit et le plus maigre.

Quand elle eut fini de servir, elle retourna dans la cuisine et s'assit devant une assiette qu'Erica lui avait préparée. Elle se mit à manger rapidement.

– Quelqu'un sait quand repart l'amie de Connor? demanda la cuisinière.

– Pourquoi? On essaie d'économiser de la nourriture? rétorqua Bianca en feuilletant *The New Yorker*.

– Je pose la question, c'est tout. Elle a beaucoup de restrictions diététiques. Ça commence à être difficile.

– Dans ce cas, contournez-les, répliqua sèchement Bianca.

Erica poussa un long soupir exaspéré et se remit à regarder le *Bachelor* à la télévision.

Quand Rory retourna chercher les assiettes, Julia parlait.

– J'ai déjà posé ma candidature en ligne, disait-elle fièrement. Et je pense que j'ai de bonnes chances d'être transférée.

– Attends, s'étonna Isabel. Tu vas aller à l'USC? Pour Connor?

Rory ramassait l'assiette de Mme Rule. Elle faillit lui glisser des mains et tomber sur la moquette.

– Désolée, dit-elle en la redressant au dernier moment.

– Oui, répondit Julia, un peu blessée. Ce n'est pas grand-chose.

– Si, répliqua Isabel. Il s'agit d'aller à l'autre bout du pays.

Rory prit l'assiette de Connor et s'autorisa un coup d'œil à son visage. Il semblait avoir légèrement pâli.

– Je ne savais pas que tu avais posé ta candidature, lança-t-il, les yeux sur Julia.

– J'ai dû oublier de te le dire, lâcha-t-elle avant de boire une gorgée d'eau. Ça m'a l'air assez simple. Et j'ai eu de très bonnes notes à Amherst. Ça ne devrait pas poser de problème.

– Je pense que c'est une excellente idée, intervint Mme Rule. Je crois que Connor serait ravi d'avoir de la compagnie.

Rory ramena les assiettes dans la cuisine et les posa bruyamment sur le comptoir.

– Qu'est-ce qui t'arrive ? demanda Erica, occupée à remplir des coupes individuelles de mousse au chocolat.

Rory s'agrippait au bord du comptoir.

– Je ne me sens pas très bien.

– Oh mon Dieu ! s'écria Erica, d'une voix paniquée. Je t'en prie, dis-moi que ce n'est pas à cause de la nourriture.

– Non, c'était bon, la rassura-t-elle. Je crois que je vais aller m'allonger.

– Je vais servir le dessert. Je préviendrai Bianca à son retour.

– Merci, Erica, murmura-t-elle. Et je voulais que tu saches que tu accomplis un travail formidable ici.

La panique de la cuisinière sembla s'accroître.

– Est-ce que tu sais quelque chose que j'ignore ?

Rory secoua la tête.

– Non, je voulais juste te faire un compliment.

Elle sortit dans le couloir. Il n'y avait que dans cette maison qu'on se méfiait des compliments.

Elle était si fatiguée et souffrait tellement qu'elle avait l'impression que ses jambes risquaient de la lâcher à tout moment. Elle ferma la porte et s'allongea sur son lit. Elle sentait encore le cheval sous elle, galopant dans le manège en cercles infinis. C'était exactement ce qu'elle faisait avec Connor, se dit-elle. Elle tournait en rond, se torturait alors qu'il n'y aurait jamais rien entre eux. D'autant plus que Julia allait être transférée dans sa fac, et qu'elle, Rory, n'était que la fille qui leur servait de l'onglet.

On frappa à la porte.

– Oui, lança-t-elle en s'asseyant.

La porte s'ouvrit et Connor entra dans la chambre.

– Erica a dit que tu ne te sentais pas bien. Est-ce que ça va ?

Elle regarda son visage plein de sollicitude et de bienveillance et soudain, elle sut ce qu'elle devait faire.

– Connor, je suis désolée.

– De quoi ?

– De tout ce que je t'ai dit dans la cabine. Que tu ne comptais pas pour moi, que je ne voulais pas d'une relation sérieuse, que c'était juste sympa. Je ne le pensais pas. Je ne le pensais pas du tout.

Connor ne bougeait pas.

– J'avais peur de ce que penserait ta famille, c'est tout. Et de ce que tu ferais. Que tu sois enthousiaste quelques semaines et puis que tu te rendes compte de leur désapprobation, et que tu ne veuilles plus de moi.

Il la regardait, le visage indéchiffrable et dénué d'émotion, et elle regretta aussitôt d'avoir parlé.

– Rory, je veux juste que tu...

Quelqu'un frappa à la porte et Julia entra.

– Connor ? Qu'est-ce que tu fais là ?

Son regard passait de Connor à Rory.

– Erica a dit que Rory ne se sentait pas bien. Je suis juste venu voir comment elle allait.

– Oh, tu ne te sens pas bien ?

Julia s'assit à côté d'elle et lui prit la main.

– C'est affreux. Qu'est-ce qui ne va pas ?

Rory se creusa la tête.

– Rien. J'ai juste mal au ventre.

– Oh, ma pauvre. Tu as la diarrhée ? murmura-t-elle, assez fort cependant pour que Connor l'entende.

– Non, je ne pense pas, répondit fermement la jeune fille.

Il y eut un autre coup à la porte et Mme Rule entra.

– Rory, est-ce que ça va ?

– Je vais bien, soupira-t-elle.

– Elle a mal au ventre, dit Julia, secourable. Elle a peut-être la diarrhée.

– Oh, souffla Mme Rule. Tu as des médicaments ?

– Je ne crois pas, répondit Rory.

– Dans ce cas tu pourrais peut-être faire un saut à la pharmacie de Bridgehampton ? Ce serait bien qu'on en ait à la maison.

– Attends, dit Connor, tu veux l'envoyer à la pharmacie alors qu'elle est malade ?

– Ce n'est pas comme si elle avait besoin d'aller à l'hôpital, rétorqua Mme Rule d'une voix boudeuse. Je suis sûre qu'elle peut conduire. Rory, tu peux conduire ?

– Laisse-la tranquille, trancha Connor.

– Qu'est-ce que tu as ? répliqua sèchement sa mère.

– Ça va, dit Rory en se levant. Je veux bien y aller.

Elle n'avait jamais vu Connor et sa mère en conflit. Cela la mettait mal à l'aise.

– Tu vois ? lança Mme Rule. Elle va bien. Rory, tant que tu y es, tu pourrais me prendre des Ricola ? J'ai la gorge irritée la nuit.

Julia se leva et prit le bras de Connor.

– Viens, souffla-t-elle, on va regarder quelque chose dans la salle de projection.

– J'arrive tout de suite, répondit-il.

– Julia, viens manger un peu de glace, proposa Mme Rule en la faisant sortir.

– Je suis désolé, dit Connor quand ils furent seuls. Laisse-moi y aller à ta place.

– C'est bon, vraiment, le rassura-t-elle en allant chercher son sac sur la commode.

Voilà exactement ce dont je parlais, aurait-elle voulu ajouter. *Ça ne pourrait jamais marcher entre nous.*

– Je voulais juste te dire... euh, en réponse à ce que tu as avoué...

Il hésitait, passant d'un pied sur l'autre.

– Je vais plutôt te poser une question : qu'est-ce que tu veux, Rory ?

Elle le regarda dans le miroir au-dessus de la commode. Elle connaissait la réponse raisonnable, la réponse la plus sûre. *Rien, ça n'a pas d'importance, continuons comme ça jusqu'à la fin de l'été et faisons comme s'il ne s'était rien passé.* Mais elle savait que c'était la seule occasion de lui dire la vérité. Elle se retourna vers lui.

– Ça ne me dérange pas que ta mère m'envoie à la pharmacie chercher des pastilles pour la toux au beau milieu de la nuit. Ça ne me dérange pas de devoir vous servir à chaque repas. Je me fiche d'être bannie du club Georgica jusqu'à la fin de mes jours. Tout ça en vaut la peine, si je peux être avec toi.

Elle vit passer quelque chose sur son visage, mais elle se força à continuer.

– Et je sais que tu es avec Julia et qu'elle va aller dans la même fac que toi, et que vous allez parfaitement bien ensemble, et que ta mère l'adore, ajouta-t-elle, s'efforçant de garder une voix ferme. Mais je veux juste que tu saches que je suis désolée. J'ai tout gâché. Je suis nulle avec les garçons, je l'ai toujours été, mais je sais ce que je veux maintenant.

Elle s'approcha et se planta juste devant lui.

– Je veux être avec toi.

Il la dévisagea pendant une longue minute. À son expression, elle comprit qu'il n'avait rien à dire. Ses paroles n'avaient éveillé aucun écho en lui. Elle avait envie de pleurer.

– Bon... Je ferais mieux d'y aller, murmura-t-elle.

Elle attendit de voir s'il avait quelque chose à ajouter, mais il se contentait de la regarder, le visage fermé.

– Bon, à plus, alors.

Elle prit son sac et sortit.

Elle était presque à la Prius quand elle entendit des pas derrière elle. Elle fit volte-face, espérant voir Connor, mais c'était Isabel, affolée, à bout de souffle.

– Où vas-tu ? demanda-t-elle.

– Bridgehampton.

– Tu peux me conduire à Montauk?

– Maintenant?

Isabel fit un pas vers elle. Au clair de lune, elle lut une grande inquiétude sur son visage.

– Je viens d'avoir de ses nouvelles. Il a enfin refait surface. Et son texto était trop bizarre. Je crois qu'il va rompre.

– Alors pourquoi veux-tu aller le voir?

– Parce qu'il le faut. Conduis-moi là-bas, OK?

– Qu'est-ce que tu as dit à ta mère?

– J'ai dit que je t'accompagnais à la pharmacie et qu'on s'arrêterait peut-être acheter des bonbons sur le trajet du retour.

– Mais que va-t-il se passer si je reviens toute seule?

– Rory, je n'en ai rien à faire. Je ne mange plus, je ne dors plus... Emmène-moi là-bas, c'est tout. Je veux qu'on abrège ce supplice.

Moi aussi, pensa Rory alors qu'elles montaient en voiture.

Chapitre 21

À chaque cahot de la Prius sur la route sombre pleine de nids-de-poule, Isabel sentait que ses nerfs commençaient à la lâcher.

– Alors, que disait son texto ? demanda Rory.

Isabel sortit son téléphone de sa pochette en paille.

– Hé, désolé d'avoir disparu. Je n'ai pas arrêté. Je t'appelle demain. Mike.

Rory ralentit dans un virage.

– Ça ne veut pas forcément dire qu'il va rompre.

Isabel la regarda.

– Alors quoi, c'est censé être bien ?

– Je vois ce que tu veux dire, ajouta Rory en roulant sur un autre nid-de-poule.

– Tu as peut-être raison. Peut-être qu'il est arrivé quelque chose dans sa famille. Que je n'ai toujours pas rencontrée, soit dit en passant. C'est ici. Juste après la boîte aux lettres.

Rory s'engagea dans l'allée et se gara derrière l'Exterra de Mike.

– C'est sa maison ? demanda-t-elle.

– Oui, répondit Isabel en observant la bâtisse délabrée. On dirait qu'il est là.

De la lumière brillait derrière les stores déchirés. Soudain, elle n'avait plus envie d'y aller.

– S'il est là, tu veux que je t'attende ? proposa Rory.

– Non, ça va aller. S'il veut me quitter, le moins qu'il puisse faire est de me ramener chez moi.

Elle inspira profondément. La folle guirlande de Noël électrique montait toujours la garde près de la porte, mais elle ne la trouvait plus accueillante. Elle ouvrit la portière.

– Bonne chance, souffla Rory.

Bonne chance, pensa Isabel. Lui avait-on déjà dit ça au sujet d'un garçon ?

– Attends que quelqu'un ouvre, dit-elle.

– Bien sûr.

Elle descendit et traversa la pelouse comme si elle allait à l'échafaud. Elle gravit les quelques marches et frappa.

– Qui c'est ? cria un garçon à l'intérieur.

– Isabel !

La porte grillagée s'ouvrit et Mike apparut, torse nu. Son Levi's tombait sur ses hanches. Il avait les cheveux mouillés. Il n'avait jamais été aussi beau, pensa-t-elle douloureusement.

– Hé, dit-il. Qu'est-ce que tu fais là ?

Elle fit signe à Rory de partir, même si elle mourait d'envie qu'elle reste, en cas de besoin.

– Je voulais juste te parler. Je peux entrer ?

– Bien sûr, lança-t-il sur un ton résigné.

Il n'était pas content de la voir. Le pire était sans doute vrai.

Il fit un pas sur le côté. Elle entendait Pete et Esteban qui regardaient la télé dans le salon.

– Allons dans ma chambre, dit-il en s'engageant dans le couloir.

Son cœur battait à tout rompre. En temps normal, il l'aurait fait entrer en lui tirant les deux mains et l'aurait embrassée dans l'entrée, puis l'aurait entraînée jusqu'à sa chambre. Mais là, il ouvrit la porte de la pièce et lui fit signe d'y entrer la première, comme si elle était une inconnue, et quand elle s'assit contre les oreillers, sur son lit, il s'installa sur l'accoudoir de son canapé, loin d'elle.

– Alors, que se passe-t-il ? demanda-t-elle, essayant de garder son calme. Je me suis fait du souci pour toi. Tu as disparu.

Il enfila un T-shirt roulé en boule au pied de son lit.

– Oui, je suis désolé, dit-il en regardant par terre. J'ai été très occupé.

– C'est vraiment bizarre, chez moi. Tu te souviens de ce que je t'ai raconté sur ma mère ? Et bien, c'est devenu encore plus étrange. Je crois que le type avec qui elle était l'autre jour...

Elle se rendit compte que ce qu'elle racontait ne l'intéressait pas. Il était assis, courbé comme un vieil homme, les yeux rivés sur le sol poussiéreux.

– Qu'est-ce qui ne va pas ? demanda-t-elle. Tu n'as vraiment pas l'air bien.

– Je pense juste qu'on devrait arrêter de se voir, dit-il doucement.

Même si elle s'y attendait, ces mots explosèrent dans sa poitrine.

– Je ne peux pas m'engager dans une relation sérieuse en ce moment, reprit-il. J'aurais dû te le dire. J'ai laissé durer ça trop longtemps.

Il posa les yeux sur elle. Il avait le regard éteint.

– Je suis désolé.

Elle détourna les yeux et essaya d'assimiler ce qu'il venait de lui annoncer.

– Je ne crois pas t'avoir mis la pression, et pour ce qui est de la fête, je m'en fichais...

– Ce n'est pas ça, la coupa-t-il. Ce n'est pas toi. C'est moi.

– Mais tu as dit que tu m'aimais.

– Oui, admit-il, les sourcils froncés. Je sais. Je n'aurais pas dû.

Elle regardait un tas de moutons de poussière par terre. Elle s'était repassé ce scénario cauchemardesque des centaines de fois dans son esprit, mais maintenant qu'il se réalisait, elle ne savait ni quoi dire ni quoi faire.

– C'est à cause de ton ex ? Le top model ?

– Non, ça n'a aucun rapport avec une autre fille. C'est moi, c'est tout. C'est mon problème à moi.

– Alors comment peux-tu être à fond dans quelque chose et d'un seul coup ne plus en avoir rien à faire ?

– Isabel, ne rends pas les choses plus difficiles. Je suis désolé. Vraiment désolé.

– À moins que tu n'aies jamais été à fond. Peut-être que tu faisais semblant.

Il soupira et ses épaules s'affaissèrent. Son silence faisait office de réponse.

– Ramène-moi chez moi, dit-elle en se levant. D'accord ? Tout de suite.

Elle se dirigea vers la porte.

– S'il te plaît ? Allons-y. Maintenant.

– Isabel, je suis désolé.

Il posa une main sur son épaule. Elle attendit qu'elle retombe, inutile. Puis elle l'entendit enfiler ses tongs et prendre ses clés de voiture. Les larmes lui brûlaient les yeux, mais il n'était pas question que ce garçon la voie pleurer. Jamais.

Rory franchit le portail qui s'ouvrait lentement et remonta l'allée en graviers. Elle avait pris son temps pour aller à la pharmacie et traîner dans les rayons. Presque une heure s'était écoulée depuis qu'elle avait déposé Isabel chez Mike et pour l'instant, elle n'avait pas eu de nouvelles. Elle espérait qu'elle allait bien. Quelque chose lui disait que l'instinct d'Isabel ne la trompait pas, et que Mike allait rompre. Cela dit, peut-être qu'ils se réconciliaient en faisant l'amour passionnément, une expérience qu'elle ne connaîtrait jamais.

Elle se gara et prit le sac en plastique contenant ses achats. Elle se rendit compte que l'Audi de Connor n'était plus là. *Peu importe*, pensa-t-elle. Ce qu'il pouvait dire ou faire n'avait plus aucune importance pour elle.

Elle entra dans la cuisine vide et posa le sac sur le comptoir. L'horloge indiquait vingt-deux heures quarante-cinq. L'idée d'aller se coucher lui paraissait étrangement déprimante. Un peu d'air frais lui ferait du bien. Elle alla chercher un pull dans sa chambre.

Elle sortit sur le patio par la porte vitrée coulissante. La lune n'était qu'un mince croissant luisant, et la Petite Ourse scintillait vivement. La nuit était claire et douce, presque trop pour qu'elle ait besoin d'un pull. Elle l'attacha autour de sa taille, au cas où, et se dirigea vers les dunes.

Sur la plage, la marée était basse. Elle posa ses sandales, les laissa près du sentier et partit vers Main Beach. Ses pieds s'enfonçaient dans le sable jusqu'à ses chevilles. Les vagues, le sable et le vent lui permettaient de se retrouver. La nature se fichait de l'argent, des ruptures et de l'amour. L'eau, les vagues et les marées étaient bien plus importantes que tout ce qui se passait dans ces demeures en bord de plage. Et de toute manière, ce n'était pas sa vie. Elle partirait dans un mois et tout cela ne serait plus qu'un vague souvenir. Sa vie dans une petite ville et ses aspirations modestes étaient une bénédiction ; elle le comprenait désormais.

Et bien sûr, elle n'était pas obligée d'attendre un mois. Elle pouvait partir maintenant. Elle regarda le ciel rempli d'étoiles et sut que c'était ce qu'elle voulait. Rentrer chez elle quelques semaines plus tôt ne la tuerait pas. Ce serait sans doute mieux comme ça. Rester ici après s'être épanchée auprès de Connor lui paraissait insupportable. Et cette famille n'avait pas besoin d'elle, à part Isabel, mais elle comprendrait un jour, quand Rory lui raconterait tout.

Elle se rapprocha de l'eau jusqu'à ce qu'elle lui lèche les orteils. Au moins, elle lui avait dit ce qu'elle ressentait. Elle pouvait rentrer chez elle forte de cela.

Alors, elle entendit une voix étouffée par le vent qui appelait son nom.

– Rory ?

Elle ne savait pas si elle l'avait imaginée. Elle l'entendit à nouveau.

– Rory ?

Elle se retourna. Dans le noir, elle distinguait une sil-houette. Seule.

– Connor?

Il s'avança vers elle.

– Salut. Je pensais bien te trouver ici.

Au clair de lune, ses cheveux blonds paraissaient argentés.

– Que se passe-t-il? demanda-t-elle, essayant d'ignorer un frisson d'excitation.

– Je voulais juste te dire quelque chose. J'ai mis Julia dans le bus. Elle retourne à New York.

– Tout de suite?

– On s'est disputés après ton départ. Et nous avons tous les deux décidé qu'il valait mieux qu'elle s'en aille. (Il sourit.) Enfin, disons que je l'ai décidé un peu plus vite qu'elle.

– Mais pourquoi?

– C'était un peu pathétique, la façon dont on s'est remis ensemble. Et je me suis vite rendu compte qu'on s'était éloi-gnés. Pour de bon. Et bien sûr, tu as joué un rôle là-dedans.

Il y eut une rafale, mais elle la sentit à peine.

– Ah bon?

– Quand je suis parti à New York, je pensais ne plus avoir aucune chance avec toi. Je ne t'ai pas crue ce jour-là dans la cabine, mais je me suis forcé à te croire. Quand j'ai revu Julia, je me sentais seul et faible... Vraiment faible. Dès que je suis revenu ici, j'ai su que j'avais fait une erreur. (Il sourit.) Mais je ne pouvais plus me débarrasser d'elle. Elle aime beau-coup notre style de vie luxueux. Au cas où tu ne t'en serais pas rendu compte.

Rory sourit à son tour.

– Alors... Qu'est-ce qui a déclenché votre dispute?

311

– Elle a dit que je ne la soutenais pas dans son projet d'aller à l'USC. Et quand je lui ai avoué que je ne trouvais pas que c'était une bonne idée, tous mes doutes à son sujet ont réapparu. Ce n'était pas facile, mais je devais être honnête avec elle. Et nous avons tous les deux décidé qu'il valait mieux qu'elle parte.

Elle fit deux pas vers lui, jusqu'à être assez proche pour pouvoir le toucher.

– Ça va ? demanda-t-elle.

Il l'attira contre lui et passa les bras autour de sa taille.

– Ça va mieux que bien. On peut le dire à tout le monde, on peut garder ça pour nous, comme tu voudras. Mais tu dois me promettre quelque chose.

– Quoi ?

– De me faire confiance. Parce que je veux être avec toi.

– Vraiment ?

Il hocha la tête.

– C'est tout ce que je désire. Tu es tellement forte, Rory. Tu sais à quel point c'est étonnant ? Tu sais à quel point ça me donne envie d'être avec toi ?

– Pas vraiment. Mais je commence à m'en faire une idée.

Il rit.

– Je peux t'embrasser maintenant ?

– Oui, ce serait sympa.

Il se pencha et posa ses lèvres sur les siennes, et elle se sentit fondre entre ses bras. De l'eau glacée se précipitait sur ses pieds, mais elle ne sentait rien.

Mike arrêta la voiture devant le portail en fer. Isabel avait les yeux rivés sur le pare-brise. Ils avaient à peine parlé depuis qu'ils avaient quitté sa chambre. La boule dans sa gorge était si douloureuse qu'elle doutait de pouvoir lui dire quoi que ce soit. Mais sortir de cette voiture signifiait que leur histoire était définitivement terminée. Et elle n'avait pas cette impression-là.

– Alors ça y est ? se força-t-elle à demander. On se dit au revoir ?

– Ne rends pas les choses plus difficiles qu'elles ne le sont déjà.

– Qu'est-ce que j'ai fait ? lança-t-elle, des larmes dans les yeux. Dis-moi juste ce que j'ai fait.

– Tu n'as rien fait, répondit-il froidement. C'est ce que j'essaie de t'expliquer. Ça n'a rien à voir avec toi.

Elle ouvrit la bouche, mais aucun son n'en sortit. Elle agrippa la poignée de la porte.

– Dans ce cas, restons-en là, dit-elle. Au revoir.

– Isabel...

– Quoi ?

Il soupira et appuya la tête contre son siège.

– Juste... Je ne veux pas que tu me détestes.

– Trop tard.

Elle descendit et claqua la portière.

Il s'éloigna avant même qu'elle se soit faufilée dans la haie. Dès qu'elle fut en sécurité sur sa propriété, elle se mit à courir. Elle piqua un sprint sur la pelouse, de plus en plus vite. Rory, pensa-t-elle. Rory allait l'aider à surmonter ça.

La porte de derrière était ouverte. Elle se glissa dans la maison silencieuse. Trixie releva la tête de son panier, curieuse, et se rendormit rapidement. Isabel frappa à la porte de Rory. Pas de réponse.

Elle frappa à nouveau puis poussa la porte. La chambre était vide. Son lit était fait. Son sac à main était accroché à sa chaise.

Isabel la chercha dans tout le rez-de-chaussée : la cuisine, la bibliothèque, même la salle de projection. Aucun signe d'elle.

Elle envisagea de monter dans sa chambre, mais elle ne voulait pas risquer de manquer Rory. Où qu'elle soit, il faudrait bien qu'elle aille se coucher à un moment ou un autre.

Elle retourna dans la chambre de Rory et tira la couette. Elle l'attendrait ici, pensa-t-elle en se blottissant dans son lit. Elle n'allait pas pleurer. Pas encore. Rory saurait quoi faire.

Chapitre 22

Dans la semi-obscurité, Rory vit une main près de son visage, sur l'oreiller, et au-delà, une table de nuit qu'elle ne reconnaissait pas, sur laquelle étaient posées une station iPod et une pile de livres de John le Carré. Elle attendit un moment puis sentit quelqu'un remuer à côté d'elle. Un corps grand et chaud allongé tout près d'elle. Connor, pensa-t-elle avec joie. Ils s'étaient endormis dans les bras l'un de l'autre, sur son lit, tout habillés. En revenant de la plage, ils s'étaient faufilés dans sa chambre et s'étaient embrassés pendant longtemps, jusque bien après deux heures du matin. Et maintenant, il était... Quelle heure était-il ? Elle se redressa sur un bras et regarda l'horloge phosphorescente sur la table de nuit. Sept heures dix. Bon sang ! Il fallait qu'elle retourne immédiatement dans sa chambre.

Elle se retourna et contempla le visage paisible de Connor endormi. Même inconscient, il était superbe. Elle l'embrassa sur le front et il battit des paupières.

– Hé, dit-il d'une voix ensommeillée.

– Hé, murmura-t-elle. Il est sept heures. Il vaudrait mieux que je retourne dans ma chambre.

– OK. À tout à l'heure.

Il lui toucha le visage et posa la paume sur sa joue.

Elle enfila ses tennis pleines de sable et ouvrit la porte. Heureusement, la maison était encore silencieuse. Elle sortit dans le couloir sur la pointe des pieds, passa devant la chambre d'Isabel et descendit l'escalier. Trixie était déjà debout et alerte et Rory la fit sortir quelques instants pour qu'elle puisse faire ses besoins. Le soleil brillait et les oiseaux gazouillaient bruyamment dans les arbres. Elle avait l'impression d'avoir rêvé. Quand elle serait plus réveillée, elle arriverait mieux à se réjouir. Elle ramena Trixie à l'intérieur puis entra dans sa chambre.

Isabel était blottie sur son lit, tout habillée, ses cheveux étalés sur l'oreiller, dormant aussi paisiblement que Boucle d'or. Rory restait plantée sur le pas de la porte, trop effrayée pour bouger. Elle était démasquée.

– Hé, dit-elle en touchant doucement l'épaule d'Isabel.

La jeune fille ouvrit les yeux et regarda autour d'elle, désorientée.

– Où étais-tu ? demanda-t-elle d'une voix rauque. Je t'ai attendue.

Rory chercha la meilleure façon de dire ça. Mais il n'y en avait pas.

– Dans la chambre de Connor. Je me suis endormie là-bas. Par accident.

– Dans la chambre de Connor ? répéta Isabel en se frottant les yeux. Qu'est-ce que tu fabriquais là-bas ?

Rory s'assit sur le lit.

– Julia est rentrée chez elle. Et... disons qu'on est ensemble, maintenant. On s'embrassait dans sa chambre, et on s'est endormis.

Isabel la dévisageait, le visage impassible. Elle s'assit.

– Quoi ? QUOI ?

– Connor et moi sortons ensemble. Je suis désolée, j'aurais dû te prévenir que cela pourrait arriver. Mais je ne pensais pas que ça se reproduirait...

– Que ça se reproduirait ? demanda Isabel. Vous vous étiez déjà embrassés ?

– Une seule fois. Le 4 Juillet. Et ensuite, il s'est remis avec Julia et je me suis dit que ça ne servait à rien d'en parler, puisqu'il ne pourrait plus rien se passer...

– Alors tu m'as caché ça, l'interrompit Isabel, dont le visage pâle commençait à rougir. Pendant des semaines.

– Oui, balbutia Rory. Mais j'ai voulu te le dire plusieurs fois.

– Tu me faisais la leçon parce que je ne parlais pas de Mike à ma famille et parce que je passais par ta chambre et pendant ce temps, tu vivais une histoire d'amour secrète avec mon frère juste sous mon nez. C'est ça ?

Rory s'agita.

– Je ne qualifierais pas ça d'histoire d'amour.

Isabel repoussa la couette et se leva.

– Et moi qui croyais que tu étais mon amie !

– Mais je suis ton amie ! Rien n'a changé.

– Oh, si. Tout a changé.

– Pourquoi es-tu aussi en colère ? Ce n'est pas comme si j'avais fait ça pour te blesser.

– C'est pour ça que nous sommes amies ? Pour que tu puisses atteindre mon frère ?

– Bien sûr que non. Et je suis désolée de ne rien t'avoir dit. Mais pourquoi es-tu aussi en colère ?

– J'avais vraiment besoin de te parler hier soir, et tu n'étais pas là pour moi. Parce que tu couchais avec mon frère.

Elle enfila ses chaussures.

– Berk. Je ne peux même pas y penser, ça me dégoûte.

– On n'a pas couché ensemble. Pas du tout.

– Dieu merci, marmonna Isabel.

– Tu sais, je croyais que tu serais contente pour moi. Ou du moins, que tu me soutiendrais.

– Oui, eh bien moi j'avais besoin que tu me soutiennes hier soir, et tu n'étais pas là.

Elle cligna des yeux et Rory y vit des larmes.

– Mike m'a larguée.

– Oh mon Dieu, je suis désolée. Vraiment désolée.

– Sans raison. Il ne veut plus me voir. Il ne veut pas me dire pourquoi, il ne veut rien me dire. Et quand je suis rentrée ici, j'avais besoin de te parler. Mais je suppose que tu avais plus important à faire.

Elle ouvrit brusquement la porte.

– Isabel, s'il te plaît, ne sois pas fâchée.

– Oh, je t'en prie, répliqua-t-elle sèchement. Laisse-moi tranquille, OK ?

Rory la regarda claquer la porte, si fort que l'horloge Tiffany se renversa sur la table de nuit.

Août

Chapitre 23

– Alors, vous connaissez la grande nouvelle ? murmura Thayer en pressant une grosse tranche de citron dans son thé glacé. Tatiana et Link Gould vont divorcer.

– Pas possible, dit Darwin en se faisant une queue-de-cheval. Parce qu'il la trompe ?

– Non, parce qu'elle le trompe, répondit Thayer avec autant de jubilation que son ton monocorde le lui permettait. Il l'a surprise au lit avec un joueur de polo argentin. Incroyable, non ? Et terrible, en même temps.

– Waouh ! Qu'est-ce qu'elle va faire, maintenant ? Qui va bien pouvoir vouloir d'elle ?

– Exactement, dit Isabel avec apathie.

Elle releva les yeux de sa salade composée et vit que Thayer et Darwin l'examinaient avec une légère suspicion. Elles hochèrent la tête d'un air approbateur. Elle avait réussi l'inspection.

Depuis qu'elle avait recommencé à déjeuner avec ses anciennes amies, elle s'était rendu compte que tout ce qu'elle avait à faire, c'était acquiescer à chaque stupidité qui sortait de leur bouche ; comme ça, elles la laissaient tranquille. Bien sûr, elle avait dû leur faire des courbettes au début. Elle était allée à leur table le premier jour avec son plateau et avait dit simplement « On a rompu. » Puis elle s'était assise et avait lâché quelques détails pertinents. Principalement que Mike était un « abruti total », qu'ils avaient eu une « grosse dispute » et qu'elle avait fini par prendre conscience qu'il « venait d'une autre planète » et qu'elle était « bien mieux sans lui ». D'abord, Thayer et Darwin l'avaient écoutée dans un silence froid et sceptique puis, une fois certaines qu'Isabel avait vraiment été blessée, elles lui avaient posé des questions à contre-cœur. Ensuite, elles lui avaient assuré d'un air hautain qu'elles l'avaient vu venir depuis le début. Un mec de North Fork ? Un surfeur ? Qui allait à l'université publique ? Il ne pouvait rien en sortir de bon.

Quand elle leur avait parlé de Connor et Rory, en revanche, elles avaient été outrées.

– Comment a-t-elle pu te faire ça ? avait demandé Darwin.

– Tu les as surpris ensemble ? avait voulu savoir Thayer.

– Tu crois que c'est une croqueuse de diamants ? s'était enquise Darwin.

Elle avait repoussé leurs questions indignées d'un hausse-ment d'épaules et d'un « Je n'ai vraiment pas envie d'en par-ler. » Et ainsi, elle avait de nouveau été admise dans le cercle. Elle s'asseyait avec elles sur le patio, cancanait et mangeait sa salade du bout des dents. Pour un observateur non averti, elle était toujours la princesse du Georgica. Mais elle trouvait peu de réconfort dans les apparences désormais.

– Il paraît que cette fille et ton frère ne sont pas très dis-crets, dit Thayer. Anna Lucia les a vus sur Main Street hier soir. Ils sortaient du cinéma et ils se tenaient la main.

– Sympa, commenta Isabel en donnant un coup de fourchette dans une feuille de salade.

– Qu'en pensent tes parents ? demanda Darwin.

Isabel haussa les épaules.

– Ils ne sont pas ravis. Je reste en dehors de ça.

– Il y a quelque chose de tellement grossier là-dedans, dit Darwin en plissant le nez. L'une de tes amies qui drague ton frère ! Connor est très mignon, mais je ne ferais jamais une chose pareille. Ça ne se fait pas.

Isabel l'observa attentivement.

– Tu trouves que Connor est mignon ?

– Enfin, tu vois ce que je veux dire, se déroba Darwin. Tu as dû te sentir trahie. Franchement, la façon dont elle s'en est prise à nous, comme si elle était ton garde du corps...

– Oui, de toute évidence, elle compensait quelque chose, approuva Thayer. Maintenant, tu devrais envisager de te remettre avec Aston. Il m'a demandé de tes nouvelles l'autre jour.

– Vraiment ? demanda Isabel, feignant l'intérêt.

– Retourne avec lui, Isabel, insista Darwin. C'est vraiment ton type de mec.

Isabel posa sa fourchette. Elle ne savait plus quel était son type de mec.

– Je ne crois pas, dit-elle.

– Pourquoi pas ? demanda Thayer. Tu es tellement têtue. Laisse-le te sortir et te traiter comme une princesse. Je crois que ça te ferait du bien.

– Chaque fois qu'on tombe vraiment amoureuse de quelqu'un, ça n'en vaut pas la peine, renchérit Darwin. C'est ce que ma mère dit toujours. Elle prétend que le garçon doit plus tenir à toi que l'inverse. Sinon, ça ne marche jamais.

– C'est vraiment n'importe quoi, lâcha Isabel.

Thayer et Darwin échangèrent un regard.

– Prenez Tatiana. Franchement, que n'a-t-elle pas fait pour garder Link ? À quel jeu n'a-t-elle pas joué avec lui ? Et pourtant, ça n'a pas marché. Ce n'est pas une vraie relation. On ne devrait pas avoir à jouer avec quelqu'un qui nous aime vraiment. Et je veux aimer quelqu'un autant qu'il m'aime.

Il y eut un silence gênant, puis Darwin gloussa.

– Waouh. Tu parles comme un livre de développement personnel.

– D, sois gentille, dit Thayer.

Isabel reposa sa fourchette.

– Ne t'en fais pas, souffla-t-elle, se retenant de lui balancer une pique. Je ferais mieux d'y aller. Je passe mon permis à Riverhead.

– Qui va t'emmener ? demanda Thayer.

Isabel se rendit compte qu'elle n'en avait aucune idée. Jusqu'à maintenant, elle avait supposé que Rory la conduirait.

– Je ne sais pas.

– Ne me regarde pas, dit Thayer en enfonçant son chapeau à large bord sur ses yeux. Pas question que j'affronte les embouteillages.

– Moi non plus, lança Darwin en riant. En plus, Riverhead me déprime.

Isabel se leva et prit son sac.

– Dans ce cas, il faudra que j'y aille à pied.

Darwin gloussa.

– Ne te mets pas en colère, Iz.

– C'est ça. À plus.

Elle se détourna.

– Bonne chance ! s'écria Thayer d'une voix qui lui donna la chair de poule.

Elle remonta la pente jusqu'au bâtiment principal, où elle avait accroché son vélo à un râtelier. Par habitude, elle sortit son téléphone de son sac. Pas de texto de Mike. Aucun contact en dix jours. Cela ne pouvait signifier qu'une seule chose : leur relation était bel et bien terminée. Et elle ne saurait jamais pourquoi. Pour elle, cette injustice ahurissante était encore pire que de l'avoir perdu. Comment pouvait-elle passer à autre chose si elle ne savait pas ce qui n'avait pas marché ?

Ou peut-être qu'il n'y avait pas de raisons. Peut-être que les sentiments des gens changeaient, tout simplement, et qu'on ne pouvait rien y faire. Elle entra dans le vestibule frais et obscur et s'assit dans l'une des causeuses recouvertes de chintz. Et si elle lui envoyait un texto ? Certes, c'était un geste désespéré auquel seules les filles les plus pathétiques, les plus paumées et les moins mystérieuses avaient recours dans une situation comme celle-ci. Mais elle avait besoin de savoir. Peu importait qu'elle passe pour une pauvre fille. Qu'avait-elle d'autre à perdre, à ce stade ?

Elle tapa rapidement un message.

Hé, je crois qu'il faut qu'on parle. Appelle-moi.

Elle appuya sur « Envoyer » avant de pouvoir se dégonfler. Sur l'écran, la bulle devint verte, signalant l'aspect final et irrévocable de cette décision. Elle se força à ranger son téléphone et observa les motifs en tourbillon de la moquette. Désormais, elle savait ce qu'Aston March avait ressenti ce soir-là, sur la pelouse de Madeleine Fuller, ainsi que tous les autres mecs qu'elle avait largués si froidement : dévastation, vulnérabilité, choc. Tous leurs efforts désespérés pour se remettre avec elle s'expliquaient. Elle avait eu pitié d'eux à l'époque et maintenant, elle les comprenait.

Un rire suraigu lui fit relever les yeux. Holly Knox et deux autres filles entraient par les portes principales, indifférentes au reste du monde alors qu'elles riaient et papotaient. Isabel la dévisagea une nouvelle fois tandis qu'elle passait devant elle. Oui, la ressemblance était troublante.

M. Knox entra à son tour, en tenue de golf.

– Isabel, comment vas-tu ? Magnifique journée, n'est-ce pas ?

Sa gentillesse était si touchante que, l'espace d'un instant, elle craignit de fondre en larmes.

– Oui, magnifique.

Elle marcha jusqu'à lui et s'arrêta, se sentant trop vulnérable pour ajouter quoi que ce soit.

– Est-ce que ça va ? demanda-t-il, l'observant avec inquiétude.

– Je dois passer mon permis à Riverhead, et j'ai besoin qu'on m'y emmène. Vous pouvez m'y conduire ?

M. Knox se gratta l'arrière du crâne. C'était un pari, mais quelque chose lui disait que cet homme était suffisamment bon pour envisager de le faire.

Finalement, il plongea la main dans sa poche arrière, en sortit un ticket et le déposa dans sa paume.

– Va donner ça au voiturier pendant que je vais prévenir les filles.

– Merci, souffla-t-elle, au bord des larmes. Merci beaucoup.

– Mais de rien, dit-il, presque cérémonieusement, avant de traverser le vestibule en toute hâte.

Assise sur un banc avec Connor, devant le Starbucks, Rory sirotait un café au lait glacé et regardait les voitures qui remontaient Main Street à une allure d'escargot. Une foule de personnes se promenait sur le trottoir, admirant les vitrines de Tiffany et Ralph Lauren. Soudain, une longue limousine blanche les dépassa, aussi lente et lourde qu'une baleine.

– Il y a vraiment beaucoup plus de monde en août, commenta Rory.

– Et ça va encore empirer, dit Connor. Attends un peu le jour de la fête du Travail. Tu ne voudras même pas t'approcher de la ville.

Rory but une autre gorgée alors que Connor passait un bras sur ses épaules. Ce contact la fit frissonner.

– Je crois qu'il faut qu'on discute de certaines choses, annonça-t-elle.

– Isabel.

– Elle ne me parle toujours pas, ajouta Rory en jouant avec son bracelet brésilien. Je ne sais pas quoi faire.

– Je t'ai prévenue qu'il leur fallait encore du temps. Et tu sais, j'ai dit à ma mère que ça me gênait beaucoup que tu coures partout et que tu fasses des courses pour eux.

– Ça ne me dérange pas. Je voudrais juste qu'Isabel me parle. Elle ne me regarde même pas quand je passe devant elle. Ta mère non plus. Elle n'a même jamais admis que nous sortions ensemble.

Connor lui pressa l'épaule.

– Je t'assure, ne t'en fais pas pour elle. J'aimerais qu'elle ne soit pas aussi snob. Ça ne pose aucun problème à mon père, soit dit en passant.

– Tant mieux. C'est vraiment pour Isabel que ça m'embête. La seule personne qui pourrait nous défendre me déteste. Et c'est un peu ma faute. Je sais que j'aurais dû lui en parler plus tôt.

– Il faut tenir bon. C'est le seul moyen. On ne fait rien de mal, Rory.

Il la regarda et elle repoussa la mèche qui tombait toujours sur son front. *C'est mon petit ami*, pensa-t-elle. *Et si c'est ce que je dois endurer pour être avec lui, alors ça me va.*

– OK, soupira-t-elle. Je sais.

– Ça va se tasser, promis. Ne t'inquiète pas.

Elle posa la tête sur son épaule alors qu'une petite brise rafraîchissait sa peau brûlante.

– J'aurais aimé que tu ne partes pas ce soir, dit-elle.

– Je ne pars qu'une nuit. Et Block Island n'est pas si loin que ça.

– Tu y vas en ferry. Je ne peux même pas conduire jusque là-bas en cas de besoin, plaisanta-t-elle.

– Reste avec Fee. Et je serai rentré avant que tu ne remarques mon absence.

Il l'embrassa. Elle se blottit entre ses bras, toujours aussi surprise de s'y sentir autant en sécurité.

– Tu ferais mieux d'y aller, dit-elle. Tu vas me manquer.

– Tu me manqueras encore plus, souffla-t-il avant de l'embrasser.

Chapitre 24

Rory ouvrit brusquement la porte de derrière, essayant de faire entrer en une seule fois toutes les courses et tous les vêtements enveloppés de plastique sortant de chez le teinturier. Après avoir laissé Connor en ville, elle avait fait des courses à Citarella et au supermarché d'East Hampton, puis elle était passée prendre les vêtements de Mme Rule chez le teinturier, même si elle savait qu'elle n'en aurait besoin que le lendemain. Cela ne pouvait pas nuire d'en faire un peu plus ces temps-ci, vu la situation. Un autre regard mauvais de Mme Rule ou de Bianca et elle finirait par filer à la gare et rentrer chez elle. Elle s'avança dans le couloir, les bras chargés, et regarda Trixie qui sautillait autour de ses pieds. *Pauvre chienne*, pensa-t-elle. Elle irait la faire courir dès qu'elle aurait déposé tout ça dans la cuisine.

Elle poussa la porte et se trouvait déjà devant le comptoir quand elle vit Mme Rule assise avec son ordinateur portable à la table bloc de boucher. Ses doigts s'immobilisèrent sur son clavier dès que Rory entra.

– Désolée, dit la jeune fille. Je vais juste ranger tout ça en vitesse.

Mme Rule releva à peine les yeux de l'écran. Rory posa les sacs sur le comptoir. Il fallait qu'elle se dépêche.

– Et voici vos vêtements propres, ajouta-t-elle en brandissant les cintres. Voulez-vous que je les monte à l'étage ?

– Non, ça ira. Laisse-les sur cette chaise.

Au grand soulagement de Rory, elle se remit à pianoter.

La jeune fille ouvrit les placards, les tiroirs et le réfrigérateur et rangea les bocaux de condiments aux figues, d'huile aux truffes et les blancs de poulet bio enveloppés dans du papier. Où était Erica ? Allait-elle revenir ?

Mme Rule referma son ordinateur portable dans un claquement sec.

– Rory, puis-je te parler un moment ?

Rory s'interrompit et se retourna lentement. Mme Rule épousseta la table et examina le bout de ses doigts.

– Tu as passé un bon été ici ? demanda-t-elle en souriant.

Ça sentait la question piège.

– Oui. J'ai passé un très bon été.

Mme Rule posa le menton sur ses doigts entrelacés.

– Bien. Je suis contente que tu aies passé un excellent été, Rory. Pour nous aussi, ce fut un plaisir de t'avoir parmi nous. (Elle sourit à nouveau, de ce même sourire chaleureux et accueillant qu'elle lui avait adressé le premier jour.) Mais tu dois terriblement manquer à ta mère. Et à tes amis. Et je pense qu'il est temps que tu te prépares à les retrouver. Après tout, nous sommes en août. Qu'en penses-tu ?

Rory jeta un coup d'œil à l'îlot central et à la coupe remplie de pêches et de prunes.

– Euh, je n'y avais pas encore réfléchi.

– Il me semble que l'été est une période très importante

pour la famille, poursuivit Mme Rule, étendant les doigts pour examiner ses ongles. Et je me sens coupable de priver ta mère de ta présence lors de ces dernières précieuses semaines avant que ne reprennent les cours. Tu vois ce que je veux dire ?

Rory avait la chair de poule.

– Hum, hum, répondit-elle, incapable de détourner les yeux du sourire de Mme Rule.

– J'ai donc prévenu ta mère que tu rentrerais dès demain. Et ne t'inquiète pas pour les billets de train et de bus. Tout est réglé.

– Vous lui avez dit ça ?

– Hum, hum. Je viens de lui écrire un mail. Fee m'a donné son adresse. Je pense qu'il vaut mieux pour toi que tu retrouves tes amis et ta famille, Rory. Et tu as travaillé tellement dur, ici. Tu as vraiment besoin de temps pour te reposer.

– C'est à cause de Connor, n'est-ce pas ? Vous ne voulez pas que je sorte avec votre fils. C'est de ça qu'il s'agit.

– Oh, voyons, Rory, dit-elle, sans se départir de son sourire. Tu crois vraiment que je suis aussi vindicative ? Je prends soin de toi, c'est tout. Nous avons beaucoup apprécié ton aide, mais nous n'en avons plus vraiment besoin. Je veux que tu t'amuses cet été. Tu ne devrais pas avoir à te préoccuper du nettoyage de mes vêtements.

Soudain, Rory fut frappée par le vide de la cuisine.

– Où est Erica ? demanda-t-elle.

– Elle est partie. Elle nous a quittés ce matin.

– Pourquoi ?

Mme Rule déplaça un bocal sur la table.

– Cela ne fonctionnait pas avec elle. Heureusement, les cuisiniers sont faciles à remplacer.

– Je tiens à vous dire que je comprends que vous trouviez cette situation étrange. Votre fils et moi. Mais nous avons des sentiments l'un pour l'autre et c'est pour ça que nous avons décidé de nous afficher au grand jour. Ce n'est pas comme si nous avions une relation secrète.

– Figure-toi que je sais de source sûre que Bianca t'a déjà surprise avec un garçon dans ta chambre cet été, lança gaiement Mme Rule. Et même si je ne dirais pas que tu es typiquement le genre de filles qui fait ce genre de choses, je suis sûre que tu comprendras que je n'aimerais pas voir mon fils avec quelqu'un comme ça.

Rory s'apprêtait à riposter, mais elle se souvint alors qu'elle ne pouvait pas dénoncer Isabel, même maintenant.

– Quelque chose me dit que ce n'est pas ça, votre problème. Soyons claires. Et je pense que Connor peut décider lui-même des personnes qu'il fait entrer dans sa vie.

– Peut-être, mais il est très sensible aux opinions des autres. Surtout la mienne. Enfin, je suis sûre qu'après quelques jours il comprendra que c'est mieux comme ça.

– Vous ne pouvez pas faire ça. Vous ne pouvez pas me renvoyer sans lui en avoir parlé. Il est en route pour Block Island en ce moment même.

– Vraiment ? J'avais oublié. Et les téléphones portables passent tellement mal sur le ferry. (Elle lui adressa un sourire compatissant.) Mais ne t'inquiète pas. Tu as vécu six semaines merveilleuses ici, Rory. Et tu imagines à quel point ce serait embarrassant, pour ne pas dire plus, si tu décidais de ne pas partir ?

Mme Rule la fixait sans ciller de son regard bleu glacial.

– Bien, dit Rory. Je partirai demain.

– Matin, précisa Mme Rule. Je t'ai réservé une place sur le Jitney de huit heures trente. Si ça te convient.

Rory la foudroya du regard.

– Mais Connor ne rentrera qu'en fin d'après-midi. Je crois que je préférerais lui dire au revoir en personne. Si ça vous convient.

– On verra le moment venu, n'est-ce pas ? Oh, et j'ai oublié quelque chose. Je sais que nous n'avons jamais parlé de salaire, mais finalement, vu tout ce que tu as fait pour nous, j'ai décidé de revoir cela. Que dirais-tu de deux mille cinq cents dollars pour tout l'été ?

Rory secoua la tête.

– Alors vous voulez me payer pour que je parte, fit-elle remarquer d'une voix égale.

– Je te paie pour un travail bien fait. Et je suis sûre que ta mère, quand elle lira mon mail, sera d'accord. Comme ça, elle ne pensera pas que tu as complètement perdu ton temps ici. Penses-y. (Elle regarda sa montre.) Oh, c'est l'heure de mon massage. Excuse-moi.

Elle se leva et se dirigea lentement vers la salle à manger.

Rory alla directement à la voiture. Elle sortit son téléphone, les mains tremblantes, et appela Connor. Elle tomba sur la messagerie. Debout sur le patio, elle contemplait la ligne de l'océan alors que le vent soufflait dans ses cheveux. Elle pouvait partir maintenant, sans même attendre le Jitney du lendemain. Elle pourrait conduire jusqu'au bus et espérer que Fee emballerait ses affaires. Ou elle pourrait rentrer, aller voir Fee et lui raconter, avec force détails humiliants, ce qui venait de se passer avec Mme Rule. Ou elle pourrait filer au Georgica et tenter de trouver Isabel. Seule Isabel aurait une chance de faire entendre raison à sa mère.

Elle monta dans la voiture et démarra. Le personnel du Georgica ne la laisserait probablement pas entrer, mais il fallait qu'elle essaie.

Chapitre 25

Il était presque seize heures quand M. Knox sortit de la nationale sur Ocean Road et prit à gauche le raccourci vers l'est, assez vite pour que le permis de conduire temporaire d'Isabel volette sur son siège, à côté d'elle. Elle avait réussi, de peu, mais elle avait réussi.

– Comment vas-tu fêter ça ? demanda M. Knox. Tes parents ont prévu quelque chose ?

– Pas vraiment. Je ne pense même pas qu'ils sachent que je passais l'examen aujourd'hui.

Mais Rory le savait, songea-t-elle. Rory s'en était souvenue, même si elle devait s'en moquer désormais.

– Je sais que tu vas au lycée à Santa Barbara, mais tu devrais descendre à Los Angeles et passer un peu de temps avec nous. Ce serait un plaisir de t'accueillir.

– Ce serait super. Et merci beaucoup pour aujourd'hui. Vous m'avez sauvé la vie.

– Pas de problème. Holly et Michelle ne se seront sans doute même pas rendu compte que je suis parti. Et félicitations. C'est un grand moment. Je suis fier de toi.

Il parle comme mon père, pensa-t-elle, alors que ses mots

flottaient dans l'air. Mieux que son père, en vérité. Son père ne lui aurait jamais rien dit d'aussi gentil. Elle le regarda tripoter la radio satellite. Soudain, une pensée la frappa.

– Pourquoi est-ce qu'on se ressemble autant, Holly et moi ?

Il lui lança un coup d'œil.

– Quoi ?

– On se ressemble vraiment beaucoup. Comme deux sœurs. Vous ne l'avez pas remarqué ?

M. Knox conduisit calmement pendant quelques instants, puis il s'arrêta sur le bas-côté de la route.

– Je ne sais pas comment t'annoncer ça, Isabel, murmura-t-il en battant des paupières. Mais ce n'est pas ta faute si tes parents ne t'ont encore rien dit.

– S'ils ne m'ont pas dit quoi ?

Il hésita un moment.

– Que tu es ma fille.

Elle éclata de rire, puis se couvrit la bouche de la main. Ce n'était pas possible. Et pourtant, cela aurait expliqué bien des choses.

– À l'époque où tes parents et moi étions amis, ta mère et moi... Eh bien, nous sommes tombés amoureux. Du moins, pour moi, c'était de l'amour. Mais pour ta mère... (Il regarda dehors et secoua la tête.) Ce n'était pas vraiment la même chose. Je ne réussissais pas très bien dans la vie et... la situation était trop compliquée pour qu'on puisse être ensemble. Ta mère a fait ce qui était le mieux pour toi.

Isabel s'adossa contre son siège. Elle était consciente que M. Knox la regardait, anticipant sa réaction.

– S'il vous plaît, conduisez, dit-elle. J'ai besoin de rouler.

– Bien sûr, souffla-t-il en s'engageant sur la route.

Au bout d'un moment, elle demanda :

– C'est pour ça que vous êtes revenu ? Pour ma mère ?

– Non. Je suis revenu pour toi. Pendant toutes ces années, je n'ai jamais arrêté de penser à toi. De me demander ce que tu faisais, comment tu allais. Je suis désolé que tu l'apprennes comme ça.

Elle le regarda alors qu'il reprenait la nationale, s'intégrant avec aisance dans la circulation. Une fureur telle qu'elle n'en avait jamais connu montait dans sa poitrine et elle fut prise d'une envie folle d'ouvrir la portière et de se mettre à courir sur la route, de s'éloigner de cet endroit. Et puis, soudain, elle sentit comme un baume, comme si quelqu'un venait de l'envelopper dans une serviette chaude et épaisse au sortir de la piscine. *C'est donc pour ça*, pensa-t-elle. C'était pour ça que tout lui avait toujours paru aussi étrange.

M. Knox lui lança une œillade.

– Ça va ?

– Je crois. Ma mère aurait pu m'en parler.

– Ne sois pas trop dure avec elle. Elle est loin d'être aussi forte qu'elle veut le laisser croire.

– Est-ce que mon père est au courant ?

Ça lui faisait bizarre de dire « mon père », mais elle ne savait pas quoi dire d'autre.

– Oui. Inutile de préciser qu'il ne m'aime pas beaucoup.

– Alors ce jour-là, au club, quand vous attendiez près des courts de tennis...

– Je voulais parler à ta mère en privé. De toi. Et de la manière dont je pourrais faire partie de ta vie.

Isabel pianotait sur la portière.

– Mais vous n'avez pas déjà deux filles ? demanda-t-elle.

337

– J'ai trois filles, la corrigea-t-il.

Ils avançaient lentement dans les embouteillages. Isabel prit son permis de conduire et le tint entre deux doigts. À cet instant précis, c'était la seule chose certaine dans sa vie.

– Alors, vous êtes un grand producteur hollywoodien maintenant ? lança-t-elle pour changer de sujet.

– Grand, je ne sais pas, mais oui, j'ai connu quelques succès.

Elle jouait avec son bracelet à breloques.

– C'est cool. J'envisage parfois de devenir actrice.

– Cela demande beaucoup de travail. Et il faut essuyer de nombreux rejets.

– Je commence à avoir l'habitude, marmonna-t-elle.

Ils s'approchaient d'un stand au bord de la route. Sur le parking, à côté de la tente, elle vit une Exterra rouge foncé tout abîmée.

– Hé, vous pourriez vous arrêter, s'il vous plaît ?

– Ici ?

– Oui.

Il se gara sur le parking. Isabel regardait la voiture. Grâce aux éraflures à l'arrière et à l'autocollant BOUTIQUE DE SURF AIR ET VITESSE, MONTAUK NY sur le pare-chocs, elle savait que c'était la sienne. Elle avait enfin trouvé le stand de la famille de Mike.

– Vous pouvez m'attendre ici un instant ? demanda-t-elle.

– Bien sûr.

Il semblait soulagé d'avoir un moment pour lui.

Elle descendit.

Le stand était constitué d'une grande tente abritant des tables où étaient disposés des cageots débordant des délices d'East Hampton : tomates anciennes, fraises, pêches, épis de maïs jaunes et blancs et pommes de terre. Des gens se bousculaient, remplissant des sacs en papier brun.

Elle se dirigea vers une femme qui se tenait derrière l'une des tables. Elle avait une vingtaine d'années et des cheveux bruns ; elle semblait donner un coup de main à la responsable, une femme plus maigre qui pesait les sacs sur une balance puis indiquait le prix avec une efficacité effrayante.

– Excusez-moi, est-ce que Mike Castelloni est là ? demanda-t-elle.

La femme brune la jaugea de haut en bas.

– Une minute, dit-elle d'un ton bourru, avant de disparaître dans une fente de la toile de tente.

Isabel regarda autour d'elle. C'était poussiéreux, il faisait chaud et elle se rendit compte qu'elle mourait de soif. Elle avait besoin de boire. Elle allait demander à quelqu'un s'il y avait de l'eau quand elle vit le panneau en bois à l'entrée de la tente. MARCHÉ AUX FRUITS ET LÉGUMES MCNULTY. *McNulty*, pensa-t-elle. Ce nom lui était familier, mais elle ne savait pas pourquoi.

Alors, une image apparut dans son esprit : Rory et elle dans le bureau de son père, par cet après-midi chaud, et la sensation de la lettre entre ses doigts, la texture du papier évoquant des pelures d'oignon. La lettre adressée à son père, le menaçant d'un procès. De la part de Robert McNulty. Le fermier qui possédait la propriété que son père venait d'acheter. Le fermier qui possédait ce stand. Celui où Mike travaillait avec sa famille.

Sa famille.

Elle avait l'impression que quelqu'un la regardait et

quand elle jeta un coup d'œil derrière elle, elle vit Mike qui s'approchait d'elle. Même avec un cageot de pommes de terre dans les bras, il avait la même démarche paresseuse et sensuelle. En voyant ses grands yeux marron, ses lèvres pleines, son torse étroit et musclé, couvert d'un simple maillot de corps blanc, elle eut du mal à ne pas succomber au charme qui s'était emparé d'elle chaque fois qu'il était entré sur le parking de Main Beach.

Il posa le cageot sur l'une des tables et se dirigea tranquillement vers elle.

– Hé, dit-il en repoussant quelques cheveux tombés sur son front. Qu'est-ce que tu fais là?

– J'ai vu ta voiture de la route. C'est le stand de ta famille?

– Oui, pourquoi?

– McNulty, c'est ton père?

– C'est mon oncle.

Il la regardait avec méfiance, et elle comprit.

– C'est donc ton oncle qui est en conflit avec mon père?

Il baissa les yeux, puis regarda derrière lui.

– Allons parler là-bas, murmura-t-il en désignant le parking.

Elle le suivit.

– Pourquoi ne m'as-tu rien dit? demanda-t-elle sèchement.

– Isabel, calme-toi...

– Ne me dis pas de me calmer. Tu as rompu avec moi sans explication, sans réponse... Et maintenant j'apprends que tu as cette connexion bizarre avec mon père?

Mike regarda au loin et soupira.

– Est-ce que ça a un rapport avec notre rupture?

Il donnait des petits coups de tongs dans les graviers.

– Un peu, oui.

Tremblante de colère, elle croisa les bras et attendit.

– Quand j'ai compris qui tu étais, je me suis rappelé que mon oncle avait vendu une partie de sa propriété à un certain Larry Rule, et il s'est avéré que c'était ton père. Il y avait eu des allers-retours avec lui, quelques problèmes, des points dont ma famille n'était pas sûre, et ils voulaient que j'essaie d'obtenir quelques informations.

Elle recula d'un pas.

– Des informations sur ma famille ?

Mike leva les mains en l'air.

– Oui.

– C'est pour ça que tu es sorti avec moi ? Pour obtenir des informations ?

– Non. Tu me plaisais. Depuis le début. Ce jour-là, sur la plage, je me suis dit que tu étais la plus belle fille que j'avais jamais vue. Mais quand j'ai annoncé à ma famille que je sortais avec toi... Qu'aurais-je dû faire ? Ce terrain appartient à la famille de ma mère depuis deux cent cinquante ans. Ils ne l'ont jamais vendu à personne. Et ils avaient un mauvais pressentiment au sujet de ton père. Alors quand tu m'as confié qu'il voulait construire une énorme maison sur la propriété, il a fallu que je le leur dise.

– Alors c'est comme ça qu'ils l'ont su, souffla-t-elle, pensive.

– Écoute-moi, d'accord ? Je ne savais pas quoi faire. Je commençais vraiment à tenir à toi, Isabel. Le soir où on a couché ensemble pour la première fois, j'ai su que je ne pouvais pas continuer à te mentir. C'est pour ça que je suis allé dans le Maine. J'avais besoin de m'éloigner. Et quand je suis rentré,

341

j'ai annoncé à ma famille que je ne leur dirais plus rien. Mais ensuite, tu m'as invité à la fête de ton père et j'ai su que je ne pouvais pas y aller. Et je savais que tu serais déçue. Ce soir-là, je me suis rendu compte que j'étais allé trop loin, tu comprends ? Je ne pouvais pas t'avouer la vérité car j'étais sûr que je te perdrais. Et je ne pouvais pas rester avec toi et espérer que ma famille me laisserait tranquille. Alors j'ai fait la seule chose que je pouvais faire. J'ai tout arrêté. (Il la regarda enfin dans les yeux.) Et je sais que tu ne me croiras probablement pas, et que tu penseras que je dis ça comme ça, mais je veux que tu saches que je t'aimais. Que je t'aime encore.

Malgré sa colère et son dégoût, elle se sentit faiblir. Elle faillit céder à l'envie de le prendre dans ses bras et de lui dire qu'elle l'aimait aussi. Mais alors qu'il passait la main dans ses cheveux et lui lançait un regard en biais, s'agitant un peu, à sa manière si sexy, elle comprit quelque chose. Ce mystère insondable, ces profondeurs passionnées et le désir à peine exprimé qu'elle avait cru voir en lui n'existaient pas. Pendant tout ce temps, il n'avait pas dissimulé un feu couvant de sentiment. Il lui avait caché un secret. Peut-être était-il tombé amoureux d'elle, comme il le prétendait, mais pas assez pour lui dire la vérité. Et c'était tout ce qu'elle avait besoin de savoir.

Il lui toucha le bras.

– Isabel, je suis désolé. Je t'aime.

Elle recula.

– Arrête, Mike. C'est terminé.

– Mais je viens de te dire que...

– Tu m'as menti. Je t'ai tout donné, et tu m'as menti.

Il ne semblait pas entièrement comprendre ses mots.

– Mais je viens de t'expliquer pourquoi.

Elle sentit les sanglots qui montaient dans sa gorge.

– Je dois y aller.

– Où vas-tu ?

– Je ne suis pas en colère. Je comprends. Mais c'est terminé.

– Isabel...

Elle s'écarta encore et secoua la tête.

– Je dois partir. Prends soin de toi, d'accord ? Passe une bonne fin d'été.

Elle se détourna et marcha vers la voiture avant qu'il puisse ajouter quoi que ce soit. Elle avait déjà tourné le dos à des garçons avec lesquels elle venait de rompre, et elle n'avait jamais ressenti grand-chose, à part le besoin de s'éloigner le plus vite possible. Aujourd'hui, alors qu'elle avançait péniblement dans le gravier, sentant ses yeux sur elle, elle n'avait pas hâte de se débarrasser de lui, mais elle savait qu'elle n'avait pas le choix. Les autres fois, elle aurait pu rester avec ces garçons si elle l'avait désiré. Mais cette fois, Mike ne lui avait pas laissé le choix. Elle ne pouvait pas rester. Il fallait qu'elle s'en aille.

Quand elle arriva devant la voiture des Knox, elle se retourna.

– Oh, et merci.

– Pourquoi ? demanda-t-il.

Pour m'avoir rendue plus forte, aurait-elle aimé répondre, mais elle se contenta de hausser les épaules.

– Pour tout, dit-elle avant de monter dans la voiture.

Chapitre 26

Quand Isabel entra dans la cuisine, assoiffée par son trajet en vélo depuis le Georgica, elle regarda la femme qui coupait des tomates et du basilic sur l'îlot central.

– Je suppose que vous êtes la nouvelle cuisinière ? demanda-t-elle.

La femme était grande et anguleuse, avec des yeux écartés et un long nez busqué. Elle posa son couteau et s'approcha d'Isabel, lui tendant une main légèrement tremblante.

– Je m'appelle Marisa.

– Isabel, dit-elle en lui serrant la main. Bienvenue.

– Merci.

– Quand êtes-vous arrivée ?

– Il y a environ une heure.

Elle regarda les placards avec une légère appréhension.

– Sauriez-vous où je peux trouver le sel, à tout hasard ?

– Oh, juste là, répondit Isabel en ouvrant l'un des placards. Et nous en avons de toutes sortes. Rose, noir, gris, de mer... Faites votre choix.

– Formidable, dit Marisa, visiblement soulagée.

– Si vous avez besoin d'autre chose, demandez-moi. Et juste un conseil : ne laissez pas Bianca vous embêter. Elle a besoin de commander tout le monde. Remettez-la à sa place et tout ira bien.

Un sourire étira les lèvres de Marisa.

– D'accord. C'est bon à savoir.

Isabel prit une petite bouteille d'eau dans le réfrigérateur et s'approcha de la porte fermée de Rory. Elle but une gorgée et se prépara. Elle n'avait aucune idée de ce qu'elle allait lui dire, seulement qu'il fallait qu'elle lui parle.

Elle frappa doucement, puis ouvrit la porte. Elle contempla la chambre vide, bien rangée. Il était presque dix-huit heures.

– Je crois qu'elle est sortie.

Isabel se retourna en entendant la voix de sa mère. Celle-ci marchait vers elle, vêtue de son peignoir blanc en soie ; Frederika venait de lui faire un brushing et ses cheveux blonds luisaient sur ses épaules.

– Où étais-tu ?

– J'ai passé mon permis de conduire.

– Oh, chérie, c'est fantastique, dit-elle en lui touchant le bras. Félicitations. Je vais demander à Melissa de préparer quelque chose de spécial demain soir.

– Elle s'appelle Marisa. Alors Erica est partie ?

– Ton père ne supportait pas sa cuisine, expliqua-t-elle en entrant dans la chambre de Rory. Regarde comment elle fait son lit, marmonna-t-elle avant de redresser l'un des oreillers.

– On ne devrait pas être là, dit Isabel.

– Pourquoi ? demanda Mme Rule.

Elle pénétra dans la salle de bains.

– Parce que c'est sa chambre.

Mme Rule ressortit avec une pile de serviettes et un petit sèche-cheveux.

– C'est *ma* chambre.

– Qu'est-ce que tu fais?

– Je vais les faire nettoyer. Elle n'en aura plus besoin.

– Pourquoi?

– Parce qu'elle s'en va, dit Mme Rule d'un ton neutre. Demain matin. Nous venons d'avoir une discussion et nous sommes toutes les deux convenues qu'il était temps.

Isabel la suivit dans le couloir.

– Quoi? Elle est d'accord?

– Elle a passé presque deux mois ici. Combien de temps voudrais-tu encore qu'elle reste? Je pensais que tu étais furieuse contre elle. Te cacher ça, comme ça, alors que vous étiez soi-disant de si bonnes amies? (Elle entra dans la buanderie.) J'ai su que cette fille allait nous causer des ennuis ce jour-là au Georgica. Et maintenant, j'en suis convaincue.

– Et elle a décidé de partir, comme ça? demanda Isabel en lui barrant le passage.

– Eh bien, je crois qu'elle s'est faite à cette idée quand j'ai évoqué l'argent.

– L'argent? De quoi tu parles?

– J'ai proposé de la payer pour cet été. En guise de compensation. Je pensais que ça te ferait plaisir.

– Mais c'était de l'argent pour qu'elle s'en aille. Et Connor n'est même pas là. Comment as-tu pu faire ça?

– Oh, ne sois pas aussi mélodramatique, Isabel. Elle a passé un séjour formidable. Et elle a obtenu ce qu'elle voulait, crois-moi. (Elle se glissa dans le couloir.) Nous avons du monde à dîner ce soir, alors peux-tu mettre quelque chose de joli ?

Isabel se précipita derrière elle.

– Je n'en reviens pas que tu te sois abaissée à ça. C'est vraiment dégoûtant.

– Je suis dégoûtante, moi ?

– Tu es une snob. Tu fais semblant d'être démocratique et généreuse alors que tu ne supportes pas de fréquenter des gens qui ne sont pas assez bien pour toi. Et tu ne supportes pas l'idée que quelqu'un dans cette famille soit heureux. Pas une seconde.

Sa mère croisa les bras.

– Qu'est-ce que tu racontes ?

– Toute ma vie, vous avez été malheureux, papa et toi. Tu sais à quel point c'est difficile de voir ça ? Tout le temps ? De voir les faux sourires que vous réservez à vos amis alors que vous vous sautez à la gorge dès que vous êtes seuls ? Tu penses que c'est agréable pour nous ?

La mâchoire de sa mère se contracta.

– Et toi alors ? Tu crois que c'est facile pour nous d'avoir une fille comme toi ? Avec toutes tes humeurs et tes problèmes ?

– Quand tu dis « nous », tu parles de qui exactement ?

– Excuse-moi ?

– Qui est mon vrai père ? Papa ou M. Knox ?

Sa mère parut étonnée.

– J'ai vu Holly, expliqua Isabel en s'efforçant d'affermir sa voix. Elle me ressemble beaucoup. Mêmes cheveux, mêmes yeux, même démarche. Et j'ai parlé à M. Knox. Il m'a avoué qu'il était mon père. Il m'a tout dit, maman.

Mme Rule lissa une mèche de ses cheveux.

– Isabel…

– Admets-le.

Elle baissa les yeux et hocha lentement la tête.

– Comment as-tu pu me cacher ça toute ma vie? explosa-t-elle. Comment as-tu pu faire quelque chose d'aussi dingue?

– Qu'étais-je censée faire? Te dire que ton vrai père vit à cinq mille kilomètres et qu'il ne t'a pas vue depuis ta naissance? Un homme que je n'ai moi-même pas vu une fois en quinze ans? C'est ce que tu aurais voulu?

– Oui! Exactement!

Isabel courut jusqu'à l'escalier de service et monta les marches quatre à quatre. Elle entra dans sa chambre et claqua la porte, mais sa mère la suivait.

– Bon, écoute-moi, d'accord? cria celle-ci. Tu ne sais rien de ce qui s'est passé.

– Comment le saurais-je?

– J'étais très, très jeune quand je me suis mariée, et peu après la naissance de Gregory, j'ai su que ton père et moi avions fait une erreur. Mais j'étais là, une jeune mère habitant sur Park Avenue, mariée à un beau banquier d'affaires qui ne vivait pas seulement de mon argent, contrairement aux maris de mes amies. Alors je suis restée. Et ensuite, j'ai rencontré Pete. Nous sommes partis en voyage tous les quatre, nous allions au restaurant, nous organisions des fêtes. Mais il y avait quelque chose entre Peter et moi. Il me comprenait mieux que ton père. Et un soir…

Isabel leva la main.

– S'il te plaît. Ne dis rien.

– Je l'aimais tant. Je ne pouvais rien y faire. C'est arrivé, c'est tout. Et quand j'ai appris que j'étais enceinte de toi, j'ai failli m'enfuir avec lui.

Isabel se jeta sur son lit et enfouit son visage dans les oreillers. Entendre ça lui était douloureux.

– Mais je n'ai pas pu. Je n'ai pas pu m'y résoudre. Les enfants étaient trop jeunes. Et ton père m'aurait tout pris. Nous n'avions pas de contrat de mariage, rien.

– Et papa ? demanda-t-elle d'un ton morne, sans regarder sa mère. Il était au courant ?

– Au début, non. Ça a pris un petit moment. Mais finalement, il m'a posé la question. Il voyait bien que tu ne lui ressemblais pas.

– Sans blague, répondit-elle en pensant à son père.

– À ce moment-là, Peter et Michelle avaient déménagé à Los Angeles. Il avait dû partir pour sauver son mariage. Sa femme avait fini par découvrir la vérité. Mais il était au courant, pour toi. J'avais pris soin de lui dire avant son départ.

– C'est pour ça que papa ne sait pas comment me parler.

Sa mère s'approcha du lit.

– Je crois que tu as eu un bon père, Isabel. Vraiment. Il t'aime.

– Non. Il me traite comme si j'étais une anomalie de la nature.

– C'est moi qu'il n'aime pas. Et je ne peux pas vraiment lui en vouloir.

Isabel sentit que sa mère commençait à lui caresser les cheveux, tout doucement.

– J'aurais aimé que vous me le disiez. C'est vraiment égoïste de votre part de ne rien m'avoir dit.

– Je sais. Je suis désolée. Je voulais vraiment te l'avouer.

Isabel s'assit et essuya les larmes qui avaient commencé à couler sur son visage.

– Je veux que tu fasses quelque chose pour moi. Je veux que tu arrêtes d'être aussi dure avec Connor et Rory.

Sa mère lui adressa un regard interrogateur.

– Rory le rend heureux, reprit Isabel. Je crois qu'elle est la première fille à vraiment le rendre heureux. Alors ne la mets pas à la porte. Ou du moins, pas seulement parce que tu ne l'aimes pas.

Sa mère resserra la ceinture de son peignoir.

– Tu sais que Bianca l'a surprise avec un garçon dans sa chambre, dès la première semaine de son séjour?

– Maman, c'était ma faute. C'était un garçon que j'essayais de faire rentrer dans ma chambre. Rory n'avait rien à voir là-dedans.

– Quoi?

– C'était mon petit ami. Enfin, mon ex-petit ami. Je l'ai fait entrer, je ne savais pas que c'était la chambre de Rory. Elle ne savait pas ce qui se passait. Et elle m'a couverte. Elle a pris la faute sur elle, alors qu'elle n'y était pour rien. Quel genre de personne ferait ça, à part une personne super?

Mme Rule réfléchit un instant.

– Bon, j'ai peut-être été un peu hâtive.

– Et maman, même si elle avait fait entrer un garçon dans sa chambre, qu'est-ce que ça ferait d'elle? Une traînée? Je t'en prie. J'ai fait bien pire. Et toi aussi.

Sa mère pointa un doigt sur elle.

– Isabel, j'aimerais que tout ce que je t'ai dit reste entre nous pour l'instant. Les autres l'apprendront plus tard, le moment venu. Quand j'aurai décidé quoi faire. Puis-je compter sur toi pour garder le silence?

– À une condition. Qu'elle puisse revenir. S'il te plaît.

– Bien, dit sa mère au bout d'un moment. Elle peut revenir. Elle peut rester. Et que se passe-t-il avec ce garçon?

– Rien. C'est fini. Bien fini.

Sa mère plaqua la main sur sa poitrine.

– Oh, Dieu merci! Désolée... Tu ne peux pas m'en vouloir de m'être un peu inquiétée. Enfin, un surfeur, de North Fork, qui vit à Montauk...

Isabel soupira.

– Ça va aller, maman. Quoi qu'il arrive. Tu le sais, hein?

Sa mère hocha la tête.

– Je sais.

– Je ne veux plus jamais que tu me caches quelque chose d'aussi important. S'il te plaît. La vie est assez dure comme ça. D'accord?

– D'accord.

Sa mère la prit dans ses bras et Isabel se laissa faire, passive, bougeant à peine.

Felipe avait dit vrai lors de cette soirée au début de l'été. Cette maison conservait bien plus de secrets qu'elle n'aurait pu l'imaginer. Pendant tout ce temps, elle avait eu l'impression de ne pas être à sa place ici. D'être anormale, cinglée, la honte de la famille. Mais les graines de la discorde avaient été semées avant sa naissance. Elle n'avait rien fait de mal. Elle avait simplement incarné la douleur secrète de sa mère pendant toute sa vie.

Elle se leva.

– Je vais aller chercher Rory. Et à partir de maintenant, elle ne travaille plus pour nous. Elle est juste une invitée comme n'importe quelle autre. D'accord?

Sa mère hocha lentement la tête.

– Je vais demander à Fee de remettre les serviettes dans sa chambre.

Isabel soupira intérieurement en se dirigeant vers la porte. Sa mère lui avait peut-être confié ses sales petits secrets, mais elle ne changerait jamais vraiment.

Chapitre 27

Rory était garée en double file sur Main Street, les yeux rivés sur le rétroviseur au cas où une voiture de police apparaîtrait alors qu'elle parlait dans son téléphone portable.

– Je voudrais une place dans le prochain Jitney. D'East Hampton à Midtown Manhattan.

– Très bien, dit la voix enjouée, professionnelle. Bon, un Jitney quitte East Hampton dans quinze minutes, à dix-huit heures trente, et il reste une place de libre. Voulez-vous que je vous la réserve ?

Rory inspira profondément. Elle pourrait garer la Prius sur le parking et envoyer un texto à Fee pour qu'elle vienne la chercher plus tard.

– Oui, s'il vous plaît.

– Aller simple ?

– Oui.

Elle tapa des doigts sur le volant alors que l'employée la mettait en attente. Elle avait pris la bonne décision. Après avoir parcouru les ruelles d'East Hampton pendant une heure, son instinct avait fini par l'emporter sur son cœur. La voix sinistre de Mme Rule s'attachait à elle comme un mauvais parfum. *Ils ne veulent plus de toi ici*, pensa-t-elle. *Connor comprendra. Il viendra te voir. Mais tu dois partir. Maintenant.*

– OK, dit l'opératrice en reprenant la ligne. Tout est réglé. L'arrêt se situe en face du Palm Restaurant, sur Main Street.

– Je sais, il est juste en face de moi.

– Présentez-vous d'ici dix minutes pour être sûre de pouvoir embarquer.

– Parfait. Merci.

Rory raccrocha, soulagée. Maintenant, le plus difficile. Il fallait qu'elle envoie un texto à Connor. De toute évidence, Isabel se fichait qu'elle reste ou qu'elle parte. Mais Connor serait bouleversé. Elle ne savait pas quoi dire. Elle commença à taper.

Je n'arrive pas à te joindre sur ton portable. Ta mère m'a demandé de partir. Je pense qu'il vaut mieux que je m'en aille le plus tôt possible. Appelle-moi à ton retour.

Elle réfléchit à la ligne suivante.

Je t'aime.

Oui, elle le dirait la première. Même Isabel avait enfreint cette règle, et elle avait survécu. Rory aurait voulu lui dire à quel point elle était fière d'elle, mais c'était trop tard désormais. Isabel la détestait, et Rory comprenait presque pourquoi. Elle aurait dû lui parler de Connor. Son hésitation à se confier à elle était précisément la raison pour laquelle elle devait partir. Elles ne seraient jamais vraiment amies, surtout maintenant. Comme il était étonnant que les premières impressions restent justes, même après avoir appris à connaître quelqu'un...

Elle appuya sur «Envoyer» puis laissa tomber son téléphone dans son sac et coupa la sonnerie. Sinon, elle attendrait inconsciemment un appel qui n'arriverait pas avant des heures. Elle gara ensuite la Prius sur le parking public. Elle sortit, laissant les clés sur le contact. C'était East Hampton, pensa-t-elle. Personne n'allait voler une Prius.

Un groupe se formait déjà sur le bord vert du trottoir, l'arrêt du Jitney, et des gens séduisants faisaient les cent pas avec leurs sacs marins de créateurs, le téléphone collé à l'oreille. Elle pensa aux personnes qu'elle avait vues descendre du train, le premier jour. Ça lui ferait du bien de rentrer à la maison, se dit-elle. Là-bas, elle n'aurait pas à s'inquiéter de ses sandales ou de ses cheveux. Elle pourrait enfin être elle-même.

Elle allait chercher son livre dans son sac quand elle vit une Porsche filer dans la rue. Elle se dirigeait vers l'est, mais juste après être passée devant Rory, elle s'arrêta, fit un demi-tour complètement illégal et freina devant les passagers. La vitre s'ouvrit, révélant un voile de cheveux blonds.

– Hé ! cria une voix familière. Où tu vas comme ça ?

Les passagers du Jitney regardaient Rory avec une curiosité agacée.

Rory s'approcha de la voiture et s'accroupit. Isabel était derrière le volant, un sourire dément aux lèvres.

– Qu'est-ce que tu fais ? demanda la jeune fille.

– J'ai passé l'examen, dit Isabel. J'ai eu le permis. Et toi, tu fais quoi ?

– Je m'en vais. Ta mère me l'a demandé.

– Monte, lança brusquement Isabel. Elle a changé d'avis.

– Comment ça ?

– Elle ne veut plus que tu partes. Je viens de lui parler. Pose tes fesses dans cette voiture.

– Je viens d'acheter un billet à cinquante dollars pour rentrer chez moi.

– Je te rembourserai. Monte dans cette fichue voiture !

Ne sachant que faire d'autre, Rory obéit. Isabel se réinséra dans la circulation.

– Tu ne peux pas quitter mon frère comme ça. Ça le tuerait. Et ensuite, il me tuerait.

– Parce que tu te soucies de ce qu'il y a entre ton frère et moi, maintenant ? Ralentis.

– Je suis désolée de m'être comportée comme une garce. Je crois que j'ai tiré des conclusions trop hâtives. J'ai cru que tu te servais de moi pour te rapprocher de Connor.

– Tu sais que c'est ridicule. Franchement. Complètement ridicule.

– Alors pourquoi tu ne m'as rien dit ?

Rory regarda par la fenêtre.

– Parce que je n'étais pas sûre que tu me trouves assez bien pour lui.

Isabel s'arrêta sur le bas-côté de la route, devant le cimetière en ruine.

– Hé, écoute-moi, dit-elle en lui prenant la main. Tu es la meilleure chose qui soit arrivée dans la vie stupide de mon frère. Je suis désolée si je ne t'ai pas donné cette impression.

– Ce n'est rien.

– Si, je suis sérieuse. Et tu es la meilleure chose qui me soit arrivée. La meilleure amie que j'aie jamais eue. Et tu méritais mieux que ma froideur et mes reproches.

Rory sourit.

– Je suis désolée, Ror.

Isabel se pencha vers elle et la prit dans ses bras.

– Ce n'est rien.

– Alors, on est à nouveau amies ?

Le regard d'Isabel était brillant et joyeux, mais un peu humide.

– Bien sûr, répondit Rory.

– Tant mieux.

Isabel réintégra la circulation.

– Oh, encore une chose. M. Knox est mon vrai père.

– Tu plaisantes ?

– Il me l'a dit aujourd'hui. C'est lui qui m'a emmenée passer l'examen. Ça explique beaucoup de choses. Mais je ne peux en parler à personne. Ma mère m'a fait promettre de ne rien dire.

– Mon Dieu. Ça va ?

– Ça ira, je crois. Un jour. Il me faudra bien toute une année pour assimiler tout ça, à mon avis. Mais au moins, il y a beaucoup de choses que je comprends mieux.

Elle s'engagea dans Lily Pond Lane et accéléra en plein milieu de la rue vide.

– Bon sang, cette voiture est super agréable à conduire.

– Oui, mais ne nous tue pas, d'accord ? demanda Rory, aussi gentiment que possible.

Week-end de la fête du Travail

Ils étaient assis sur une couverture, presque à l'endroit exact où ils avaient admiré le feu d'artifice près de deux mois auparavant, et cette fois Connor se tenait derrière elle, les bras autour d'elle, alors qu'elle regardait l'océan. Le soleil s'était couché dans leur dos et le ciel avait pris une teinte parfaite, mélange de gris, d'or et de rose.

– Comment te sens-tu ? demanda Connor. Tout va bien ?

– Je n'arrive pas à croire que c'est mon dernier soir, répondit Rory. C'est trop bizarre.

– Ton dernier soir avant qu'on ne rentre à New York. Si tu te débrouilles bien, je te laisserai peut-être dormir dans ma chambre demain.

Elle appuya la tête contre son épaule.

– C'est si loin, la Californie.

– Je t'ai déjà acheté un billet. Tu seras là-bas à la fin du mois de septembre.

– J'ai hâte.

– Euh, excusez-moi ! lança Isabel qui marchait péniblement vers eux dans le sable, une bouteille de champagne ouverte dans une main, un sac en papier dans l'autre. Ne vous tripo-tez pas devant moi, d'accord ?

Rory et Connor rirent alors qu'elle se laissait tomber à côté d'eux.

– Je ne savais pas que tu étais aussi coincée, dit Rory.

Connor ouvrit le sac en papier et en sortit le pique-nique que leur avait préparé Marisa.

– Miam, du poulet frit.

– Hé, laisse-moi porter un toast, d'abord, déclara Isabel en prenant les flûtes de champagne qu'elle avait cachées dans le sac.

Elle leur en servit une chacun.

– À quoi trinquons-nous ? demanda Rory.

– À Connor, qui a enfin quitté l'équipe de natation.

Elle brandit sa flûte alors que Connor levait les yeux au ciel.

– Papa ne s'en remettra probablement jamais, souffla-t-il.

– Félicitations, dit Isabel. Et à moi, pour avoir appris à conduire.

– Et pour n'avoir pas eu de contravention pour excès de vitesse, ironisa Rory.

– Comme tu dis, renchérit Connor.

– Et à Rory McShane, continua Isabel. Une excellente conductrice. Une amie fantastique. Et un sale caractère.

Rory gloussa.

– Cet été n'aurait pas été pareil sans toi, dit Isabel en sou-riant. Et je suis sûre que mon frère pense la même chose.

– Peut-être un tout petit peu, admit Connor en embrassant Rory sur la joue.

– Mais sérieusement, je ne sais pas ce que je vais faire sans toi cette année. Je n'en ai aucune idée. Qui va me hurler de ralentir ? Qui va m'écouter parler de garçons ? Qui ne va pas me juger quand je fais des trucs stupides ?

– Et à vous, dit Rory en levant son verre. Quand je suis arrivée ici, je ne connaissais rien ni personne. Et maintenant, j'ai deux nouveaux meilleurs amis. Qui vont tous les deux partir en Californie et m'abandonner.

Elle sentait que l'émotion la gagnait. Connor la serra dans ses bras.

– Tu y seras bientôt.

– Et alors tu viendras me voir, hein ? demanda Isabel.

– Absolument.

– Bon, j'ai un petit quelque chose pour toi, dit Isabel. Juste un petit cadeau pour que tu ne nous oublies jamais.

Elle plongea la main dans le sac en papier et en sortit une petite boîte qu'elle tendit à Rory.

– Vas-y. Ouvre-la.

– Tu es sûre que tu veux que je fasse ça ici ?

– Hum, hum. Allez.

Rory l'ouvrit et découvrit un bracelet en or à breloques. Elle le sortit et le laissa pendre à la lueur des bougies. Deux breloques luisaient : un « R » et un « I ».

– Je sais que tu aimes tes bracelets brésiliens, expliqua Isabel, mais je me suis dit que ce serait un peu mieux.

– Il est superbe, souffla Rory en l'attachant à son poignet.

– Et je me suis acheté le même.

Isabel tendit son poignet pour qu'elle puisse voir le « R » en or.

– J'ai passé un été incroyable, dit Rory. Merci de m'avoir

accueillie. Je n'oublierai jamais les moments que j'ai vécus ici.

– Alors il faudra que tu reviennes, déclara Isabel. L'été prochain.

Rory regarda Connor.

– Vraiment?

– Absolument.

Rory hocha la tête.

– Alors d'accord.

– Juré? demanda Isabel.

Rory sourit.

– Juré.

D'autres livres

Albin Michel

www.wiz.fr
Logo Wiz : Laurent Besson

Composition : IGS-CP
Impression : Imprimerie Lebonfon Inc. en mai 2014
Éditions Albin Michel
22, rue Huyghens, 75014 Paris

ISBN : 978-2-226-25527-3
ISSN : 1637-0236
N° d'édition : 20790/01 – N° d'impression :
Dépôt légal : juin 2014
Loi n° 49-956 du 16 juillet 1949 sur les publications destinées à la jeunesse.
Imprimé au Canada